بسم الله الرحمن الرحیم

زبان خوراکیها

جلد دوم

دکتر غیاث‌الدین جزایری

مؤسسهٔ انتشارات امیرکبیر
تهران: ۱۳۷۷

زبان خوراکیها (جلد دوم)

تألیف : غیاث‌الدین جزایری

چاپ سیزدهم : ۱۳۷۶

چاپ چهاردهم : ۱۳۷۷

چاپ و صحافی: چاپخانهٔ سپهر، تهران

تیراژ: ۵۰۰۰ نسخه

ISBN: 964 -00-0326-3 (Vol.2)

ISBN: 964 -00-0220-8 (3 Vol.Set)

شابک ۳ - ۰۳۲۶ - ۰۰ - ۹۶۴ (جلد دوم)

شابک ۸ - ۰۲۲۰ - ۰۰ - ۹۶۴ (دوره ۳ جلدی)

مؤسسه انتشارات امیرکبیر تهران، میدان استقلال

فهرست

فهرست الفبایی

گیاهان چه نقشی درزندگانی ما دارند؟

در جلد اول زبان خوراکیها گفتیم که وجود حیوان و گیاه لازم و ملزوم یکدیگر است. زندگانی نبات بدون حیوان وحیوان دورازگیاه میسر نیست. بهموجب یك قرارداد ابدی وارثی که درابتدای آفرینش، بین انسان وحیوان از یك طرف و نباتات ازطرف دیگر بسته شده است. طرفین متعهد شده اند که احتیاجات همدیگر راساخته وتحویل دارند. انسان وحیوان گازکربنیك مورد نیاز گیاهان را در بدن خود ساخته وازراه تنفس درهوا منتشر می نمایند، دربرابرگیاهان، نصف قیمت آن رانقدونصف دیگر آن را به اقساط می پردازند. به عبارت دیگر هرگیاهی درمقابل دریافت یك مولکول گازکربن که ازهوا می گیرد، بلافاصله یك اتم اکسیژن آن را پس داده، هوا راتصفیه وبرای تنفس حیوانات مناسب می سازد. با بقیهٔ آن نیز احتیاجات غـذایی و دوایی ما را ساخته و به اقساط تحویل می دهد. این معامله پایاپای و درازمدت چهار رکن اساسی دارد که آن را ارکان اربعه یا عناصر چهارگانه نامیده اند. ما در اینجا هریك را به اختصار برای شما تشریح می نماییم.

عناصر اربعه

عنصر بــه معنی ریشه است و چــون ساختمان تمام مــوجودات زنده و آلی خواه گیاهی، خواه حیوانی، از چهار منبع بزرگ ریشه می گیرد، این چهار پایهٔ اساسی را پیشینیان ارکان اربعه و به عبارت دیگر عناصر چهارگانه نامیده اند. این چهار اصل مهم و اساسی حیات عبارتند ازمنبع خورشید که به ما نورو حرارت می دهد و منبع هواکه ما ازآن اکسیژن و گیاهان گازکربن می گیرند.

۳

و دومنبع آب و خاک که ما سایراحتیاجات زندگانی‌خود را از آنهامی گیریم. درکتب سنتی ایران که قبل ازحملهٔ مغول نوشته شده وعاری از خرافات می‌باشند، عناصر اربعه به‌همین نحوکه بیان شد تعریف شده است. درهیچ جا این عناصر را بسیط ندانسته‌اند وبرعکس اظهارنظر کرده‌اندکه گیاهان از این چهارعنصر ریشه گرفته و جوهری از آنهامی‌گیرند. گیاهان اندام خود را باآنچه از این چهارمنبع دریافت می‌دارند می‌سازند.

چنانچه یکی از این چهاراصل کم باشدگیاه نروید و انسان وحیوان که از گیاه تغذیه می کنند از بین می‌روند. چون ساختمان گیاه ازاین‌چهار عنصر ریشه‌گرفته و ساختمان حیوان از گیاه به‌عمل آمده پس جمیع موجودات زنده ازنباتی وحیوانی ازترکیب این چهارعنصر به‌وجود آمده‌اند.

عناصراربعه درعلوم جدید

در شیمی جدید به‌نود ودو فلزوشبه فلز موجود در طبیعت عنصرمی گویند و این اشتباه است. زیرا چنانچه گفتیم عنصر به‌معنی ریشه است.

فلزات و شبه فلزات،اجسام‌مفردی هستندکه از هیدروژن ریشه گرفته وخود نمی‌توانند ریشه به‌حساب آیند. اما علوم جدید هم از ریشه‌گرفتن اجسام آلیه ازچهارعنصری که شرح دادیم به‌صورت دیگری‌بحث می کنندکه شیمی‌آلی را به‌وجودآورده است.

در زیست‌شناسی گیاهی ثابت شده است که گیاهان هنگام روز، حرارت و نورآفتاب راگرفته وبه‌کمک‌آنها گازکربن را ازهوا دریافت نموده آن‌را با آب ترکیب‌کرده و به‌شرحی‌که درشیمی آلی بیان می‌شود آن را تبدیل به مواد قندی می‌نمایند، از طرفی دیگرمواد ازت‌دار واملاح معدنی را ازخاك گرفته، موادسفیدهٔ قندی، چوبی و غیره راکه اجسام آلی خوانده می‌شوند، می‌سازند. درعلم شیمی جدید با اینکه می‌دانند مواد آلیه ازترکیب آب، گازکربن، مواد معدنی ونور و حرارت به‌وجودآمده، هنگام سوختن تجزیه شده‌علاوه برگازکربن، موادمعدنی رابه‌صورت خاکستروآب نوروحرارت‌را هم پس می‌دهند. به‌عبارت دیگرآنچه را درموقع تولدگرفته‌اند پس ازمرگ برمی گردانند. مغذالك درفرمول‌شیمیایی این‌ترکیبات، نور وحرارت‌خورشید را نادیده‌گرفته، به‌حساب نمی‌آورند، درصورتی که پزشکان و داروسازان سنتی ایران‌که بنیانگزار علم شیمی درجهان هستند این اجسام را ترکیبی از عناصرچهارگانه یعنی آب، هوا، خاك، و آتش می‌دانستند. چنانچه گفتیم معنی آتش‌دراینجا نوروحرارت آفتاب می‌باشد. داروسازان سنتی ایران طبع

آتش را گرم و خشک و تظاهر آن را در بدن حیوان حرارت غریزی می‌خواندند. امروز همه می‌دانند که مواد غذایی در بدن انسان بطور بطی سوخته، حرارتی درحدود °۳۷ درجه سانتیگراد به‌وجود می‌آورند. قدرت آب سرد و تر بوده و در تری هیچ ترکیبی به‌پایهٔ آب نمی‌رسد. قدرت خاك سرد و خشک و قدرت هوا سرد و تر می‌باشد و چون تمام خوراکیها از این چهار عنصر ریشه می‌گیرند، در نهاد آنها سردی ـ تری ـ خشکی و گرمی به‌هم آمیخته، متناسب با مقدار آنها و طبع آنها تفاوت پیدا می‌نمایند. به‌این معنی که اگر از جوهر آتش زیادتر گرفته باشد طبع آن گرم و خشک، اگر از آب زیادتر گرفته باشد سرد و تر، اگر از خاك بیشتر گرفته باشد سرد و خشک و اگر از هوا گاز کربن بیشتری گرفته باشد طبع آن گرم و نرم خواهد بود. این خلاصه‌ای از طبایع چهارگانهٔ مواد خوراکی است که داروسازان و پزشکان سنتی به‌آن عقیده داشته و دانشمندان جدید منکر آن شده‌اند.

طبایع چهارگانه

چار طبع مخالف سرکش　　روزگاری شوند باهم خوش
گر یکی زین چهار شد غایب　　جان شیرین برآید از قالب

گفتیم که عناصر چهارگانه آب، خاك، هوا و آتش چهار قدرت سردی ـ تری ـ گرمی و خشکی دارند و از ترکیب آنها نه گونه آمیزش پدید می‌آید. اول آنکه گرمی برسه قوت دیگر غلبه داشته باشد. دوم آنکه سردی غلبه کند. سوم آنکه خشکی غالب شود و چهارم آنکه تری غلبه نماید. این چهار مورد را مزاج مفرد می‌نامند. چهار کیفیت دیگر ممکن است به‌وجود آید که در آنها دو طبع بر دو طبع دیگر غلبه نمایند. مثل اینکه گرمی و خشکی قوی‌تر از سردی و تری شوند و یا برعکس سردی و تری بر گرمی و خشکی غالب گردند و یا گرمی و تری بر سردی و خشکی چیره باشند و یا فیروزی از آن سردی و خشکی باشد. این چهار کیفیت را مزاج مرکب می‌نامند و غیر از این هشت مزاج (چهار مفرد و چهار مرکب) یك مزاج معتدل هم داریم که جمعاً نه مزاج می‌شوند.

حال که این نه مزاج را شناختید بدنیست مختصری هم از اخلاط چهارگانه صحبت کنیم. انسان و حیوان قوت خلاقه نداشته و بایستی احتیاجات خود را از گیاهان بگیرند، همانگونه که گیاهان هم نمی‌توانند گاز کربن مورد نیاز خود را بسازند و مجبورند از حاصل تنفس حیوانات بهره‌مند شوند. به عبارت دیگر ما به‌تنهایی قادر نیستیم نیروی لازم برای حرکات بدن خود را مستقیماً از آفتاب دریافت داریم. این نیروی خورشیدی را باید گیاه گرفته و

با جوهرهایی که از سه عنصر دیگر آب، خاك وهوا می گیرد ترکیب کرده به‌صورت غذا به‌ما تحویل دهد.

اخلاط چهارگانه

خوراکیها پس از تغییراتی که در جهازهاضمه پیدا می کنند، داخل کبد شده و درآنجاپخته شده به‌صفرا، خون، بلغم و سودا تبدیل می‌شوند. صفراچون آفتاب طبعی گرم وخشک‌دارد. خون‌چون‌هواگرم و تراست. بلغم مانند آب سرد و تربوده وسودا مانند خاك سرد و خشک است. صحت و سلامتی بدن ما به‌تعادل‌این چهارخلط بستگی دارد. این اخلاط‌به‌سهم خود انواع واقسام داشته و درهر بیماری رنگ، بو، مزه، غلظت و خواص ظاهری و باطنی‌آنها فرق‌می کند. درغلبهٔ صفرا، مزاج‌را صفراوی، درغلبهٔ خون، دموی، درغلبهٔ سودا، سوداوی ودرغلبهٔ بلغم، بلغمی گویند. گاه دوتای‌اینها غالب ودوتای دیگرمغلوب‌می‌شوندوبه‌این‌صورت چهارمزاج دیگرپیدا شده‌وبامزاج معتدل جمعاً نه‌طبع پیدامی گرددکه ماشرح مفصل اینها وتطبیق‌آنها راباعلوم جدید درجلدهای دیگرزبان‌خوراکیهاخواهیم نوشت. دراینجاهمین قدرمی گوییم‌که داروسازان سنتی ایران از راه‌مطالعه در روی‌مزاجهای گوناگون به‌اسراری پی‌برده‌اندکه علوم جدید تازه قسمتی از آنها راکشف‌کرده ومقادیر زیادی از آنها هنوز درپردهٔ ابهام است. چنانچه به‌همت خوانندگان ومحققین ایرانی این مباحث موردآزمایش قرار گیرد، اسرارزیادی‌کشف شده و اهمیت تجارب نیاکان ما آشکار خواهد شد. مادز اینجا اشاره‌ای به‌عوامل انتقال وراثت و نروماده شدن جنین می‌نماییم.

عوامل انتقال وراثت

این موضوع که چرا بچهٔ آدم، انسان و بچهٔ حیوانات مانند آنها می‌شود، اینکه‌چرا هربچه‌ای‌بعضی ازصفات وحتی‌بعضی ازامراض را ازپدرومادرخود به‌ارث می‌برد، موضوع تازه‌ای نیست. بلکه ازقدیم‌الایام موردبحث‌فلاسفه و دانشمندان بوده و آنها درصدد پیداکردن عوامل انتقال وراثت بوده‌اند.

پزشگان وداروسازان سنتی‌ایران‌عقیده‌داشتندکه درمنی گوهرهوائی و گوهرآتشی بیشترازگوهرآبی وخاکی است. و در تخمك گوهرآبی و خاکی بیشترو گوهر هوائی وآتشی‌کمتراست. وچون آتش و هوا به‌مزاج خودگرم وآب وخاك سرد می‌باشند، گرمی قویترازسردی است. بنابراین گوهر گرمی هم قویترازگوهرسردی بوده ودرنتیجه‌نطفهٔ مرد قویتر ازتخمك زن می‌باشد.

ازآنجایی که هرضعیفی تابع قوی است، بنابراین هرنـوزادی ازپدر بیشتراز مادرصفات او را به‌ارث می‌بـرد مگرآنکه درمزاج زن ومرد تغییری حاصل شده باشد.

نر و ماده شدن جنین

در مورد نر و ماده شدن‌جنین هم‌همین عقیده را داشتند. اگر نطفه قویتر از تخمك ومزاج منی گرم وخشك‌ومزاج رحم سردوترباشد، جنین‌پسرمی‌شود. وچون‌اندك تغییری‌کند یعنی قوت منی کاهش‌بیداکند ویا مزاج رحم‌کمی گرم گردد نوزادآنها دخترخواهد شد.

کشفیات جدید وعقیدهٔ پیشینیان

در زیست‌شناسی جـدید هم عقیده دارند کـه اگر تعداد ژنهای کـروموزن که درنطفه است بیشتر بـاشد، پسرزا و اگر کمتر بـاشد دخترزا می‌شود. و همچنین ثـابت شده است‌کـه اگرترشحات رحـم هنگام لقاح قلیایی بـاشد، کروموزنهای ماده‌زا ازبین رفته و ابتکار عمل دردست نرزاها خواهد افتادو چنانچه ترش شود نرزاها ازبین رفته، ماده زاها باقی‌می‌مانند و نوزاد دختر می‌شود. حال‌اگرخوب توجه‌کنیم می‌توانیم‌بگوییم‌که این‌عقیده‌یکی‌بوده‌فقط به‌دوصورت بیان شده است. درحقیقت بین عقاید قدیم و جدید فرقی نیست. اگرنطفه ژن‌بیشترداشته‌باشد، قویتراست وجنین پسرمی‌شود. اگرمزاج‌رحم سرد و ترباشد و به‌عبارت جدید قلیایی باشد بازهم فرزند آنها پسر می‌شود. چون مـزاج رحم بر گردد یعنی‌کمی‌گرم گـردد، به‌عبارت جدید ترش شود، فرزند آنها دخترخواهد بود.

رجحان طب سنتی

عقایـد پـزشکان و داروسازان سنتی ایـران در مـورد پسرشدن یـا دختر شدن نوزاد را می‌توان دریك جمله خلاصه‌کرد. اگرمزاج پدرگرم و مزاج مادر سرد باشد، فرزندان آنهاپسرمی‌شوند. چنانچه مزاج‌آنهابر گردد فرزند آنها دخترخواهد شد. این‌عقیده‌ای‌است‌که هزارسال پیش درکتب خطی‌سنتی ایران نوشته شده و تازه زیست‌شناسان جدید پس‌ازبیان‌هزاران فرضیهٔ دیگر که غلط درآمـد، به آن رسیده‌اند و آن را بـا زبانی علمیتربیان می‌نمایند. اینجاست که‌ماعقیده داریم که‌نبایستی‌عقاید دانشمندان سنتی‌ایران را سرسری گرفت، بلکه بایدکوشید تابه‌حقایق‌آنان پی‌برده وفرضیه‌های علمی‌آنها را با

فرضیه‌های جدید منطبق کرد. رجحان طب سنتی دراینجا دراین است که عقاید آنها از هزارسال پیش تاکنـون تغییری نکرده ولی دانشمندان غربی دراین مدت ده‌هافرضیهٔ‌غلط داده‌اند، تاامروز به‌همان‌نتیجه‌ای‌رسیده‌اند که‌دانشمندان سنتی ایران هزارسال پیش داشته‌اند. وقتی مـا یك سلول یا نطفه را در زیر میکرسکوب‌های بسیارقوی چندین میلیون برابربزرگ‌کنیم‌دراطراف هسته‌ی آن تعدادی رگه که درآنها دانه‌های بسیار ریزی وجود داردمی‌زیستیم. این رگه‌هارا امروزه‌کرموزن ودانه‌هاراکه‌عامل انتقال وراثت هستندژن گویند.

تعداد این رگه‌هادرنطفه‌ی‌انسان ۴۸ عدد است داروسازان سنتی‌ایران بدون‌داشتن‌میکرسکوب‌عامل انتقال وراثت را عرق‌الدساس بمعنی رگه‌های همانندساز می‌دانستند (دس بمعنی مثل، مانند و دساس همانندساز است) و عقیده داشتندکه تعداد رگه‌های همانند ساز درساختمان جنین۹۹ عدد است.

چندنمونه ازفواید خوراکیها

درچند موضوع مختلف

اکسیر جوانی در بدن شماست

سالها دل طلب جام جم ازما می‌کرد
آنچه‌خود داشت زبیگانه‌تمنا می‌کرد
فیض روح‌القدس ارباز مدد فرماید
دیگران هم‌بکنند آنچه‌مسیحا می‌کرد

این روزها بار دیگر به‌فکر تهیهٔ اکسیرجوانی افتاده‌اند و کوشش دانشمندان را برای پایداری جوانی وبه‌دست‌آوردن عمر درازهمراه باتندرستی، بررسی می‌نمایند. من به‌کسانی‌که می گویند «جوانی کجایی‌که یادت بخیر» می گویم جوانی در وجود شماست. اگر خفته‌است، به‌آسانی می‌توانید بیدارش کنید. جوانی جایی نرفته است که دیگردسترسی به‌آن نداشته باشید، درچند قدمی شماست می‌توانیدآنرابر گردانید. پیری‌یك‌نوع بیماری‌است‌که مثل‌سایر امراض قابل پیشگیری و درمان است‌ابتلا به‌این مرض، ارتباطی‌به‌سن وسال اشخاص ندارد، هرچندکه غالباًدرپیش‌اشخاص‌سالخورده دیده می‌شود. شمادر دوران زندگانی خود به‌پیران‌کم‌سن وجوانان سالمند زیاد برخوردکرده‌اید ومتوجه شده‌ایدکه پیری مستلزم داشتن سن زیاد نیست، بلکه‌آفتی‌است‌که ازطفولیت

درکمین شخص می‌باشد و هرموقع زمینه را مناسب و بدن را مستعد ببیند، حمله می‌کند و چنانچه بدن نتواند ازخود دفاع کند، برآن مستولی‌شده و باقی می‌ماند. ولی بازهم مثل سایر امراض قابل درمان ومعالجه است. پیری یك مرض موضعی است، یعنی ممکن است قسمتی ازبدن انسان پیر شود و سایر قسمتهای آن جوان بماند. وقتی شما می‌بینیدکه درشخصی فقط چندموی‌او سفید شده وبقیهٔ موها جوانی خود را حفظ کرده‌اند و حتی وقتی می‌بینیدکه شخصی تمام موهای سروصورتش سفید شده است، بازهم نباید آنرا علامت پیری بدانید. ممکن است فکراو، چشم او، گوش او ویا سایرقوا و قسمتهای دیگر بدن‌او جوان باشند وبرعکس نیزوقتی تمام موهای شخصی به‌رنگ‌اولیه باقی مانده باشد، بازهم دلیل جوانی اونیست، بلکه ممکن است قوای دیگر اوپیرشده و ازکار افتاده باشند.

ممکن است چشم اوپیروکم‌سو باشد،ممکن است مغز او پیر وفرسوده شده باشد. خلاصه پیری‌یك‌آفت موضعی‌است که‌درهرکجای‌بدن ضعف‌احساس کند وآن‌را برای‌جولان خود مستعد ببیند. به‌سراغ آن محل‌می‌رود. ریختن دندان نیز علامت پیری نیست، مخصوصاً درعصرماکه دندانهای مصنوعی جای خود راباز کرده‌اند. یائسگی برای زنان و ازبین رفتن قوای‌غریزی نیز نمی‌تواند به‌تنهایی علامت پیری باشد. چه‌بسیار دیده شده است زنانی‌پس‌از یائسگی سالهای متمادی درنهایت تندرستی زیسته و ازنظرشکل و قیافه نیز جوانترشده و احساس آرامش بیشتری می‌نمایند. درمورد مردان نیز ازبین رفتن قوای جنسی غالباً باعث تجدید قوای دیگر می‌شود و چنانچه می‌دانید خاجه‌ها و مردان اخته شده، عمرطولانی و سلامتی بیشتری‌دارند. درمدینهٔ منوره خاجه‌هایی وجود دارند که در محل اصحاب صفه می‌نشینند (صفه قسمتی ازحرم است‌که‌کف‌آن‌کمی بلندتر ازسایرقسمتهای دیگربوده و درزمان حضرت رسول‌دسته‌ای‌اصحاب درآنجاسکونت داشتندکه به‌آنها اصحاب صفه می‌گفتند) این خاجه‌ها را سلاطین سابق عثمانی جهت خدمتگزاری درحرم مأمورکرده و به‌آنجا فرستاده‌اند. اکثر آنها سنشان ازنود سال‌گذشته و چند نفرآنهابیش‌ازصد سال‌دارند. معذالك همه مردمانی سالم وتندرست ونیرومند می‌باشند وهیچگونه‌آثارپیری وضعف درآنهانیست و بااینکه‌ازکودکی غرایز جنسی را درآنها ازبین برده‌اند، تأثیری درسایرقوای آنها نداشته وبلکه‌بر-عکس، سبب تقویت قوای‌دیگرشده است. بنابراین من به‌شما توصیه می‌کنم اگر روزی چند تارسفید مودرسرخود دیدید، دچار اضطراب و دلهره نشوید وآنرا نشانهٔ شروع پیری ندانید، زیرا ترس ازپیری، به‌مراتب خطرناکتراز

خود پیری است. وحشت ازپیری اعصاب را خرد می کند ومقدمات پیری را در تمام اعضاء و قوای انسان فراهم می‌سازد وبدن را مستعدگرفتن امراض گوناگون، ازجمله بیماری پیری می‌سازد وباید همه بدانندکه ضعف، یابهتر بگوییم پیری یك یا دوتا از قوای بدن، دلیل پیری سایرقوا نیست و پیری یك‌عضو، ارتباطی باجوانی بقیهٔ اعضا ندارد.

با این مقدمهٔ جامع که‌به‌زبانی‌ساده بیان‌شد، حال بدنیست بدانیم پیری چیست وچه‌عواملی سبب پیدایش‌این‌بیماری دریك‌یا چند عضو بدن‌می گردد. دانشمندان برای پیری علل و جهات زیادی می‌شمارندکه هیچ کدام آنها با زیادی‌عمر بستگی ندارند، بلکه بیشترمربوط‌به‌تنك شدن مجاری‌وعروق بدن، مخصوصاً رگ‌های مویی است و عامل اصلی انسداد آنها رسوب فضولات و جمع شدن سلولهای مردهٔ محجراست.

این مجاری و عروق کارشان دربدن غذا رساندن به‌یاخته‌ها و آبیاری وشستشوی آنهاست و چنانچه تنگ یامسدود شوند و مایعات حیاتی نتوانند درآنها به‌آسانی رفت و آمد کنند، عده‌ای از سلولها که محرومیت بیشتری دارند، ضعیف شده وکم‌کم می‌میرند و چون رفتگران بدن‌که کارشان نظافت و ازبین بردن فضولات است نمی‌توانند به‌آسانی رفت‌وآمد کنند و اجساد سلولهای مرده را ازبین ببرند، ناگزیر باید چاره‌ای بیاندیشند تا سلولهای مرده تولید تعفن نکرده و سایر یاخته‌ها را فاسد نکنند ومعمولاً برای اینکار قشری از آهك به‌دورآنها می‌پیچند و به‌عبارت دیگرآنها را تبدیل به‌سنگ می‌سازند وهمین سلولهای سنگ‌شدهٔ «محجر» هستندکه عضلات وپوست بدن راسخت‌کرده، طراوت وزیبایی‌آنهارا ازبین می‌برند وسبب کهولت وفرتوتی می‌شوند وهرقدرکه تعداد این سلولهای سنگ‌شده و مومیایی دربدن زیادتر شود، آثار پیری و پژمردگی زیادتر نمایان می گردد و اینجاست که عضلات بدن قدرت ارتجاعی خود را ازدست می‌دهد و شخص احساس فرسودگی و خستگی وناراحتیهای روحی وجسمی می کند و نمی‌تواند مثل گذشته فعالیت داشته باشد. جوانی و پیری مسألهٔ غامض وپیچیده‌ای نیست. راز آن همین تنگ شدن ومسدود شدن مجاری، مخصوصاًعروق شعریه‌است‌که با انشایی ساده برای شماتشریح گردید. حال‌اگرمی‌خواهید عمری طولانی داشته‌باشید وتا آخرعمرجوان بمانید وبدون‌آنکه گذشت سالهای‌زندگانی کوچکترین‌تأثیر بدی درزندگانی‌شما بگذارد و بتوانید همواره مثل‌سالهای قبل‌به‌کاروکوشش خود ادامه دهید و مجبوربه‌کناره گیری ازاجتماع نشوید، بایستی‌کاری‌بکنید که این مجاری هیچوقت تنگ وبسته‌نشوندواحتیاج به‌لاروبی‌وزهکشی‌نداشته

باشند و این نکته را نیز باید بدانید که کسانی که معتقدند وراثت در درازی و کوتاهی عمر و پیری زودرس و دیررس مؤثر است، سخت دراشتباهند وتنها چیزی که انسان ازپدر و مادر دراین مورد ارث می برد، آداب و سنن است که پاره‌ای از آنها درانسداد این مجاری و لاروبی آنها تأثیرفراوان دارند و باتغییر حالت وترك آداب ورسوم خانوادگی این میراث ازبین می‌رود. باری، پیری جزتنگ شدن مجاری بدن نیست و علتی جزرسوب فضولات وسلولهای مرده و سنگ‌شده ندارد. دراثراین عمل خون و مایعات بدن به کندی جریان پیداکرده و باعث سستی و رخوت می گردد و چون این کار به‌تدریج صورت می گیرد، پیری هم به‌تدریج پیدا می‌شود وهرقدرمجاری تنگتر شوند، آثار پیری نمایانتر می گردند و چنانچه این آب‌روها لاروبی شوند، آثارپیری نیز محو خواهد شد، مشروط براینکه قبلاً علت وسبب را پیداکرده و ازرسوب مجدد جلوگیری کنیم واین کارشباهت زیادی به‌تنقیه قنوات دارد. اگرماقناتی را لاروبی کنیم وعلل جمع شدن گل ولای را دربستر آن برطرف نسازیم، شکی نیست که پس‌ازچندی مجدداً آن قنات واریز کرده، خراب می گردد و به‌جای آنکه به‌صورت اولیه، یعنی به‌همان صورتی که درابتدای کندن و روزتولدآن بود درآید، بدتر ازوضع قبل ازلاروبی می‌شود. خوشبختانه لاروبی مجاری ورگهای مویی بدن به‌مراتب آسانتر ازپاك کردن گل‌ولای کف یك کاریزاست، زیراماشین بدن‌انسان خودکاربوده وترمیم ضایعات آن به‌عهدهٔ خود دستگاه است و فقط ما باید علت خرابی را پیداکرده و برطرف‌کنیم ومصالح‌لازم را دراختیار آن دسته ازکارگران بدن‌که وظیفهٔ آنها نوسازی است قرار دهیم‌تا آنها بتوانند با قدرت تمام، سنگرهای پیری را خراب‌کرده و ازبین برده وبه جای‌آنها یاخته‌های جوان ونوبگذارند و به‌همین دلایل‌بودکه من درابتدای این موضوع نوشتم اکسیرجوانی پیش شما و دربدن شماست. اگراحساس پیری می کنید، بدانیدکه این اکسیر عظیم به‌وسیلهٔ اهریمنان پیری محاصره شده ودربدن شماعاطل‌وباطل مانده است، سنگرهای دشمن را درهم بکوبید و به‌سربازان مدافع بدن اسلحه و مهمات کافی‌برسانید تا بتوانند این دشمن سرسخت را ازکشور بدن شما بیرون برانند. درجهان امروز پزشکان باکمك داروهایی‌که به‌وسیلهٔ داروسازان دانشمندساخته‌می‌شود توانسته‌اند حدمتوسط عمر را بالا برده، آنرا به‌حدود شصت سال‌برسانند وچنانچه موفق به‌مغلوب کردن سرطان و چند مرض دیگرشوند، حد متوسط عمر انسان از این حدهم بالاتر می‌رود وبه حدود هفتاد سالگی خواهد رسید، ولی درهمین ایران ما، دربعضی از دهات و شهرکها، مردمانی زندگانی می کنندکه حد متوسط عمر

آنها ازصد سال پیشتر است و با اینکه درگذشته از وسایل اولیهٔ بهداشت محروم بوده و دستشان به‌دامن پزشك وداروسازکمتر می‌رسیده‌هرگزمغلوب پیری نمی‌شدند و تاآخرعمرشور و نشاط راازدست نمی‌دادند. درهمین تهران و شهرهای دیگر ایران هم اشخاص سالخورده‌که سن آنها ازصد سال گذشته است، گاهگاهی دیده می‌شوند. من یکی ازآنها راکه به‌سیدکاشی معروف بود و موقعی که من طفل بودم، در همسایگی خانهٔ پدری ما سکونت داشت و همه می گفتند پیرترین مـردمحل است، می‌شناختم. تاریخ تولد صحیح او در پشت جلد یك کلام‌الله مجید نوشته شده بود وبخوبی یاددارم که روزی همراه پدرم به‌عنوان بازدید نوروز به‌خانهٔ او رفتیم واو این قرآن وتاریخ تولدش را به‌پدرم نشان داد و پس ازمحاسبه معلوم شد که سی‌وپنج سال از پدر من که ایشان هم شخص معمری‌بودند، بزرگتراست. این شخص درست ۲۸سال بعد ازفوت مرحوم‌پدرم زنده بودوتقریباً پانزده‌سال پیش درمن ۱۱۸ سالگی مرد. یك هفته قبل‌ازمرگش او رایك روز صبح زود درکاخ دادگستری دیدم که برای شکایت ازیکی‌از همسایگان خانهٔ خود مراجعه‌کرده بودومی گفت صبح زود پیاده از خانهٔ خویش که نزدیك میدان اعدام است، به‌اینجا آمده ومدتی پشت درکاخ ایستاده تا در را بازکرده‌اند. من‌او راازشکایت منصرف کردم وگفتم من خودم نزد شما خواهم آمد و اختلافتان را برطرف خواهم ساخت. گفت قبول دارم، مشروط براینکه همین الان باهم به‌خانـه برویم، قبول‌کردم وبا هم حرکت‌کردیم. من می‌خواستم‌با تاکسی یااتوبوس برویم، اما او قبول نکرد وگفت راهی‌نیست، من پیاده می‌روم، شما اگرمی‌خواهید سوار شوید. من وقتی دیدم‌که یك پیرمرد ۱۱۸ ساله‌که تقریبا هفتاد سال‌از من بزرگتـراست پیاده می‌رود، من هم پیاده به‌راه افتـادم. دربین راه باهم صحبت می‌کردیم. از زندگانی وسلامتی خود راضی بود ومی گفت خواب‌و خوراکم خوب است. خوب می بینم وخوب می‌شنوم، ولی‌مدتی است‌که‌حس شامه‌ام خوب‌کار نمی کند، ولی‌بوهای تند را می‌شنود. باری، من همان روز اختلاف او را باهمسایه‌اش حل‌کردم بعدازیك‌هفته پیرمرد سکته‌کرده ومرد. وقتی طبیب محل رابرای صادرکردن جوازدفن آوردند، پس از معاینه گفته بود هیچ مرضی نداشته، فقط نفت چراغ عمرش تمام شده ومرده است. حال اجازه بفرماییدکمی دراطراف زندگانی‌این مرد ۱۱۸ ساله باهم صحبت‌کنیم. اومردفعال پشت‌کارداری بود. صبح زودازخانه بیرون می‌آمد و تمام خرید خانه راخودش‌می کرد. غذایش‌بسیارساده وکم قوت بود. بیشترروزهاغذایش آبگوشت‌یاآش‌بودوفقط شبهای‌جمعه‌پلومی خورد. نوه‌هایش‌می گفتندیك چارك

گوشت می‌خرد و یك دیگ آبگوشت درست کرده، جلوما که هیجده نفرهستیم می‌گذاردوشبهای جمعه که‌پلوداریم، به‌دومن برنج فقط سه‌سیر روغن می‌زند. او به‌خوردن سبزی‌ومیوه‌علاقهٔ زیادی‌داشت‌وبیشتر آبگوشت‌بزباش‌می‌خورد. هفته‌ای دوسه روز نصف استکان بیدخشت باکمی مغزبادام تناول می‌کرد و می‌گفت بهترین دارو برای جلوگیری از یبوست است. هروقت سینه‌اش درد می‌گرفت، شکرتیغال را دم کرده و صبح به‌جای چای می‌نوشید و همه روزه صبح ساعت ده خوردن میوه را فراموش نمی‌کرد و تا آخر عمرش سوار ماشین نشد وفقط جنازهٔ او را با اتومبیل به‌قم بردند. او تا آخرین روزهای عمر دراز خود همیشه خندان و خوشحال بود. دربرابر ناملایمات زندگانی، خونسرد و صابر بود و هیچوقت عصبانی و خشمگین نمی‌شد. درتمام عمرش‌لب به‌مشروبات الکلی و نوشابه‌های گازدار نزد. مدتی روزی دودانه سیگارمی‌کشید، ولی‌بعداً آنرا ترك‌کرد. به‌نوشیدن چای علاقهٔ فراوان داشت، ولی گاهی به‌جای آن دم‌کردهٔ گل گاوزبان می‌نوشید. درشب قبل‌ازمرگش‌دریك مجلس روضه‌خوانی‌شخصی از اوپرسید چند سال‌دیگرازخداعمرمی‌خواهد، اودرجواب گفته بود هرقدرخدا بخواهد. اگرهمین الان مرا به‌برد، ناراحت نمی‌شوم و اگرصد سال‌دیگرهم‌نگاه‌دارد، گله وشکایت نمی‌کنم.

این بود خلاصه‌ای از زندگینامهٔ شخص سعادتمندی که در طول عمر درازخود صحت وسلامتی را از دست نداد. غیر از سیدکاشی، پیران دیگری نیز درتهران دیده شده‌اندکه سن آنها ازصد سال تجاوزکرده است و درحال حاضرهم من چندین زن ومرد را می‌شناسم که سنین عمر آنها از صد گذشته است و اگر بخواهیم زندگینامهٔ یکایك آنها را ورق بزنیم مثنوی هفتاد من کاغذخواهد شد. ولی همین‌قدر می‌گویم که همهٔ آنها اشخاص فعال و پرتحرکی‌بودند و تاآخرعمرازانزوا و گوشه‌نشینی فرار کرده‌اند. غذای همهٔ آنها ساده، کم چربی وکم قوت است. درهیچ‌کار و هیچ‌عملی‌افراط نکرده و میانه‌روبوده و می‌باشند. اگر درتهران و شهرهای بزرگ اشخاص مسن که عمرشان ازصد سال گذشته به‌ندرت دیده می‌شوند، ولی دربعضی از دهات و شهرك‌های ایران، مابه‌نقاطی برمی‌خوریم که ساکنان‌آنها عموماً دارای عمر دراز بوده و اشخاص ۱۴۰ ساله‌به‌بالادربین آنها زیاد است و اگرخوانندگان مایل باشند، ما این دهات و شهرك‌ها را با خصوصیات محل و آداب و سنن آنهادرمقالات جداگانه‌ای خواهیم نوشت ودراین مقاله به‌آنهاکاری‌نداریم، زیرا امکان زندگانی‌برای شهرنشینان بزرگ درآن محلات میسرنیست و ما

می‌خواهیم رمز اکسیرجوانی را درهمهٔ شهرها نشان بدهیم.

یکی از طبقات ممتاز و مشخص که دربین ما عمر دراز دارند، طبقهٔ روحانیون هستندکه حد متوسط عمر دربین آنهاهشتاد سال است وعمرعده‌ای ازآنها ازنود سال‌تجاوزکرده وبه‌ندرت هم به‌صد سالگی‌می‌رسند. عامل‌اصلی طول عمر درایشان، علاوه برنیروی ایمان و اجتناب از محرمات، دو مورد از عادات و رسوم آنهاست.

۱- برای‌یک‌فرد روحانی دوران بازنشستگی وکناره گیری‌ازکار وجود ندارد. یك امام جماعت تاآخرین سالهای عمربه مسجد می‌رود و درآنجا و در خانهٔ خود به‌سئوالات مذهبی‌مردم‌پاسخ‌می‌دهد. مراجع‌تقلید مرتباً‌مطالعه می‌کنند و روزی‌دوبار درس می گویند وبه تمام سئوالات کتبی‌وشفاهی‌مقلدین خود پاسخ می گویند، وچـون خود را مسؤول تأمین معاش چند هزار طلبه می‌دانند، تا آخرین روزهای زندگانی دست ازکار وکوشش برنمی‌دارند.

۲- روحانیون معمولادرمسجد، خانه‌ومجالس‌دیگرروی‌زمین‌می‌نشینند و جلوپای هر تازه‌واردی خواه‌کوچك باشد خـواه بزرگ، خواه غنی باشد خواه فقیر، برمی‌خیزند و دوباره می‌نشینند و از این‌نشست و برخاست‌هاکه برای ما فرساینده است، هیچگاه خسته نمی‌شوند.

پس‌ازطبقهٔ روحانی، دستهٔ‌دیگری‌از هم‌میهنان ماکه عمر دراز دارند، مجاوران اماکن مقدسه می‌باشند. اینهاکسانی هستندکه پس ازبازنشستگی و کناره‌گیری ازکار وحرفهٔ خود، به‌یکی از شهرهای مذهبی مهاجرت کـرده، بقیهٔ عمر را به‌عبادت می‌گذرانند. اینها همه روز، چندبار به زیارت رفته‌و پس ازخواندن زیارتنامه، چندین بار دور ضریح گشته و چندین رکعت نمـاز مستحبی می‌خوانند وبعدبه‌مجالس روضه‌خوانی ویابه‌پای منابروعظ می‌روند وبه‌این ترتیب‌اوقات خود رامشغول‌داشته، احساس تنهایی‌وبیکاری‌نمی کنند وچون اعمال آنها تـوأم با راه‌رفتـن، حرکت و نشست و برخاست است و فعالیت جسمانی و روحانی زیادی‌دارند، هیچگاه عضلات ونیروهای بدن‌آنها دراثربیکاری ازبین نرفته و زنگ نمی‌زنند وهمین‌فعالیت‌های جسمی وروحی است‌که جریان مایعات بدن راسریع‌کرده و ازرسوب فضولات درمجاری‌آنها جلو گیری‌کرده وسد راه پیری و ازکارافتادگی می‌شوند وچنانچه ازخوردن غذاهای پرچربی ومقوی‌خودداری ورزند، عمری‌بس طولانی خواهندداشت.

ازمطالعه وبررسی زندگینامهٔ این دوطبقه، یعنی‌روحانیون ومجاوران اماکن مقدسه، به‌این‌نتیجه‌می‌رسیم که‌رمزموفقیت‌آنهادرحرکت - راه‌رفتن - نشست وبرخاست زیاد وفرار ازگوشه‌نشینی و بیکاری است و همچنین اعمالی است

که اندامهای مختلف بدن را به‌کار واداشته و جریان خون و سایر مایعات بدن را سریع کرده و از راکد شدن و رسوب کردن آنها جلوگیری می کند. علاوه بر اعمال فوق، خوردن و آشامیدن آنها نیز درطول عمر آنها مؤثر است، چه آنها هرگز لب به‌مشروبات الکلی نمی‌زنند وغالباً غذایی ساده‌و کم‌قوت دارند. میوه‌وسبزی زیادمی‌خورندو ازهمه بالاتر، نشستن درروی زمین یکی ازاسرارجوان ماندن آنهاست، زیرابطوری که دانشمندان تحقیق کرده‌اند، یون‌های الکتریستهٔ منفی که درزمین زیاداست، بهترین وسیله برای لاروبی مورگهاست وشاید روی همین اصل باشدکه مولای متقیان و امام اول شیعیان علی‌ابن‌ابوطالب «ع» به‌نشستن‌وخوابیدن در روی خاك علاقه‌مند بوده وازطرف پیغمبراکرم «ص» ابوتراب لقب گرفته‌اند.

غیر ازمواد فوق، آب وهوا و املاح موجود درآب وگازها وفلزات نادر در زمین و هوا و خوراکیهای مختلف اثر زیادی درطول عمر و جوانی دارند و همچنین موهبت سرما وگرمادربازکردن سوراخ‌های روی پوست بی تأثیرنیستند. دراثرفعالیت وگرمی‌هوا، بدن عرق می کند وهمراه خودقسمتی ازسمومات بدن و رسوبات را بیرون می‌آورد، ولی گرمای شدید وعرق کردن‌زیاد، نه‌تنهامؤثرنیست، بلکه‌چون‌قسمت زیادی‌ازاملاح و ویتامینهای محلول را از بدن خارج کرده وگرسنگی مخفی ایجاد می کند، باعث‌کوتاهی عمرخواهد شد و روی همین اصل است‌که مردمان آذربایجان غربی وشرقی که نژادی فعال و زحمتکش و پشتکاردار هستند، عمر زیادتری می‌کنند. آذربایجان هوایی مطبوع دارد. دراین استان زرخیز تاکنون بیش از دوهزار چشمهٔ آب معدنی قلیایی و گوگردی کشف شده که ازدهانهٔ آنها اشعهٔ رادیواکتیوپخش می‌شود. یکی از این معادن قلیایی در کندوان آذربایجان قرار دارد وچون دراین ناحیه مردمان مسن وفعال زیاد هستند، به‌این جهت عده‌ای به‌این چشمهٔ آب معدنی آب حیات لقب داده‌اند. یکی از سبزیهای مفیدی‌که دراین نواحی زیاد می‌روید، گیاه بولاغ اوتی است‌که (ید) فراوان دارد و یکی از خواص مسلم این سبزی سلامت‌بخش، زیاد شدن طول عمر است وهرجااین گیاه می‌روید ومردم‌ازآن می‌خورند، حد متوسطعمربالاست، چنانچه درنزدیکی تهران بالای‌کرج، نزدیك‌آبیك، قریه‌ای بنام اتانك وجود داردکه درقنات آن مقدار (ید) زیادبوده وسبزی‌بولاغ‌اوتی درآنجا زیاداست وچون (ید) طبیعی فعالیت سلولهای بدن را زیادمی‌کند، مردمان این قریه، حتی آنهایی‌که سن آنها ازصد سال‌گذشته است، مردمانی با نشاط وپرتحرك می‌باشند و ازگوشه‌نشینی وانزواگریزانند وهیچگونه آثارکهولت و پیری،

خستگی روحی و جسمی وافسردگی و ناتوانی، درآنها دیده نمی‌شود. یکی دیگرازعوامل‌افزایش طول‌عمرداشتن سلامت و تندرستی است، زیراهر گونه بیماری، نتیجهٔ کمبود یکی‌ازعوامل‌غذایی است. ضربات تازیانه گرسنگی‌های مخفی نه‌تنها انسان را مریض وبدن را مستعد امراض می‌کندکه یکی ازآنها بیماری پیریست، بلکه‌فقدان‌بعضی‌ازعوامل‌سبب ترسیب فضولات درمجاری وموبیرگها می‌شود. وانگهی، چنانکه می‌دانید فقدان یك یاچندعامل غذایی، انسان رابه‌پرخوری، یعنی خوردن زیاده ازاندازهٔ پاره‌ای دیگر ازخوراکیها وادار می‌کند وهمین پرخوری وخوردن عوامل غذایی بیشترازمقدارخوراك آنها، باعث رسوب فضولات‌وتنگ‌شدن مجاری می‌شود. یکی‌دیگر ازعوامل بیماری‌زا که عمر را کوتاه می‌کند، عفونت معده است‌که عامل اصلی آن گوشتخواری است وبه‌همین جهت‌است‌که گیاهخواران عمر زیادتری دارند. وقتی غذاهای گوشتی بامواد دیگرغذایی مثل میوه‌ها و سبزیهاکه سرشار از ویتامین‌های مختلف هستند مخلوط شوند، محیط مناسبی برای رشد میکربهای عفونتزا به‌وجودمی‌آید وبه‌همین جهت است‌که مدفوع کسانی‌که گوشت‌زیادمی‌خورند، همیشه‌متعفن‌است. بنابراین‌اگرشماخواهان‌عمرطولانی هستید، باید درخوردن گوشت زیاده‌روی نکنید و معدهٔ خود را گورستان گوشت حیوانات‌نسازید وباخوردن سیر، پیازوسایرسبزیهای معطر، مخصوصاً خانوادهٔ نعنا، همیشه معدهٔ خود را گندزدایی کنید، خوردن گل‌های معطر وگل‌لادن، اثرنیکویی درضدعفونی کردن معده وروده‌هادارند واین‌اثردرگل محمدی (گل گلاب) بیشتراست. میوه‌ها و دانه‌های معطرنیزهمین‌خاصیت را دارند. افزودن گلاب به‌بعضی ازشربتها وغذاها به‌همین منظور است. برای ضدعفونی کردن معده و روده‌ها، هیچگاه بدون تجویزپزشك‌ازترکیبات آنتی‌بیوتیکها مانند پنی‌سیلین وغیره استفاده نکنید، زیرا این داروها قدرت‌زیادی درکشتن میکروبها دارند و امراض سخت را معالجه می‌کنند، ولی استفادهٔ خودسرانه از آنهامعایب‌زیاد داردکه‌یکی‌ازآنهاعفونت‌شکم‌است. این‌داروها دوست و دشمن را نمی‌شناسند و ضمن کشتن‌میکربهای‌موذی، میکربهای‌مفید معده و روده‌هارا نیزازبین‌می‌برند و باکشتن میکربهای مفید، محیط را برای رشد میکربهای موذی مساعد می‌سازند وبه‌همین جهت است. که می‌بینیم همین‌که اثرداروُ تمام می‌شود، تعفن مدفوع مبتلایان زیادمی گردد و زیاده‌روی درتزریق این داروها پرزمعده را ازبین می‌بردکه درمان و برگشت آن به‌آسانی‌میسرنیست. اخیرابعضی‌ازپزشکان‌برای‌زنده‌کردن مجدد این‌میکرب های مفید، دستور تنقیهٔ مدنوع می‌دهند و برای این‌کار معمولاً مدفوع یك

بچه یاجوان سالم راکه معده‌اش تعفن‌نداشته باشد، گرفته و درآب حل کرده وتنقیه می‌نمایند. علاوه برمعده، تعفن دهان نیز باعث پیری زودرس وکم شدن نیروی دید چشم‌می‌شود، چه‌میکربهایی‌که در روی مواد غذایی مانده در دهان رشدکرده ودهان‌را بدبومی‌سازند ازخود زهرابه‌هایی ترشح‌می‌کنند که اثر عمدهٔ آنها ضعیف کردن اعصاب، مخصوصاً اعصابی است‌که از کنار دهان‌عبورکرده وبه‌چشم می‌رسند. به‌موجب یك حدیث‌معتبر ازحضرت‌رسول «ص» نوشته‌اندکه فرمودند شستن دهان، جلای چشم را زیاد می‌کند. واگر خوانندگان عزیزبخاطرداشته باشندچندسال پیش روزنامه‌ها نوشتندکه‌یکی از استادان‌چشم‌پزشك آلمان‌ازشنیدن‌این‌حدیث‌تعجب کرده وپس‌ازمطالعه‌مسلمان گردید. بهرحال، روی همین اصل است‌که بعد ازصرف غذا بایستی دهان را خوب شست و دندانها را مسواك و خلال‌کرد تا جلو رشد میکربهای گندزا گرفته شود. یکی‌ازعواملی‌که درتنگ‌کردن مویرگها اثرزیادی دارد، لخته شدن خون است‌که عامل اصلی سکته‌های مغزی وقلبی نیزمی‌باشد. خوردن پیازخام وترهٔ ایرانی باغذا، ازلخته شدن خون جلوگیری می‌کند. در حال حاضرعده‌ای از دانشمندان می‌کوشند تابدانندکدامیك ازترکیبات موجود در پیاز مانع لخته شدن خون است و آیا می‌توان آنرا استخراج و به‌تنهایی تجویز کرد؟... تاکنون در این راه موفقیتی به‌دست نیاورده‌اند، ولی من از مطالعات و بررسی‌های خود به‌این نتیجه رسیده‌ام‌که یکی از دیاستازهای پیاز که‌خوشبختانه در ترهٔ ایرانی نیز وجود دارد، داروی اصلی است وترشحات این دیاستازهم می‌تواند لخته‌های خون رابازکرده ومویرگها را لاروبی‌کند وازهمین روی است‌که من خوردن پیاز خام وترهٔ ایرانی را باغذا، همیشه‌به خوانندگان توصیه‌کرده ومی‌کنم.

دراینجا نیزیادآوری می‌کنم‌که درخوردن این سبزی مفیدهم مثل‌سایر خوراکیها نبایدزیاده‌روی‌کرد. من از ایام‌جوانی‌به‌خاطردارم بنائی درجنوب شهرساکن بودکه درحدود صد و دوسال عمرکرد وخوراکش غالبا نان وپیاز و یا نان و تره بود وبه غذاهای دیگر کمترعلاقه داشت و می‌گفت من تنها آذوقه‌ای را که سالانه می‌خرم، پیاز است. وقتی از او پرسیدند که مصرف پیاز شما در سال چقدر است، جواب داد یك‌من پیازبرای من و زنم کافی است.

درمورد ویتامین و اثرات‌آن درزیاد شدن عمر، بسیاربحث شده و در اینجاکافی است بگوییم برای داشتن یك زندگانی توام باسلامتی، وجود ویتامینهای مختلف لازم و ضروریست، ولی درخوردن آنها هم نباید زیاده‌

روی کرد. دربین‌ویتامینها ویتامین«پ» که‌درمرکبات وجود دارد، اثرزیادتری درحفظ جوانی‌دارد واکثرهنرپیشگان خارجی‌طراوت و شادابی وجوانی خود را مدیون خوردن پرتغال می‌دانند. این ویتامین در نارنج و لیموشیرین به مقدارکافی موجـود است و دربعضی ازسبزیها، ازجمله فلفل سبز، همراه با ویتامین «ث» وجود دارد وبطوری‌که من تحقیق‌کرده‌ام، مقدار آن درشنگ زیاد است وکسانی‌که این گیاه را بطورتازه زیاد می‌خورند، جوانی‌طولانی‌تری دارند. عمل‌این‌ویتامین‌زیادکردن فعالیت مویرگهاست وضایعات دیوارهٔ این عروق را ترمیم می‌کند. مقدار خوراك این ویتامین‌که مـورد لزوم بدن انسان است، روزانه پنجاه میلی‌گرم می‌باشد و ما آنرا باخوردن میـوه‌ها و سبزیها همراه باویتامین «ث» به‌دست می‌آوریم. فلزات معدنی‌که درمیوه‌ها وسبزیها وجود دارند، نیز درحفظ سلامتی وجوانی مؤثرند و تشعشع بعضی ازفلزات خاکی نیز دربرگشت جوانی واحیای غرایزجنسی اثرعجیب دارند. یکی ازآنهاکه هم‌میهنان مسلمان ما درسفرحج به‌آن برمی‌خورند، روبیدیم می‌باشد. یکی از ارکان اصلی سفرحج وقوف درعـرفات است. در روز نهم ذی‌حجه بزرگترین اجتماع مسلمانان جهان در دامنهٔ‌کوه رحمت و صحرای عرفات تشکیل‌می‌شود وحجاج‌باید ازظهرتاغروب درآنجا بمانند وبعدخارج شوند. بطوری‌که عملا دیده شده است در روزبعـدکه عمل حج تقـریباً تمام می‌شود وحجاج از احرام بیرون می‌آیند، تمایلات جنسی آنها زیـاد شده و لزوم داشتن همسر را احساس می‌کنند. دراینجا برگشت جوانی و زنده‌شدن غرایزجنسی‌درپیران ومأیوسان تعجب‌آور است. بطوری‌که مطالعه وبررسی شده است درخاك عرفات مقداری فلز روبیدیم وجود دارد. این فلز ازصبح‌تا ظهر اشعهٔ خـورشیدی را کسب کرده و بعدازظهر تـا غروب به‌صورت تشعشع ازخود ساطع می‌نماید و به‌همین جهت است‌که حجاج در اواخر این سفرمفید، لذت بیشتری احساس کـرده و حتی پیران را به‌یاد لذایذ جوانی می‌اندازد.

خلاصه باید بگوییم‌که اکسیرجوانی معجونی است‌که ازکار وفعالیت به حداعتدال وخوراکی‌های متنوع متناسب با مقدار خوراك آنها وفرار از گوشه گیری وانزوابه‌دست‌می‌آیدوپیری‌نتیجهٔ تنبلی‌وگوشه‌نشینی‌وزیاده‌روی درکار وخوشگذرانی‌زیادوافراط درخوردن‌غذاهای‌مقوی ونخوردن غذاهای دیگر می‌باشد و دراین مورد حکایت می‌کنندکه یکی از بـزرگان گذشته در شکاربه‌پیرمردی برخوردکهِ صدوبیست سال داشت. از او پرسیدکه شما چه کارمی‌کنیدکه عمرتان طولانی می‌شود. پیرمرد درجواب گفت دراین دنیا هر

کس مقدار معینی‌جیرهٔ چربی‌وغذاهای مقوی دارد. شما آنرا درعرض‌شصت سال تمام می‌کنید و ما آنرا درصدوپنجاه سال می‌خوریم وهروقت جیره ما و شما تمام شد، می‌میریم.

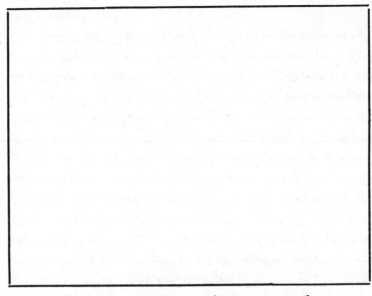

چگونه می‌توانیم خوب بخوابیم

مردمان جمله بخفتند و شب از نیمه گذشت
آنکه در خواب نشد چشم من و پروین است

عدهٔ زیادی از همنوعان ما دچار مرض بیخوابی بوده و به‌جای آنکه
علت این گرفتاری وحشتناک خــود را جستجو کنند، می‌کـوشند بـا خوردن
قرصهای کشنده اعصاب خود را فلج نمایند. تا آلام بیخوابی را احساس نکنند.
خواب یک عمل طبیعی است و خوابیدن فطرت انسان است. خواب یکی از
ضروریات ششگانه زندگانی ماست و بدن ماهمانگونه‌که به‌خوردن و دفع آن
نیازمند است همانطور که به نفس کشیدن و پس دادن آن محتاج است، به‌خواب
و بیداری هم پای‌بند بوده و نا گزیر به‌اجرای آنست. اما در عصر ما بیماری
بیخوابی بیداد می کند و ضربات تازیانهٔ آن بر پیکر ناتوان عده‌ای صدمات جبران‌

ناپذیری وارد می‌سازد.

بیخوابی علل وجهات زیادی داردکه من دراینجا فقط می‌خواهم یکی ازعوامل مهم‌آن‌راکه مسبب نود درصد بیخوابیهای عصرحاضراست، برای شما تشریح کنم و مبتلایان را از این گرفتاری بزرگ خلاص نمایم و چون موضوع بسیارساده بوده وبرای همه قابل‌درک است، همهٔ بیماران ومبتلایان می‌توانند آنرا امتحان‌کرده ونتایج درخشان آنرا به‌آسانی به‌دست‌آورند. این موضوع بسیارساده، عملی پیش‌پا افتاده‌است بطوری‌که شما ابتدا ممکن‌است آنرا باور ننمایید و پیش خود بگویید چگونه ممکن است یك غذای ساده و ظاهراً بیضررکه قوت اغلب ما راتشکیل می‌دهد، باعث بیخوابی و این همه آزار واذیت شود. این خوراکی لذیذ ومطبوع که عامل شمارهٔ یك بیخوابی می‌باشد، چیزی جزقند وشکرسفید نیست. همین مادهٔ شیرینی که ما آن را باچای وقهوه می‌خوریم، با آن شربت درست‌کرده می‌نوشیم و با آن انواع شیرینی‌ونقل‌ونبات درست می‌کنیم. مواد قندی، مخصوصاً قندانگور،سوخت ماشین بدن ماست. مواد قندی ونشاسته‌ای‌که‌ما می‌خوریم، دراثریك سلسله فعل و انفعالات حیاتی دربدن ماتبدیل به‌قند انگور شده و از راه خون وارد سلولهای بدن ما می‌شود و بطور بطئی باحرارت ۳۷ درجه می‌سوزند و تا زمانی‌که این شعلهٔ فروزان و این چراغ روشن‌است زندگانی ما برقرارمانده وباخاموش‌شدن‌آن‌نوبت‌مرگ فرا می‌رسد، ازسوختن‌موادقندی‌دربدن‌حرارت مولد نیرو به‌وجود می‌آید و باکمك این نیرواعمال حیاتی‌وکارهای عضلاتی صورت می‌گیرد و در موقع خواب‌که مقداری از اعمال حیاتی کارهای بدنی تعطیل می‌شود، نیروی‌حاصله دریاخته‌ها که به‌منزلهٔ باطریهای بدن‌هستند، ذخیره‌گشته وچنانچه مقدار سوخت زیادتراز‌حد احتیاج باشد، باطریها بیشتر شارژ می‌گردند و زیادی نیرو مانع خواب وشدت بی‌فایده فعالیت یاخته‌ها می‌گردد وبنابراین می‌توان گفت‌که شکریکی‌ازغذاهای محرك ومهلك برای بدن انسان است حرکت فوق‌العادهٔ غیر طبیعی بدن که دراثر خوردن قند و شکر ایجاد می‌شود، مانع‌استراحت اعضای‌مختلف بدن شده وموجب مرگ تدریجی‌می‌گردد. کسانی‌که قند وشکر زیاداستعمال می‌نمایند، قوای جسمانی آنها زودترتحلیل می‌رود وعمرآنها درنتیجه‌کوتاهتر می‌شود و به‌همین‌جهت است‌که دانشمندان و غذاشناسان علت بیخوابی و بدخوابی را نتیجهٔ اعتیاد به‌خوردن شکر می‌دانند وچنانچه مبتلایان به‌مرض بیخوابی اعتیاد خود را ترك‌کرده وازخوردن قندوشکرپرهیزنمایند، به‌راحتی‌وآسانی خواهندخوابید ضررخوردن قند وشکربرای سالمندان وکسانی‌که‌کارهای بدنی‌کمتر دارند،

به‌مراتب بیشتر از کارگران و کشاورزان و اطفال است، زیرا این اشخاص به علت فعالیتهای جسمانی می‌توانند نیروهای حاصله از سوختن مواد محترقه را خنثی کرده و از بیخوابی جلوگیری نمایند. شما اگر بجای قند و شکر سفید، خرما و کشمش و میوه‌های دیگر که شیرینی همراه دارند تناول نمایید، هرگز دچار بی‌خوابی نخواهید شد. چه قند این موادزنده وطبیعی بوده و به‌مصرف سوخت و سازمی‌رسد، یعنی آنچه را بدن به‌حد اعتدال برای سوخت لازم‌دارد، ازآنها می‌گیرد و بقیه را به‌مصرف نوسازی بدن می‌رساند و اضافی را دفع می‌نماید. ولی قند وشکرسفید که ماده‌ای محلول بوده و جسمی مرده است نمی‌تواند درساختمان بدن‌انسان شرکت کند و خرابی‌ها را ترمیم‌نماید، بلکه فقط می‌سوزد و ایجاد حریق می‌نماید. شکر مصنوعی فاقد ویتامین و قدرت مغناطیسی می‌باشد وهنری جز سوختن و خرابکاری ندارد. چغندر يك مادهٔ غذایی شیرین ونیروبخش است و دارای‌نوزده‌درصد مواد قندی است و آنچه را بدن‌انسان برای هضم‌وجذب مواد قندی لازم دارد، همراه دارد وبه‌همین جهت خوردن آن نه تنها زیانبخش نیست و تولید بیخوابی نمی‌کند، بلکه بسیار مفید و سلامتبخش می‌باشد، ولی همین که این چغندر وارد کارخانه می‌شود به‌یک مادهٔ قندی خالص تبدیل شده و ویتامینها و املاح مفید خود را از دست می‌دهد و درنتیجه تبدیل به‌يك سوخت مصنوعی و قابل اشتعال می‌شودکه حرارت آن برای بدن انسان طبیعی و سازگارنیست و همین امر سبب می‌شودکه‌اعتدال درمزاج شخص‌برهم‌خورده وخواب خوش ومتناسب از او گرفته شود. مزاج معتدل خواب خوبی رانصیب انسان می‌کند، ولی خواب هرگزقادرنیست مزاج کسی‌را معتدل‌سازد. پس شمااگرخواهان‌سعادت وسلامت خود هستید ومی‌خواهید همه شب خواب خوشی را بدون استفاده از قرص‌های زیانبخش داشته باشید، بایستی‌ازخوردن غذاهای غیرطبیعی که اعتدال مزاج را برهم می‌زنند، خودداری نمایید. علاوه برقند و شکر، نان سفید وچربیهای زیاد هم همین عارضه را داشته و زیان فراوان دارند. گندم دارای‌شانزده‌عامل‌غذایی‌است. وقتی‌ماآن‌را از الکهای چندصفرمی گذرانیم، دوازده عامل غذایی آنرا می گیریم و با آن نانی می‌پزیم که‌هنری جزسوختن و تخمیرشدن ندارد. وسواس‌سفیدگری که درقرن بیستم مد روزشده وانسان متمدن امروزمی‌کوشد همهٔ غذاها را سفید و خالص‌کرده و بعد تناول‌نماید، بزرگترین اشتباه مردمان شهرنشین امروزیست که بایستی جداً با آن مبارزه کنیم تا يك زندگانی طولانی همراه با سلامتی‌وخواب خوش داشته‌باشیم. در خاتمه برای اطلاع آن دسته‌ازهمنوعان ماکه به‌مرض بیخوابی یا کم‌خوابی

مبتلا هستند، اضافه مینماییم که ترس از بیخوابی برای انسان مضراست، نه خودبیخوابی. نود درصد بیخوابیها بانخوردن قند وشکرواجتناب ازخوردن مواد مقوی، معالجه می‌شود و بقیه عارضهٔ ترس از بیخوابی است. ترس بیجا مانع خوابیدن است و تمام ضررهایی راکه بیخوابی دارد مربوط به ترس ازبیخوابی‌است. اگرخواهان‌خواب‌خوش و لذتبخشی هستید، هرگزاز بیخوابی نترسید و بدانیدکه شما مسؤول خواب بدن خود نیستند، بلکه یك دستگاه خودکار دربدن شما وجود داردکه هرموقع باطریهای بدن شما از نیرو خالی شد، شما را می‌خواباند و باطری‌ها را شارژ می‌نماید و آنچه در اثر نخوابیدن، شما را آزار می‌دهد و مریض‌کرده و افکار شما را مغشوش می‌نماید، ترس‌ازنخوابیدن است که بایستی باآن مبارزه کنید و ریشهٔ خوف را از خود دور سازید و با خوردن غذاهای مناسب، مزاج خود را معتدل نمایید و بدانید خواب خوش و متناسب مختص مزاجهای معتدل است و در مزاجهای خونی میل بخوابیدن زیاد می‌شود، ولی‌ازعرض وعمق خواب‌کم می‌کند وبرطول‌آن می‌افزاید. صاحبان مزاج صفراوی ظاهراً طول‌خوابشان کم‌است ولی‌وقتی‌بخواب رفتند، عمق خوابشان‌زیادتر می‌باشد. غلبه سودا برمزاج نتیجه‌اش اندیشه‌های بد وخیالات‌حزن‌انگیزو وسواس بیخوابی‌است و برعکس بلغمی مزاج‌ها زیاد میخوابند و خواب زیاد هم‌چنانچه می‌دانید، خطری بیش ازکم خوابی دارد.

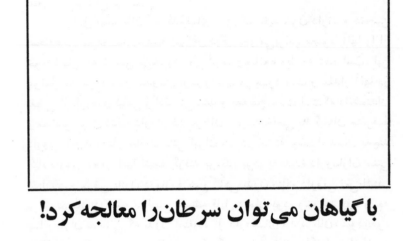

با گیاهان می‌توان سرطان را معالجه کرد!

آیا سرطان مغلوب دست بشر شده، یا خـواهد شد؟ در جـواب این سئوالات باید بگوییم که فکر معالجهٔ بافتهای سرطانی با گلبولهـای بزرگ سفید خون تازگی ندارد و سالهاست علم پزشکی و داروسازی ثابت کرده است که این گلبولها سربازان مدافع بدن بوده و هر جسم خارجی خواه میکرب خواه سلول سرطانی، که وارد بدن انسان شود، این سربازان مدافع از سنگرهای خود بیرون آمده، با آن می‌جنگند و چنانچه اسلحهٔ کافی بـرای از بین بردن دشمن داشته باشند، فاتح شده آنرا از بین می‌برند، ولی اگر اسلحهٔ کافی در اختیار آنها نباشد، مغلوب می‌شوند. این گلبولهای بزرگ سفید در خـون انسان و حیوانات به‌مقدار زیاد موجودند و در اشخاص سالم دارای عامل ضد سرطان بوده و در اشخاص سرطانی فاقد این اسلحه می‌باشند و به‌همین جهت است

۲۵

نشمند امریکایی، اگراز خـون اشخاص سالم گرفته‌شود شود، آن‌را مغلوب‌می‌نمایند، ولی بعداً اگرتزریق کرد. به‌همین جهت دو دانشمند امریکایی‌که مدعی ، معترفندکه روش آنها در مرحلهٔ آزمایش بوده و داروی رطانی نیست.

عوامل ضدسرطان که گلبولهای بـزرگ سفید خون دارند و همچنین اسحله‌هایی که در مبارزه علیه امراض دیگر بکار می‌برند، معمولا آنها را از خوراکیهایی‌که شخص می‌خورد، می گیرند وچنانچه مطالعه شده است، این عوامل ضد سرطان در معدودی ازخوراکیها موجـود است و مقدار آنها در بعضی ازداروهای‌گیاهی زیادتر می‌باشد و به‌همین جهت است‌که دانشمندان و محققین برای‌کشف داروی ضد سرطان، توجه خاصی به گیاهان متفرقـهٔ دارویی دارند و داروسازان سنتی ایران هم درگذشته چشم امیدشان به‌چند گیاه دارویی‌که از آنها نتیجه گرفته بودند، بود. به‌عقیدهٔ داروسازان سنتی ایران هیچ مرضی بدون درمان و هیچ گیاهی بدون منافع دارویی نمی‌باشند. مرض سرطان درتحت شرایطی همیشه قابل درمان بوده وخواهد بود و چه بسا بیماران سرطانی که بدون استفاده از داروهـای ضد سرطان، خودبخود معالجه شده‌اند وهمین امر ثابت می کندکه بسیاری ازخوراکیها دارای ایـن عوامل می‌باشند، ولی چون مقدارشان برای معالجهٔ سرطانهای‌حاد و مزمن کافی نیست، باید متوسل به‌گیاهان دارویی شد وباید دیدکه کدام دسته از گیاهان دارویی ازاین عوامل بیشتر دارند وامروزه سعی داروسازان محقق دراین است‌که این گیاهان راعصاره‌کش‌کرده وعصارهٔ آنهارابه‌غدد سرطانی‌و سلولهای سرطانی‌که‌کشت مـی‌دهند واردکنند و نتایج آن‌را مطالعه نمایند. عمل آنها دربکار بردن این روش علمی راه بسیار خوبی است، ولی بنظرمن اگراین روشها راباتجربهٔ داروسازان سنتی ایران همراه کنند، موفقیت آنها بدون شك حتمی خواهد بود و همانطورکه پزشکان چینی توانستند باادغام طب جدیدوطب‌سنتی‌خودتوجه جهانیان رابه طب‌سوزنی جلب سازند،داروـ سازان جدید ایران‌هم باادغام علوم دارویی جدیدو تجربیات داروسازان‌سنتی ایران می‌توانند نبوغ ملت‌ایران رابه‌دنیا ثابت‌کنند.

داروسازان سنتی ایران بیماری سرطان راباگیاه افتیمون‌که نوعی‌سس است، معالجه می کردند. این گیاه در تحت شرایطی مـی‌تواند این بیمـاری خانمانسوز را درمان‌کند.

افتیمون نوعی سس است، ولی تمام انواع سس‌هـا میتوانند در تحت

شرایطی داروی ضد سرطان باشند.

سس چیست؟ سس همین گیاه طفیلی است که در اکثر باغچه‌های تهران وبیابانها دیده می‌شود، آفتی که مانند ریسمان پیش‌رفته ودربدن گیاهان پنجه می‌اندازد. این گیاه که انگل وآفت گیاهان دیگراست، دارای دونوع خاصیت می‌باشد یکی خواص ذاتی ودیگر خواص موقتی واکتسابی، و چون درمان سرطان جزو خواص اکتسابی است، بهمین جهت است که درگذشته توانسته است عده‌ای ازمبتلایان رامعالجه کند، ولی درنزد تمام بیماران مؤثر نبوده است. خواص اکتسابی سسها بستگی به گیاهی داردکه این انگل شیرهٔ آنرا مکیده است، مثلا وقتی به‌دور گیاه سنبل‌طیب می‌پیچد، برای تقویت قلب مفید می گردد و وقتی به‌دوریك گیاه ضد سرطان، مثل قدومه می‌پیچد، قادر به‌معالجهٔ سرطان خواهدبود و اثرآن در درمان این مرض به‌مراتب مفیدتر وبیشتر ازخوردن عصارهٔ قدومه خواهد شد. دراینجا بدنیست به‌چند گیاه ضد سرطان‌که مورد توجه داروسازان سنتی ایران بوده است، اشاره کنیم.

۱- گیاهان خانوادهٔ بادمجان: در این تیره ازگیاهان، مخصوصاً انواع تاجریزی گیاهان ضد سرطان زیاداست.

۲- خانوادهٔ سورنجان: دراین‌تیره گل حسرت‌وگل شنبلیدکه شعرای ایرانی آنرا ستوده‌اند، اثر ضد سرطانی دارند.

۳- خانوادهٔ کدو: در خانوادهٔ کدو نیزگیاه‌های ضد سرطانی دیده می‌شوند.

۴- خانوادهٔ استبرق: دراین‌خانواده توجه داروسازان سنتی به‌گیاه غلب‌لب بوده‌است.

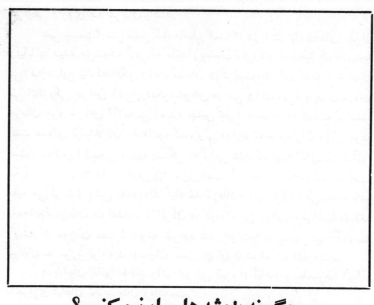

چگونه با پشه‌ها مبارزه کنیم؟

پشه‌هایی که آواز می‌خوانند خـون شما را نمی‌مکند، آنها نرهستند، اما پشه‌های ماده‌خون‌انسان‌رامی‌مکند! چراپشه‌ها باعده‌ای‌ازمردم کاری ندارند ولی‌عده‌ای دیگررا می‌گزند؟

امروزه باپیشرفت‌تمدن، زباله‌هازودتر جمع می‌شوند ـ دهات وباغات سمپاشی می‌شوند. بسیاری‌ازمردم خانه‌های خودرانیزسمپاشی می کنند. انواع و اقسام وسایل کشتن حشرات از قبیل حشره‌کش برقـی، حلقه‌های دود ضد حشره، امشی. وده‌ها مایع حشره‌کش دیگردر اختیار مردم است وهمه ازآنها استفاده می‌کنند، معذالك بازباکمال تعجب می‌بینیم که روزبروز برمزاحمت این حشرات موذی اضافه می‌شود و بااینکه از وسایل نامبرده درشمال شهر تهران بیشتر ازجنوب آن استفاده می‌شود، علناً می‌بینیم که پشه ومگس در شمال این‌شهر، به‌مراتب بیشتراست واکنون چند سئوال مطرح است که ما می‌خواهیم‌به آنها جواب دهیم.

۱ـ باوجود این داروهای حشره‌کش، چـرا تعداد پشه و مگس زیادتر

شده است؟.

۲- چرا در زمستان هم پشه ها دست از ساکنان شمال شهر بر نمی دارند؟

۳- چرا درشمال شهر تهران، تعداد پشه ومگس بیشتر از جنوب شهر است؟

۴- بالاخره ما با این پشه های مزاحم چه باید بکنیم؟

در جواب سئوال اول که پرسیده شد «چرا داروها و وسایل حشره کش نتوانستند تعداد این حشرات مزاحم را کم کنند؟» سه دلیل قاطع وجود دارد یکی قانون بقای نسل است که هر جانوری می کوشد به هر وسیله که ممکن شود، نسل خود را حفظ کند ونگذارد از بین برود. دلیل دوم که از همان قانون بقای نسل سرچشمه می گیرد، مصونیت این جانوران در برابر سموم حشره کش می باشد که روز بروز بالا می رود و هر قدر قدرت کشندگی این داروها زیادتر شود، مصونیت آنها شدیدتر می گردد و اگر خوانندگان فراموش نکرده باشند، در ابتدای پیدایش امشی هیچ پشه و مگسی در برابر آن مقاومت نداشت و امروز بر عکس، در برابر آن مقاومت نشان می دهند. این موضوع در برابر تمام ترکیبات و مایعات حشره کش دیده می شود. دلیل سوم، این ترکیبات حشره کش علاوه بر پشه و مگس سایر جانوران را که خوراک شان حشرات کوچک است مثل عنکبوت، مارمولک، سوسک و غیره را نیز از بین می برند و چون تولید مثل پشه و مگس زیاد است ، با از بین رفتن دشمن زیادتر می شوند.

سئوال دوم این بود که چرا بر خلاف گذشته، پشه ها در زمستان هم دست از سرما بر نمی دارند؟ ... یکی از فواید سرما، کشتن حشرات است که قدرت تولید مثل آنها زیاد می باشد و اگر از بین نروند دنیا را تسخیر خواهند کرد! خانه های ما در گذشته، دارای یک حیات کوچک یا بزرگ بود و اتاقها در اطراف آن قرار داشتند. بهترین وسیلهٔ گرم کردن ما، کرسی بود که زیر آن می خوابیدیم یا می نشستیم وخود را از شر سرما حفظ می کردیم، ولی فضای اتاقهای ما کاملا سرد بود وحتی کاسه آبی که شب روی کرسی می گذاشتیم، یخ می بست، مستراح و آشپزخانه هم از ساختمان جدا بود وچاه آنها هم در وسط حیات قرار داشت، ولی امروزه نقشهٔ ساختمانها عوض شده است و ساختمانها به صورت آپارتمان درآمده و هر آپارتمان دارای یک هال و چند اتاق است. مستراح و آشپزخانه وحمام و چاههای آنها هم در داخل عمارت قرار دارند و غالباً با بخاری یا شوفاژ گرم می شوند و چون داخل این ساختمانها گرم است، پناهگاه خوبی برای پشه ها و مگسها می باشند. آنها از گرمای بنا استفاده کرده، شبها خون ما را می مکند وبعد تخم خود را در چاههای مستراح، آشپزخانه،

۲۹

وحمام می گذارند ودر تمام‌سال تولید مثل می‌نمایند.
سومین سئوال این بودکه چرا در شمال تهران پشه و مگس بیشتر از جنوب شهر است. سئوالی بسیار جالب وپراهمیت است وسه علت اساسی دارد. یکی اینکه‌در جنوب تهران هنوز اکثرخانه‌ها قدیمی استو پناهگاه زمستانی برای پشه ومگس ندارند ولی یك‌علت دیگرهم وجود داردکه‌می‌توان آن‌را یکی ازعجایب خلقت وطبیعت شمرد. ازبیست سال‌پیش تاکنون یك‌نوع موش بزرگ درجنوب تهران پیداشده است‌که یکی از اسرارطبیعت در نهاد آنها قرار دارد. این موشها از خارج ازکشور در وسط کالاهای تجارتی به‌وسیلهٔ کشتی به‌خرمشهر آمده واز آنجا باقطار به جنوب تهران رسیده‌اند.
این جانوران موذی دارای این خاصیت هستندکه پشه ازآنها فرار می‌کند وهرکجا باشند، در شعاع معینی پشه دیده نمی‌شود. این خاصیت‌که هنوز دانشمندان نتوانسته‌اند علت‌حقیقی آنراپیداکنند، دربعضی ازحیوانات و بعضی ازگیاهان مانندگل آفتابگردان وجود دارد و شما می‌توانید باقرار دادن یکی ازاین موشها درقفس این معجزهٔ طبیعت را باچشم خود ببینید وتا آنجاکه من اطلاع دارم، درچندین دانشگاه ومراکز تحقیقات علمی دنیا، روی این موشها مطالعه می‌شود وتاکنون علت آن پیدا نشده است. باری، بااین مقدمات، برویم سراصل موضوع وببینیم که‌بااین‌حشرات سمج ومزاحم چه بایدکرد و چگونه می‌توان ازشر آنها خلاص‌شد؟ ماایرانیان در زبان فارسی، معمولا به‌حشرات‌کوچك‌که پرواز می‌کنند، پشه می گوییم ودارای انواع واقسام زیاد می‌باشندکه همگی ازراستهٔ دوبالان وبند پایان هستند. ولی همهٔ‌آنها خونخوار ومردم‌آزار نیستند. دسته‌ای‌ازآنها به‌ترشی‌علاقه‌مند بوده وماآنها راروی‌ظروف‌ترشی،خمرهٔ سرکه‌وخمرهٔ‌شراب می‌بینیم.دسته‌ای دیگر گیاهخوار بوده‌وروی درختان وعلفها زندگانی می‌کنندواز ساقه‌وبرگ تغذیه می‌نمایند.
مهمترین این‌دسته پشه‌گزاست‌که روی درخت‌گززندگانی می‌کند واز ساق وبرگ آن می‌خورد وتخمهای خودرا درساقه‌های درخت‌گز پنهان می‌سازد. این نوع پشه ازخود شهدی تراوش می‌کندکه مابه‌آن‌گز خونسار می‌گوییم. دستهٔ دیگرازپشه‌ها درمحیط قلیایی زندگانی می‌کنند و مخصوصاً به‌گاز آمونیاك علاقه‌مند بوده وچنانچه درشیشهٔ آمونیاك باز شود، فوراً‌به آن محل هجوم می‌آورند وشما می‌توانید هجوم آنهارا دراطراف دکانهای فتوکپی‌که باآمونیاك کار می‌کنند، ببینید. پشه‌های معمولی، پشهٔ مالاریا و

پشهٔ خاکی‌هم به‌آمونیاك ومحیط قلیایی علاقه‌مند بوده وبیشتردر مستراحها وگندابها و زباله‌دانیها و آغلهاکه‌گاز آمونیاك وجود دارد، زندگانی‌کرده، تخم خودرا درچاه‌های مستراح وزباله‌دانیها می‌گذارند واین‌دسته ازحشرات هستندکه خون‌انسان رامی‌مکند وشبهامزاحم‌خواب‌ماهستند دراینجابدنیست بدانید پشه‌ای‌که شب بالای سرشما وزوزکرده وباصطلاح آواز مـی‌خواند، پشهٔ نربوده وگزنده نیست، بلکه آواز اوبرای‌جلب توجه‌پشهٔ ماده‌ایست‌که درهمانموقع مشغول مکیدن‌خون شما می‌باشد.

یك نوع دیگر پشه‌هم سابقاً در ایران وجود داشت‌که درآبهای راکد مثل آب‌انبارها زندگانی می‌کرد وناقل انگل سالك بودکه خوشبختانه دراثر لوله‌کشی ازبین رفت. پشهٔ مالاریا نیز دراثر مبارزه ازبین رفته واین‌بیماری ریشه‌کن شده‌است‌وتنها پشه‌ای‌که مزاحم مامی‌باشد، همین پشه‌های معمولی آوازخوان وگاهی پشهٔ خاکی است. پشهٔ خاکی رامی‌توان با ازبین بـردن زباله‌دانیهاوسمپاشی خاکهای آلوده‌وآغلها، به‌آسانی‌ازبین برد وتنهاپشه‌های معمولی آوازخوان هستند که مبارزه بـاآنها تا انـدازه‌ای مشکل شده‌است‌و چون درحال حاضر نسبت به‌اکثر سموم حشره‌کش مصونیت پیداکرده‌اند، از بین بردن آنها به‌آسانی میسرنیست ویگانه راه چاره جلوگیری ازتولید مثل آنهاست. اینها بطـوری‌که گفتیم درچهار فصل سال دراطاقهـای معتدل شدهٔ منازل سکونت داشته ودرچاههای مستراح، آشپزخانه، حمام و مجاری آنها تخم‌گذاری‌کرده و تولید مثل می‌نمایند و روی این اصل همه ساله درفصل گرما تذکرداده می‌شودکه برای مبارزه باآنها هرده روزیکبار، مقداری نفت درچاه های داخل ساختمان بریزید. این دستورخوبی است، ولی عملانتیجهٔ خوبی نداده است. موقعی این دستور مفید است‌که مقدار نفت به‌حدی‌باشد که روی تمام سطح‌آب چاه را بپوشاند، تابچهٔ این حشرات‌که ابتدا به‌صورت کرم درآب زندگانی می‌کند، راه تنفس نداشته باشد وازبین برود، ولی‌چون سطح چاه معلوم نیست واین چاه‌هاغالباً دارای خزینه بوده وسطح‌آنهاوسیع است ویکی دولیتر نفت برای پرکردن روی آنهاکافی نیست، نتیجهٔ مطلوب به‌دست نمی‌آید، ولی‌اگرمااین چاهها را سالی یکی دوبارسمپاشی کنیم، یعنی برای هرچاه دویست گـرم گرد «د.د.ت» را در چهار لیتر نفت داغ حل کرده، گرماگرم آن را از دهانه‌های مختلف در چاه بریزیم و چند ساعت دهانه‌ها را محکم ببندیم، گاز نفت همراه با «د.د.ت» فضای چاه را پـر کرده وباعث سمپاشی تمام قسمتها وسوراخ وسنبه‌های چاه شده ونسل‌این‌جانوران موذی را درآن چاه ازبین می‌برد و تامدتی نیزاثر سم باقی می‌ماند وچنانچه

پشهٔ دیگری ازخارج وارد ساختمان شود وبرای تخم‌ریزی داخل آن گردد، خواهد مرد و چنانچه تمام درها و پنجره‌ها دارای توری باشد و پشه نتواند ازخارج‌وارد شود، مدت مدیدی راحت‌خواهیدبود. اینکارازسمپاشی‌اتاقهای ساختمان‌که هوای اتاق رامسموم‌کرده و تنفس را مشکل می‌کند، به‌مراتب مفیدتر و نتیجهٔ آن درخشانتر است. اگر به‌گرد خالص «د.د.ت» دسترسی ندارید ومحلول‌کردن آن درنفت داغ برای شمامیسرنیست، می‌توانید این سمپاشی را باسایر مایعات حشره‌کش انجام دهید و برای اینکه اثر بیشتری داشته باشد، این مایعات را باظروف فلزی خود، مدتی درآفتاب بگذارید تا گرم شوند وبعد درچاه‌بریزید. به‌جای‌نفت می‌توانیداز گازوئیل استفاده‌کنید.

درخاتمه، سئوال دیگری رامطرح می‌کنیم: این پشه‌های معمولی به بدن بعضیها نزدیك نمی‌شوند وآنها را نمی‌گزند و برعکس به‌عده‌ای دیگر علاقه‌مند بوده‌وبه‌سراغ آنها می‌روند وجای‌سالم دربدن‌آنها باقی‌نمی‌گذارند و به‌همین جهت عده‌ای علت این امر را پرسیده‌اند. جواب این سؤال را ما درسطور بالا نوشتیم وگفتیم‌که این دسته از پشه‌ها به‌گاز امونیاك و محیط قلیایی‌راغب‌بوده وازمحیط‌ترش‌فرارمی‌کنند. کسانی‌که‌پوست بدنشان‌قلیایی بوده وعرق بدنشان‌کمی‌بوی امونیاك می‌دهد وهمچنین‌کسانی که قطره‌قطره ناخودآگاه ادرارکرده و زیرجامهٔ آنهاکمی بوی ادرار می‌دهد، بیشتر مورد هجوم‌این‌حشرات واقع می‌شوند وبرعکس، کسانی که پوست بدنشان ترشی بیشتری دارد، این پشه‌ها کمتر به‌سراغ آنها می‌روند وچنانچه دستهٔ اول خود را تمیزکنند وبعدکمی ترشی، مثل آبلیموبه بدن خودبمالند، مصونیت زیادتری پیدا خواهندکرد این نکته را نیز بد نیست بدانید که این پشه‌ها از دود و اسانس بعضی ازگیاهان فراری هستندکه مهمترین آنها جوهر سقز کاج‌است که در داروخانه‌ها به‌نام اسانس تربانتین به‌فروش می‌رسد. پاشیدن این اسانس زیر تخت و مالیدن کمی از آن به بدن، از نزدیك شدن پشه جلوگیری می‌کند و درصنعت داروسازی بااین اسانس پمادهایی می‌سازندکه به اسامی مختلف برای جلوگیری ازگزش پشه فروخته می‌شوند.

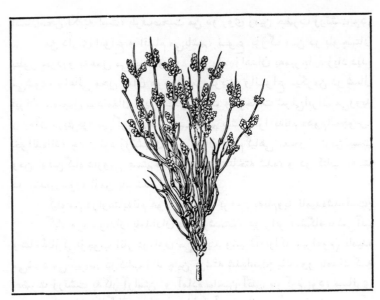

من «هوم» هستم!

جلد دوم کتاب زبان خوراکیها را با گیاهی فرخنده
و خوش یمن به‌نام هوم شروع می‌کنیم. گیاهی که
در زمان پادشاهی جمشید کشف شده‌است.

صبحدم مرغ چمن با گل نوخاسته گفت
نازکم کن که دراین باغ بسی چون تو شکفت
گل بخندید که از راست نرنجیم ولی
هیچ عاشق، سخن سخت به معشوقه نگفت

زبان گشودن خوراکیها و سخن‌گفتن گل و گیاه تازگی ندارد، درتمام
کتابهای فارسی و دینی و ادبی و اشعار سخن‌سرایان پارسی‌گو، نمونه‌هایی
از سخنان گیاهان دیده می‌شود.

من اولین گیاهی هستم که دراین جهان با انسان حرف‌زده و فواید خود
را آشکار ساخته‌ام. پیش از من گندم با حضرت آدم وحوا در بهشت صحبت
کرده و فواید خود را آشکار ساخت، ولی در روی زمین قبل‌ازمن گیاهی با

۳۳

انسان‌سخن نگفته است، طرف‌صحبت من در روی زمین حضرت زرتشت‌بود.
من دارای انواع و اقسام می‌باشم، نـوع بزرگ مـن در بلوچستان بطور خودرو به‌عمل می‌آید، و در کنار راه زاهدان به‌میرجاوه زیاد دیده می‌شود، واهالی محل به‌آن هوموك می گویند، وانـواع دیگرمن در شمال ایران ـ منجیل ـ دامغان ـ یزد ـ کویرلوت وسرحدات شرقی‌ایران می‌روید و به‌آن «ریش‌بز» می گویند. در کتب قدیم بیشتر مرا به‌نام «هوم‌المجوس» خوانده‌اند، چه درنزد زرتشتیان و ایرانیان قدیم گیاهی مقدس‌تر ازمن‌نیست ومن اولین گیاه دارویی هستم‌کـه درجهان شناخته شده، و ذر کتاب اوستا در چندین سوره ازمن یاد شده است.
گیاه من دراوستابه‌نام هوم ودرآئین برهمن به‌نام‌وید نامیده‌شده‌است:
گیاه مرا موبدان بامدادان پس ازشستشو دربرابر آتشگاه باکمی‌آب و شاخهٔ‌نازکی‌ازچوب انار درهاون می‌کوبند وشیرهٔ‌آن‌راکه (پراهوم) نامیده می‌شود می گیرند. درکتاب زند چنین نوشته شده‌است: یك روز بامداد کـه حضرت زرتشت به‌کار آراستن و آماده ساختن آتش سرگرم بود، مسافری بیامد ویك شاخه ازگیاه مـرا به‌عنوان ره‌آورد سفر به آن پیشوای بـزرگ تقدیم کرد. زرتشت همینکه چشمش به مـن افتاد مرا شناخت و از زیبایی و سودمند بودن من به‌فکر فرو رفت و خود به خود گفت: «ایـن گیاه برای زندگانی خوش و خرم جاودانی وطول عمر آفـریده شده‌است» آنگاه روی خود را به‌من‌کرد و پرسید که هستی؟... من خودرا به‌او شناسانیدم و اواز شناختن من وپی‌بردن به‌سود فراوان من خشنود شد و از من دوباره پرسید که برای اولین‌بار چه‌کسی تورا شناخت، و شیرهٔ تـو را بفشرد. در جواب به‌عرض رسانیدم که‌برای اولین‌بارمرا«دیونگهان» پدرجمشید شناخته وبرای نوشیدن آماده‌کرده است.
ایرانیان قـدیم معتقد بودندکه عصارهٔ مـن روح را فرح می‌بخشد، میوهٔ من گوشتدار قرمز، و مانند تاجریزی است و کبك آن را زیاد دوست دارد.
من دارای یك مادهٔ عامله هستم که در داروخانه‌ها بـه‌نام «افدرین» خوانده‌می‌شود، ودرکتب داروسازی جدیدانواع گیاه مرا «افدرا» می‌نامند. در پاکستان نزدیك سرحد ایران کارخانه‌ای به وسیلهٔ زرتشتیان ساخته شده که درآنجا ازمن «افـدرین» می گیرند و چندسال پیش نـویسندهٔ کتاب زبان خوراکیها گیاه مـرا به‌تهران آورد و به‌ادارهٔ تحقیقات استاندارد داد تا در آنجانسبت به‌استخراج مادهٔ‌عاملهٔ من مطالعه نمایند. جوشاندهٔ بیست‌درهزار

من برای رفع عوارض رماتیسم مفید است، افدرین دارای اثر تنگ کنندهٔ مجاری عروق، زیادکنندهٔ فشارخون و بازکنندهٔ مـردمك چشـم است، و اثر قطعی دررفع عوارض تنگ‌نفس دارد و به‌آن «آدرنالین» گیاهی لقب داده‌اند. سمیت آن کمتر از آدرنالین است و مصرف آن از راه دهان مؤثرتر از تزریق است و برای کم‌کردن سمیت مرفین می‌توان آن‌را به‌آن افزود.

چنانچه عصارهٔ مرا با شیرهٔ تریاك مخلوط‌کنند، از عوارض آن می‌کاهم، بدون آنکه خاصیت تخدیر آن‌را کم نمایم.

عصارهٔ من بر نشیت را معالجه می‌کند. تنگ نفس را تسکین می‌دهد. سرفه و عوارض آن را آرام می‌نماید. من بهترین داروی ضد حساسیت هستم وچون هشتاد درصد بیماریها ناشی از حساسیت است، همه‌جا می‌توانید ازمن استفاده کنید.

برادران افغانی ماکه استقبال بی‌نظیری از کتاب‌زبان خوراکیها کرده‌اند به‌سبزی ریواس هوم می‌گویند، و در این‌جا برای مـزید اطلاع آنها اضافه می‌کنم، که هوم ربطی به ریواس ندارد. در کتاب برهان قاطع نوشته شده‌است که هوم درحوالی پارس زیاد می‌روید.

در زبان ترکی هوم به گیاه دیگری می‌گویند که سمیت زیاد دارد، و ازهمین جهت است که داروسازان سنتی ایران، برای اینکه من با آن گیاه اشتباه نشوم، مرا «هوم‌المجوس» لقب داده‌اند.

رازی که پس از ۸۵ قرن فاش می‌شود

همه می‌دانیم که زادگاه زرتشت شهر رضائیه است، دراوستا نوشته شده که مسافری یك شاخه هوم به‌عنوان سوغات برای زرتشت‌آورد و آن‌حضرت پس از گفتگو با هوم اورا شناخت و بفوائد آن پی برد. اکنون بیش از هشت‌هزار سال از ظهور زرتشت می‌گذرد و دراین مدت معلوم نبودکه آن مسافر هوم را از کجا آورده و به‌دست زرتشت داده است ماهم تاکنون در کوه‌های آذربایجان از این گیاه ندیده بودیم و اکنون پس از ۸۵ قرن این راز فاش شده و معلوم می‌شود که در جزیره‌ی خوش‌آب‌وهوا وباصفای قریون داغی در دریاچه رضائیه این گیاه به‌فراوانی وجود دارد و این همان گیاهی‌است که زرتشت آن‌را ستوده‌است.

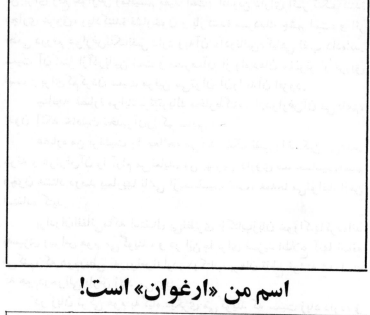

اسم من «ارغوان» است!

دشمن سنگ کلیه هستم. اگر سوختهٔ گل مرا برروی زخم بگذارید، خون آن‌را بندمی‌آورم. برای دستگاه تنفس بهتر ازمن نمی‌یابید. پاك‌کنندهٔ معده بوده، سردی آن‌را نیز درمان می کنم.

فارسی من ارغوان است واعراب آن‌را معرب کرده «ارجوان» گویند، ولی عربی من «ارغیدا» می‌باشد. شربت بهار من خمارشکن است، و چون چوب مرا بسوزانند و برابرو بمالند آن‌را سیاه و پرپشت می کنم. ارتفاع درخت من ازسه‌متر تا ده‌متر است، گلهای زیبای من که به‌بهار ارغوان معروف می‌باشند به‌صورت خوشه‌هایی قبل‌از پیدایش برگ ظاهر می‌شوندو با رنگ ارغوانی خود منظرهٔ قشنگی به‌درخت من می‌دهد. برگهای جوان من خوراکی است وپوست درخت من قابض است. زادگاه اولیهٔ من ایران، مخصوصاً استان فارس است. بهار من کمی شیرین است و آواز را صاف می‌نماید. من اخلاط لـزج را از بین بـرده سردی معده و کلیه‌ها را از بین

می‌برم، من دستگاه تنفس را زهکشی می‌کنم و سنگ کلیه و مثانه را می‌ریزانم. نوشیدن جوشاندهٔ من قی‌آور است و دستگاه تنفس و معده را پاک می‌کند. پاشیدن گرد سوختهٔ گل و ریشهٔ من بر روی زخم خون را بند می‌آورد و خضابی نیکواست، مخصوصاً برای رنگ کردن مژه و ابرو بسیار مناسب است.

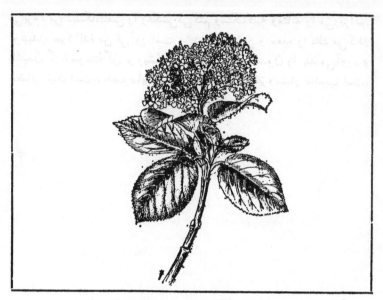

من «آقطی» هستم!

فارسی من پلم است، بـه‌من یاس‌کبود بیلسان و بیلاسان ـ شبوقه هم می‌گویند، عربی من خمان کبیر است و به‌زبان محلی اسامی بلخون و شون هم‌به‌من داده‌اند. من بطور خودرو درجنگلهای شمال و کنار جاده‌ها می‌رویم و چون دارای بوی تند نامطبوعی هستم، از دور شناخته می‌شوم ـ گلهای من سفید و معطر بوده، و چنانچه در شراب ریخته شود، به‌آن بـوی مشک می‌دهد. مغز ساقهٔ من نرم بوده و درآزمایشگاههای گیاه‌شناسی برای اینکه مقطع گیاهی را جهت دیدن در زیـر میکرسکپ آماده کنند، از مغز مـن استفاده می‌نمایند!

درختچهٔ من یك تادومتر طول دارد. گلهای من به‌رنگ سفید و مایل به‌گلی است، میوهٔ من به‌رنگ سیاه مایل به‌ارغوانی می‌باشد. پیشینیان گل

مرا ضامن عشق و زناشویی دانسته، و جادوگران می‌گفتندکه چنانچه گل «آقطی» را در لباس زن و شوهر بگذارند، وفاداری آنها زیاد می‌شود. در سویس وبعضی ازکشورهای اروپایی ازمیوهٔ‌من مرباوشربت درست می‌کنند.

پوست من‌دارای اثرمسهلی است و ادرار را نیززیاد می‌کند. برگهای من‌التهاب‌نسوج را ازبین برده وبرای‌درمان استسقا و روماتیسم‌وبیماریهای جلدی به‌کار می‌رود و این خواص در پـوست داخلی ریشه و دانه‌های من زیاد است.

غرغرهٔ جوشاندهٔ جوان و جوانه‌های من برای رفع‌گلودرد نافع‌است. ضماد برگ من برای فروکش دادن التهاب باد سرخ به‌کار می‌رود و برای التیام جراحات مفیداست. مقدار خوراك من‌سی‌تاصدگرم در شبانه‌روز است، و زیاده‌روی در خوردن‌آن تولید قی واسهال وناراحتی می‌نماید.

خمان صغیر

فارسی من شمشاد پیچ ـ بل‌شیرین ـ «بیلسان خرد» بوده وعربی من خمان صغیر و طرثوت است.

مضمضهٔ این جوشانده کرم‌خوردگی دندان را متوقف می‌کند. کشیدن این جوشانده در بینی جهت‌ازبین رفتن سرخی والتهاب چشم تجویز شده ومعمولاً دستور می‌دهندکه سه‌روزمتوالی‌آن‌را دربینی بکشند. نشستن در جوشاندهٔ من رحم را نرم و آن‌را باز می‌کند و عوارض رحمی را از بین می‌برد.

خوردن میوه ومالیدن پختهٔ‌آن از ریزش مو جلوگیری‌کرده، وآن را سیاه می‌کند. ضماد برگ تازهٔ من باآردجو جهت سوختگی آتش مفید بوده، و درد آن‌را ساکت می‌کند ومالیدن آن مخلوط با پیه، جهت معالجهٔ نقرس و بواسیر تجویز شده است. حمول ریشهٔ من جهت تسکین درد رحم به‌کار می‌رود.

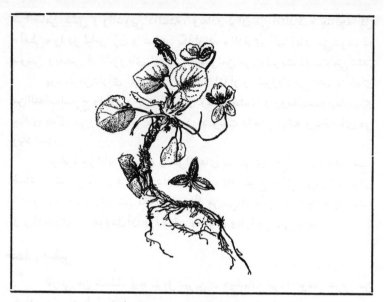

من «بنفشه» هستم!

گل‌من، پادزهرسموم‌حیوانی‌است. روغن من خواب آوراست. در درمان سرطان اثری قابل توجه دارم. بـرای درمـان جوشهای صورت می‌توانید، از مـن استفاده کنید.

گل بنفشه بیش از صدنوع دارد که غالباً به‌عنوان یك گل زینتی در باغچه کاشته می‌شود، و تنها از چند نـوع آن استفادهٔ دارویی می‌شود که مهمترین آنها گل بنفشهٔ ایرانی است که به‌آن گل بنفشهٔ معطرهم می گویند و اکنون خودرا معرفی می کند. عربی من فرفیر است ولی بیشتر بنفشج که معرب بنفشه است به‌کار می‌برند.

من در غالب نقاط کوهستانی مرطوب ایران، در زیر سایـهٔ درختان می‌رویم و بهترین نوع مرا درمنطقهٔ البرز راه عمارلو-کبوترچاك و اطراف رودبار می‌توانید به‌دست‌آورید.

من بهترین مسهل صفرا هستم، مخصوصاً مـوقعی که مقدار زیادی

صفرا در روده و معده جمع شده باشد. من مسکن عطش بوده، فشار خـون را پایین می‌آورم وتبهای شدید را برطرف می‌کنم.

گل‌من خواب‌آور ومحلل ورمها بوده، جهت سردرد و سرفه وسختی سینه وحلق‌نافع‌است، حرارت وسوزش ادرار را ازبین می‌برد و برای درمان بندآمدن ادرار، ذات‌الجنب و ذات‌الریه و دیفتری و سردرد اطفال تجـویز می‌شود. خوردن سه تاشش گرم گل من چندروز متوالی بـاآب سرد، جهت رفع اسهال صفراوی تجویز شده است. خوردن سه‌مثقال گل ساییدهٔ مـن با شیرخشت یك مسهل سریع‌العمل می‌باشد ومخلوط‌آن باگل قند جهت‌تبهای کهنه مفید است. گل‌من پادزهر سموم حیوانی است. برای رفع خشکی بینی می‌توانید آب جوشاندهٔ گل مرا دربینی بکشید تابرطرف شود. ضماد گل من جهت سردرد و فروکش ورمها و ترك نشستگاه و درد آن مفید است. ضماد برگ من جهت ورمهای گـرم و التهاب چشم و نرم کردن اعصاب و جرب صفراوی وخارش، بی‌مانند می‌باشد.

روغن بنفشه سرد و خواب‌آور بـوده وجهت جـرب وخشکی‌بینی و درمان سرفه وجلوگیری از ریزش مو ونرم کردن پی ومفاصل و نگاهداری ناخن به‌کار می‌رود، نـوشیدن سه‌گرم آن بعدازعرق کردن در حمام جهت تنگ‌نفس مفید شناخته شده است. مالیدن روغن بنفشه برسینهٔ اطفال جهت درمان سرفهٔ خشك به‌غایت مفید است، وچون آن‌را برپنبه آغشته و شیاف نمایند، برای رفع بی‌خوابی‌اثری فوق‌العاده دارد. برای تهیهٔ روغن بنفشه ۱۵۰ گرم گل بنفشه را دریك لیتر روغن‌کنجـد بخیسانید و پس‌از چند روز صاف‌کرده مجدداً گل بنفشه اضافه‌کنید، واین کار راآن‌قـدر ادامه دهید تـا روغن ازعطر و رنگ‌گل بنفشه اشباع شود. گل‌من دارای لعاب، مقداری اسید سالیسیلیك ویك‌مادهٔ رنگی است‌که دراثر ترشیها قرمزرنگ و در اثـر قلیاییها سبزرنگ می‌شود. گل من دارای عطری مخصوص بـوده و درتمام اجزاء‌گیاه من‌یك‌مادهٔ‌قی‌آوروجود داردکه‌مقدارآن در ریشه‌قابل توجه‌است.

دمکردهٔ پنج درهزار‌گل‌من برای درمان سرماخوردگی، برنشیت‌حاد، دردگلو و نزله ومعالجهٔ بیماریهای‌سینه مفید است. مصرف‌گل من درموارد مخملك ـ سرخجه وسرخك وسایرتبهای دانه‌ای به‌کار می‌رود. شیرهٔ تازهٔ‌گل من علاوه براینکه ملین است، برای معالجهٔ سیاه‌سرفه و زکام اطفال بـه‌کار می‌رود و شستشو باآن برفك را ازبین می‌برد.

برگ من دارای اثرنرم‌کننده بوده وچون‌آن‌را با روغن مخلوط‌کرده، برپوست بدن بمالند، آن‌رانرم ولطیف‌می‌نماید. برای جلوگیری ازتحریکات

روده‌ای می‌توان ازتنقیهٔ جوشاندهٔ برگ بنفشه استفاده کرد.

ریشهٔ من دارای اثر قی‌آور است. اثر ریشه و سایرقسمتهای گیاه من در معالجهٔ سرطان قابل توجه بوده و نبایستی آن را از نظر دور داشت، دانه‌های من به‌مقدار ۶تا۱۰ گرم برای اطفال ملین بوده ۱۰ تا۱۵ گرم‌آن در ۱۵۰ گرم آب مسهل است.

بنفشهٔ سه‌رنگ

فارسی من بنفشهٔ سه‌رنگ است، به من بنفشه فرنگی هم مـی گویند. من همان گیاه زینتی هستم که شما آن را در باغچهٔ خانه‌های خود می کارید و چون رنگ گلبر گهای‌من بنفش‌کم‌رنگ، سفید وبنفش پررنگ است، به‌من بنفشهٔ سه‌رنگ می گویند. اعراب به من «زهرةالثالوث‌البری» گویند. مـن عرق را زیاد می کنم وخلط‌آور می‌باشم. من خون را تصفیه می کنم وادرار را زیادکرده شکم‌را نرم‌می‌نمایم واگرزیاد ازمن‌مصرف کنید، خاصیت‌قی‌آور ومسهلی دارم.

برای رفع جوشهای صورت و تمام امراض کلیوی می‌توانید از مـن استفاده کنید. برای درمان اگزما و جرب بهتر است ۴تابیست گرم گیاه کامل مرا در ۲۵۰ گرم آب خیس کرده، و بگذارید دوازده ساعت خیس بخورد، بعد آن‌را باکمی شیر وقند مخلوط‌کرده، بجوشانید تا مقدار آن یك‌سوم‌شود واین شربت را صبح ناشتامیل نمایید.

گل من به‌صورت دمکرده و یا جوشاندهٔ ۲۰ تا پنجاه درهزار مصرف می‌شود وچنانچه بخواهید ازگیاه کامل‌من‌استفاده کنید، جوشاندهٔسی تاشصت درهزار به کار ببرید. شیرهٔ تازهٔ گیاه مـن به مقدار پنجاه‌گرم درروز تجویز می‌شود، ریشهٔ من قی‌آور بوده، و مقدار خوراك آن دو تا پنج گرم در روز است. علاوه برآنکه شما مرا در باغچه می کارید، درصفحات شمال ایـران بطور خودرو به‌عمل می‌آیم و انواع وحشی من از نوع پرورش یـافتهٔ من مفیدتر است.

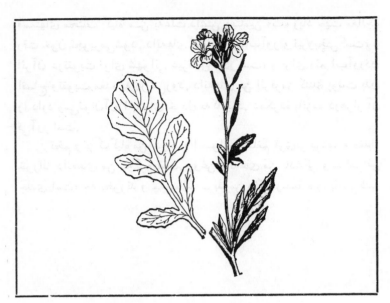

من «منداب» هستم!

فارسی من منداب است و در حقیقت نوعی شلغم هستم که بیخ من بزرگ نمی‌شود، و مانند ریشهٔ درختان بوده وقابل خوردن نیست. اعراب به‌گیاه من «شلجم‌الزیت» یعنی شلغم‌روغنی می گویند. من در غالب مزارع ایران‌مخصوصاً اطراف تهران ـ رستم‌آباد ـ رودبار وشمال ایران می‌رویم، زنبور عسل ازنیك‌نوش‌گیاه من استفاده می‌کند، وعسل‌آن خواص شفابخش بسیار دارد. دانه‌های من دارای سی‌درصد مواد سفیده‌ای و سی‌وپنج تا ۴۵ درصدروغنی است، روغن‌آن به‌مصرف سوخت‌ومعالجات دامپزشکی‌می‌رسد، و درمعالجات انسانی به‌علت داشتن بوی زننده کمتر به‌کاربرده می‌شود[۱].

۱ـ اخیراً نوعی منداب بی‌بو جهت تهیه روغن نباتی درایران‌کاشته وبنام‌کلزا معروف است ـ کلزا نام فرنگی منداب است.

قسمتهای مختلف گیاه مـن بهعلت داشتن ویتامین «ث» زیاد جهت معالجهٔ
رقت خون تجویزمیشود. دانههای گیاه من پیشابآور و نیروبخش است، و
اثرآن درتقویت قوای شهوانی غیرقابل انکار است، و برای رفع آبآوردن
انساج وتقویت معده بهکار میرود. دانههای من اثرقرمز کنندهٔ پوست بدن
را دارد ومیتوان آنرا بهجای خردل بهکاربرد. دمکردهٔ پانزده درهزار آن
قیآور است.

تخم و برگ گیاه من در همه احـوال ازشلغم قویتر بوده، و مقدار
خوراك دانههای من سه گرم است. روغن دانههای من بادشكن وضد امراض
جلدی است، چه بخورند و چه بمالند ـ بذرمن رنگ رخساره را بازمیکند.

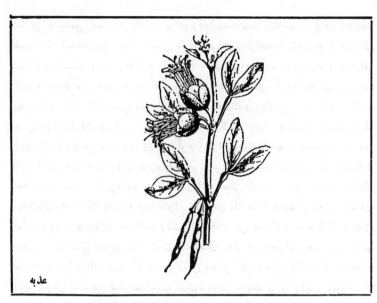

عذبه

اسم من «اسفند» است!

برای رفع جنون مفیدم. بخور من دندان درد را تسکین می‌دهد. برای معتادان وسیلهٔ خوبی جهت ترک اعتیاد هستم. سینه را نرم می‌کنم و برای تصفیهٔ خون مرا تجویز کنید. دود من حساسیت را ازبین می‌برد. اگر طبق دستور عمل نمایید تنگ نفس را علاج می‌کنم.

فارسی من اسفند است، به‌من اسپند وسپند هم می گویند. عربی من «حرمل» می باشد. من‌همان دانه‌های سیاه هستم که درخنچهٔ عقد می‌نشینم و برای رفع چشم زخم‌مرا درآتش می‌ریزند تا چشم حسود را ترکانده باشند. من درتمام زمینهای بایروحاشیهٔ کویر ایران ـ راه‌تهران، ساوه ـ راه تهران، قم ـ راه اصفهان و کاشان ـ جادهٔ قزوین ـ رستم‌آباد ـ رودبار ـ اطراف کرج ـ ازنا ـ بوشهر ـ تفرش و نواحی دیگر می‌روییم. دانه‌های من خواب‌آور ـ معرق ـ ضدکرم وقاعده‌آوراست. من نرم کنندهٔ سینه وریه، بادشکن امعاء، زیادکنندهٔ شیر وادرار بوده، مسهل سودا و بلغم و ضدکرم کدو می‌باشم. خوردن دانه‌های من جهت صرع (هیستری) ـ فلج ـ جنون وسایر امراض

دماغی و عصبی مفید می‌باشد. برای رفع استسقا ـ سیاتیك سود دارم، خوردن خیساندهٔ دانه‌های من جهت تحلیل مواد سوداوی و تصفیهٔ خون و نرم‌داشتن سینه نافع است، چون ۳۷ گرم دانهٔ مرا باچهاربرابر آب بجوشانند وبعدصاف کنند و باصدگرم عسل و هفتاد گرم روغن کنجد مخلوط کرده، به‌تدریج یك‌ماه بخورند، برای تنگ‌نفس مفیداست وسرفهٔ خشك و رطوبی را درمان می‌کند. چون یك‌مقدار مرا در سی‌برابر آب انگور ریخته بجوشانند تایك چهارم‌شود، وسی‌روز، روزی ۱۰ گرم آن‌را بنوشند، جهت هیستری اثرغیر قابل انکار دارد، و چون سه‌روزمتوالی زنی که سابقهٔ آبستن شدن داشته و بعد نشده است، ازاین‌مایع بنوشد، دوباره ممکن است آبستن شود. چنانکه مبتلایان به‌سیاتیك پانزده روزمتوالی روزی یك مثقال‌ونیم کوفتهٔ مرا تناول نمایند، روبه‌بهبودی خواهند رفت، دانه‌های من همراه با تخم‌کتان وعسل جهت تنگ نفس تجویز شده است، معتادان به‌تریاك ومواد مخدر می‌توانند دانه‌های مرا بوداده وبعدکوبیده باعسل مخلوط‌کرده میل نمایند تارفع اعتیاد آنها شود. دود من ضد حساسیت است، به‌این جهت برای رفع چشم‌زخم که نوعی حساسیت به‌اشخاص می‌باشد، اثری نیکو دارد. بخور من برای تسکین‌درد دندان‌توصیه‌شده‌است، مقدارخوراك من‌یك‌مثقال تادومثقال‌است، وزیاده‌برآن‌سمی‌است. برای‌جلوگیری ازاحتلام، داروئی مفیدتر ازمن‌نیست.

زیرهٔ دشتی

گیاه من شبیه به‌اسفند و دانه‌های من شبیه زیره است، به‌این جهت درفارسی به‌من زیرهٔ دشتی یاکمون دشتی گویند، عربی من عذبه است.

من دراطراف تهران وشمال ایران، مخصوصاً گیلان و آذربایجان و همچنین اطراف اصفهان واستانهای خراسان وبلوچستان بطورخودرو به‌عمل می‌آیم، هندیها به‌من کالی‌زیری گویند و درکتب قدیم به‌این نام آمده‌ام.

دانه‌های من دارای اثرمسهلی بوده، وضدکرم‌است. خوردن من‌جهت دفع بلغم واقسام کرم معده وروده وکرم‌کدو مفید است، ضماد دانه‌های من جهت تسکین درد ورمهای سخت مفید می‌باشد، ضماد شاخ و برگ من نیز همین خاصیت را دارد، وچون دانه‌های من‌اثرسمی دارند، درمعالجهٔ انسانی کمتراز آن استفاده می‌شود، وبرعکس در دامپزشکی زیاد تجویز می گردد.

خارخاسك

من نیزاز خانوادهٔ اسفند بوده ، نام خارخاسك ـ خارسك ـ سه‌کومك

و شکـر فنج معروف می‌باشم، عـربی من حسك و « خرس‌العجوز » است . گیاه من بیابانی است و مانند بـوتـهٔ هنداونه در روی زمین می‌خـوابد و دارای خارهای سه‌پهلو است. من‌در اطراف قم ـ شمال ایران ـ بندرپهلوی و خوی می‌رویم. در اطراف شیراز به من خارسوهوك و دراطراف اصفهان هرواد گویند.

جوشاندهٔ من‌پیشاب‌آور قوی است، مخصوصاً وقتی‌آن را بادم‌گیلاس و کاکل ذرت مخلوط‌کرده باشند، برای داءالفیل (چاقی زیاد) و درد مثانه و سنگ‌کلیه و مثانه تجویز می‌شوم.

خیساندهٔ تیغ من درشراب پادزهر سموم‌گیاهی وغذایی است. عصارهٔ برگ وریشه ومیوهٔ من جهت زخم‌مجاری‌ادرار مخصوصاً سوزاك مفیداست.

عصارهٔ‌گیاه من جهت تقویت باءِ و سختی ادرار وقولنج‌کلیوی توصیه شده است. پاشیدن آب جوشاندهٔ گیاه من حشرات، مخصوصاً کك را از بین می‌برد. مضمضهٔ عصارهٔ من باعسل جهت جوش دهان و درد لثه و ورم‌گلو نافع است. چنانچه نخود را در آب جوشاندهٔ من پرورده نمایند در تقویت شهوت دارویی بی نظیر است. مقدار خوراك من نیم سیر است. تخم گیاه من به حسك‌دانه معروف است و چنانچه آن را سه مرتبه با شیربجوشانند تا خشك شود، جهت تقویت شهوت مفید می‌باشد ـ تخم‌گیاه من درهمهٔ افعال شبیه به عصاره و گیاه من بـوده، و مقدار خـوراك آن هفت مثقال است و چون آب گیاه مراگرفته، با روغن کنجد بجوشانند روغنی به دست می‌آید که خوردن و مالیدن آن جهت درد مفاصل و نیکو کردن رنگ رخسار و دردکمر و سختی ادرار نافع است.

برگ گیاه من وشبنم و گرد سفیدی که بر روی آن می‌نشیند، ترش بوده و در بعضی از شهرهای ایران مخصوصاً یزد آن را گرفته و بـه نام گردنخود چاشنی غذا می‌نمایند و برای آن خـواص زیاد قائلند. خوردن آن برای مبتلایان به سنگ‌کلیه و مثانه نافع است.

زبان پس قفا

فارسی من گل زبان پس قفاست. به من زبان در قفا وگل هزار رنگ هم‌می‌گویند. عربی من «رجل‌القبره» است. درقاعدهٔ‌گل من مقداری انگبین وجود دارد که حشرات را به‌سوی خود جلب می‌کند. من یك گیاه خودرو هستم‌که به‌علت زیبایی‌که دارم‌مرا به‌عنوان یك‌گل‌زینتی درباغچه‌هامی کارند.

برگ وگل من ضد کرم و پیشاب‌آور بـوده، اشتها را باز می‌نماید.

دمکردهٔ رقیق برگ و گل من ضد نقرس ودرمان سنگ کلیه است. دانههای من سمی است، گردکوبیده و جوشاندهٔآن ازخارج معالج کچلی وضد شپش است، وچنانکه گل وگیاه مرا پخته و بطور ضماد زیر شکم بگذارند، ادرار را باز مینماید. استعمال دانههای من بهعلت سمی بودن از راه داخل جایز نیست.

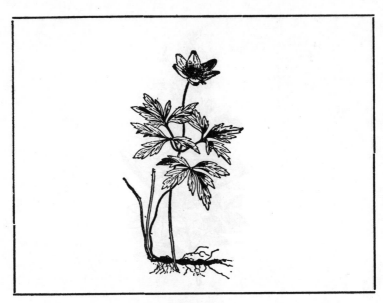

مویزك

فارسی‌من مویزك ومعرب‌آن مویزج‌است. اعراب به‌من زبیب‌الجبل، یعنی کشمش کوهی گویند و دربعضی ازکتب زبیب‌بری ذکر شده است. من ازاقوام نزدیك زبان پس قفاهستم. کولیها معمولاً گردکوبیدهٔ دانه‌های مرا به‌عنوان دوای ضدشپش به‌عوام می‌فروشند، ولی چون بارها استعمال آن ایجاد تحریکات درپوست سرشده‌است، نبایستی آن‌را به‌کار برد. دانه‌های‌من ضدعفونی‌کننده ومسقط جنین‌است‌وبه‌کاربردن‌آن بدون تجویزپزشك‌خطرناك میباشد. چون یك‌دانهٔ‌مرا درپنبه پیچیده‌کمی ترکرده آن‌را بکوبند تا شکسته شده، وبعد در سوراخ دندان‌کرم‌خورده بگذارند، درد آن‌را ساکت می‌کند.

اسم من «باقلا» است!

در خون‌سازی بی‌همتا هستم. سینه وریه را پاك کرده وآنها را تقویت می کنم. برای مبتلایان به‌زخم‌معده غذای خوبی هستم. دربرگ و پوست من خواصی است که کمترکسی ازآنها اطلاع دارد. گل من درمان‌کنندهٔ رماتیسم است...

اسم من باقلا است، ولی درتهران بیشتر به‌من باقلی می گویند واعراب نیز باقلی خطاب‌می‌کنند. من‌یکی ازحبوبات قدیمی وتاریخی هستم وساکنان اطراف رودخانهٔ نیل ازعهد باستان مرا شناخته وکشت کرده‌اند. من غذای خاص حضرت عیسی بودم، آن‌حضرت مرا خام می‌خوردند، در ایران نیز گیلانیها مرا نپخته می‌خورند. من سرشار از ویتامینهای آ. ب و ث هستم واملاح‌مفیدی‌ازآهن،آهك وفسفردارم‌وبه‌همین‌جهت دردستهٔ‌غذاهای‌خونساز بوده، ومغزقلم استخوانهارا تقویت می کنم. من‌دراثرخشك شدن‌مقداری از ویتامین ث خودرا ازدست می‌دهم،ولی‌درعوض‌قدرت غذایی‌من بالا می‌رود ونفخ‌من کم‌میگردد ـمواد نشاسته‌ای من‌ازسایرحبوبات‌کمتراست، ودرعوض

مواد سفیده‌ای بیشتر دارم و روی این اصل قدرت زنـدگی من زیاد بوده، اشخاص لاغر را تقویت می‌کنم، ولی جزو غذاهای چاق کننده نیستم. من ازحبوبات خنك محسوب می‌شوم وپیشاب را زیاد می کنم، غرایز جنسی را نیرو می‌دهم، زودهضم بوده وبه‌سرعت ازمعده می گذرم وبا خودخوراکیها دیگر را از معده خارج می‌کنم، سینه وریه را پاك کرده وتقویت می‌نمایم، سرفهٔ خشك را درمان می‌کنم. من برای مبتلایان بـه‌زخم معده و اسهال، غذای خوبی هستم و چون مرا باپوست درآب و سرکه بپزند و با پـوست بخورند، برای اسهال مفید می‌باشم و بدون سرکه برای کلیت مـرا تجویز می‌کنند. هرگزآب پختهٔ مرا دور نریزید، زیرا گلو رانرم می‌کنم وازتولید سنگ جلوگیری می‌نمایم و گرفتگیهای معده را باز می کنم، ضمادآرد من با آرد جو درمحل ضرب‌خوردگی و ورم پستان نافع است، مخصوصاً اگر این ورم دراثرانعقاد شیر باشد. لپهٔ مرا کـوبیده با سرکه وکمی نعناع و عسل مخلوط کنید و به‌روی دمل بگذارید تا سربازکرده و ازبین برود. ضماد من با پیه‌خوك جهت نقرس مفید است.

سابقاً که زالوانداختن معمول بود، معمولاً دانهٔ تازهٔ مرا دولپه‌کرده و طرف داخلی‌آن‌را روی محل نیش زالو می‌چسبانیدند تا خون بندآید. این دستور برای بندآمدن بریدگیهای کوچك هم مفید است.

ضماد آرد من باسفیدهٔ تخم‌مرغ وگل برروی حدقهٔ چشم کـه برآمده باشد، سودمند است. سرمهٔ‌آرد من در چشم جهت جلوگیری از برگشت مو تجویز شده است. ضمادآردمن باعسل جهت سرخی وکلفتی پلك چشم نافـع است، ضمادکوبیدهٔ پوست داخلی من جهت پاك شدن لکه‌های سیاه تـوصیه شده است، ضماد برگ غلاف سبزخارجی من جهت معالجهٔ سوختگی بـه‌کار می‌رود. گل من نیز پیشاب‌آور بوده وجوشاندهٔ سی تاشصت درهزارآن برای درمان رماتیسم و عرق‌النساء (سیاتیك) مفید می‌باشد.

اگر انگشت شما گوشه‌کرد ناراحت نباشید، مقداری از برگهای مرا گرفته بجوشانید وانگشت خودرا درآب گرم آن فرو برید، به‌زودی خوب خواهد شد. اگرگل مرا در هاون قلعی بسایید، و درآفتاب بگذارید خضاب نیکویی به‌دست خواهید آورد، بانوانی که صورتشان ریش درآورده است، می‌توانند موها را با موچین‌کنده و درجای‌آنها چندروز متوالی از خمیرآرد من بچسبانند تا آن موها دیگر رشد ننماید. زیاده‌روی درخوردن من خوب نیست، زیرا باعث نفخ وثقل شده، وذهن راکند می‌نماید، ولی اگرهمراه‌آن آب مطبوخ من خورده شود، چنین عوارضی پیش نخواهد آمد.

بیماری فاویسم

بعضیها نسبت به محصول تازهٔ من حساسیت داشته، مبتلا به مرض فاویسم می‌شوند، علامت این بیماری زرد شدن رنگ پوست بدن و احساس خستگی وسستی دراعصاب، پیداشدن خون در ادرار،سردرد واستفراغ است. دراین عارضه خون کم می‌شود ودرمان آن تزریق خون و سرمهای غذایی است. این عارضه فقط مخصوص یک نوع من می‌باشد که معروف به نوع مازندرانی است وبیشتر دراطراف مزارع باقلا دیده می‌شود.

باین بیماری درگیلان باقلازاله می‌گویند ویک بیماری دیگر نیز در گیلان وجود دارد بنام غلی‌زاله که از خوردن آلوچه‌ی کال بوجودمی‌آید وشباهت زیادی به فاویسم داردوچون این دومرض دریک فصل ظاهرمی‌شوند پزشکان فرقی بین آنهاقائل نبوده همه‌ی بیماران را مبتلا به فاویسم تصور میکنند. دارو سازان سنتی ایران این مرض راشناخته وچنین نوشته‌اند: عده‌ای باخوردن باقلای تازه دچار نفخ و اختلاج (بریدن عضلات) ثقل دماغ و فساد خون ودیدن خوابهای پریشان وابتلابخارش می‌شوند.

بهترین راه برای عدم ابتلا باین بیماری دولپه کردن باقلا و جوشاندن آن درآب و دور ریختن آب آن است وهمچنین پختن آن در روغن وافزودن ادویه مانندآویشن ـ فلفل ـ دارچین ـ میخک وازهمه مهمتر گلپر است.ضمناً باقلای خشک این اثررا ندارد. اهالی محل با خوردن دوشاب بیماران را معالجه میکنند.

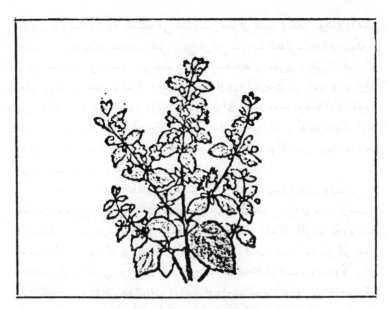

من «بادرنجبویه» هستم!

فارسی من بادرنگبویه است ولی اعراب آن‌را معرب کرده و بادرنجبویه می گویند. دسته‌ای از تازیان به من «مفرح‌القلب» گویند. در آذربایجان شرقی وغربی مرا درباغات ومنازل می کارند، و اخیراً آذربایجانیها مرا به تهران آورده و درمنازل وباغات شمیران کاشته‌اند. برگهاو گل من خوشبو وبوی‌آن شبیه لیمواست وبه‌همین علت عده‌ای مرا نوع شاه‌اسپرم (ریحان) می‌دانند، من دونوع دارم یکی کوچك و دیگری بزرگ که هردو در ایران می‌روییم، فرنگیها به‌یك‌نوع من«ملیس ملداوی» وبه‌نوع دیگرم «ملیس‌طبی» می گویند ودربعضی ازشهرهای ایران‌به‌نوع کوچك‌من که مانند سبزی‌خوردن خوراکی است ومعمولاً باغذا می‌خورند ترنجان می گویند، گربه گیاه مرا مانند سنبل‌الطیب دوست دارد. عده‌ای گیاه مرا با «بالنگو» که شباهت

زیادی به‌ریحان دارد اشتباه می‌کنند. من مقوی قلب و مغز بوده، به‌همین جهت دربیماریهای حمله ـ غش ـ بی‌خوابی ـ پریشانحالی ـ صداکردن گوش و مالیخولیا تجویزشده واثرمفید دارم. ازسکته‌های مغزی وقلبی تااندازه‌ای جلوگیری می‌کنم. سکسکه وامراض سوداوی را درمان می‌کنم، و بوکردن من نشاط‌آوربوده دماغ را بازمی‌کند. من برای معده مفید بوده، آن‌راتقویت می‌کنم. ازدل‌پیچه واسهال جلوگیری‌می‌نمایم، جویدن برگ من‌جهت ازالهٔ بدبویی دهان بسیار مؤثر است. مضمضهٔ جوشاندهٔ برگ من جهت معالجهٔ پیوره وفساد دندان نافع است.

استشمام‌آب جوشاندهٔ من جهت تنگی نفس و بیماری‌آسم وتسکین‌درد مفاصل‌مفید می‌باشد. بوییدن برگ من جهت‌ضدعفونی‌کردن مجاری‌تنفسی ونشستن درآب جوشاندهٔ آن جهت بازشدن عادت ماهانهٔ بانوان تجویزشده است: مقدار خوراك برگ من تا سی‌وپنج گرم است. تخم‌گیاه من در عمل ضعیف‌تر ازبرگ من بوده، ومقدارخوراك آن‌یك‌مثقال است. ومعمولاً برای درمان‌قشغریره (وقتی موی‌بدن دراثرترس‌راست شود ولرزه براندام‌مستولی گردد) تجویز می‌شود. آب مقطر مرا درتبریز گرفته، جهت تقویت قلب و معده می‌نوشند.

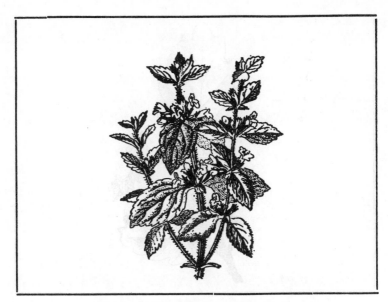

من «فرنجمشك» هستم!

اسم‌من فرنجمشك است. به‌من برنجمشك ـ حبق الکرمانی ـ حبق الصعتری ـ حبق‌قرنفلی و پلنگمشك‌هم می گویند. برگ من معطر و بوی‌آن شبیه لیمو است، این بو دربرگهای من‌قبل از گل دادن زیادتر است، درصنعت ازمن‌یك نوع اسانس می گیرند که شبیه اسانس لیمو است. من در بیشتر نقاط ایران مخصوصاً شمال تهران پس‌قلعه و آذربایجان می‌روییم. خواص من نظیر بادرنجبویه می‌باشد و بعلاوه در رفع سر گیجه وجلو گیری از قی کردن زنان باردار به‌کار می‌رود ودر عطرسازی ازمن استفاده شده و راهبان مرا داخل مشروبات‌خود می کنند. اگر برگ‌تازهٔ مرا به‌صورت کوبیده روی محل نیش زنبور بگذارند دردآن را تسکین می‌دهم.

اسم من «بلوط» است!

جالینوس حکیم، برای بـریدن تب از مـن استفاده می‌کرد. میوهٔ من ضد اسهال است. برگ مرا برای التیام جراحات بکار برید. از میوه‌ام برای اطفالی که در رختخواب ادرار می‌کنند استفاده کرده و نتیجه بگیرید. استعداد چاقی را در افراد ضعیف‌المزاج زیاد می‌کنم... و صدها خاصیت دیگر که در برگ، ریشه و پوست من نهفته است.

فارسی من بالوت و معرب آن بلوط است، در مازندران به‌درخت من دارمازی، در کردستان به‌نوع دیگری از درخت من پرو، در لرستان به‌نوع دیگر آن «برارمازو» گویند. من دارای انواع و اقسام می‌باشم ولی در ایران ۹ نوع من می‌روید که یک‌نوع آن شاه بلوط و هشت نوع دیگر بلوط است.

شاه بلوط دارای میوه‌ای درشت و روغن‌دار بوده، و بسیار مغذی‌است، ولی خواص دارویی آن از انواع بلوط کمتر است. در هندوستان نیز نوعی شاه‌بلوط می‌روید که میوهٔ آن درشت‌تر بوده و در اروپا به‌نام مارون خوانده

می‌شود. در کتابهای قدیم شاه‌بلوط را قسطل ـ قسطانیه ـ کستانه اغاجی ـ طراس وبلوط‌الملك خوانده‌اند.

قسمت مورد استفادهٔ من پوست ـ برگ ـ ریشه و برجستگیهایی که در اثر گزش‌حشرات روی انواع من روییده وبه‌مازو معروف است می‌باشد. ریشه‌های باریکی که در روی میوهٔ من است و همچنین پوست نازك روی میوهٔ من‌که به جفت معروف است مصارف طبی وصنعتی دارد، به عقیدهٔ جالینوس برای بریدن تب دارویی بهتر ازپوست درخت من نیست.

قسمتهای مختلف گیاه من‌علاوه برداشتن چندین‌نوع ویتامین وعوامل دارویی، دارای مقدار زیادی جوهر مازوست. جوهرمازو که به زبان علمی «تانن» نامیده می‌شود وعده‌ای فارسی آن‌را «جفت» گذاشته‌اند دارای طعمی گس است وپوست بعضی ازمیوه‌ها و گیاهان وهمچنین نارس بعضی ازمیوه‌ها مثل خرمالوـ انارـ سیب ـ به و غیره که دارای طعمی گس می‌باشند، دارای تانن هستند.

جوهر مازو یکی از عوامل مهم غذایی است که هضم مواد سفیده‌ای را آسان‌کرده وبدن انسان برای نوسازی وترمیم ضایعات بوجودآن احتیاج دارد. جوهر مازوآب دهان وسایر رطوبات بدن را جمع می‌کند، اسهال را بندمی‌آورد، اسهال خونی‌را معالجه‌می‌کند وازخونریزی جلوگیری‌می‌نماید. برای درمان آنژین ـ ورم لوزه ـ گرفتگی صدا ـ زرد زخم و انواع جرب دارویی بسیار مفید است.

برگهای مرا درتابستان ومیوهٔ مرا درپاییز می‌چینند و پوست مرا از ساقه‌های جوان گرفته و درهوای‌آزاد خشك می‌کنند. میوهٔ من‌کمی دیرهضم است، ولی چون هضم‌شود غذاییت بسیار داشته وجلو اسهال را می‌گیرد، و ازخونریزی سینه و معده جلوگیری می‌نماید، جهت خفقان و قی که در اثر سنگینی معده باشد مفید است، برای دل‌پیچه و زخم معده و روده نافع‌است، قطره قطره‌آمدن ادرار را معالجه می‌کند. ضمادآن باپیه‌خوك که به‌آن نمك زده باشند، جهت ورم حالب ورمهای سخت و آبدار سودمند است، سوختهٔ آن برای معالجات جلدی ـ جوشهای صورت و زخمهای چرکی و آبدار (زردزخم) مفیدمی‌باشد. حمول‌آن جهت بندآوردن ترشحات رحم‌نافع است، وچون میوهٔ مرا با هم‌وزن آن‌کندرو روغن زیتون سرشته وبه‌اطفالی که در رختخواب ادرار می‌کنند چندروز متوالی بخورانند، معالجه خواهند شد وهمین‌مخلوط برای‌کسانی‌که ادرارشان تیره‌وسنگ‌داراست مفیدمی‌باشد. مقدار خوراك میوهٔ من تا پانزده مثقال است. ریشه‌های باریك روی پیالهٔ

میوهٔ من درقطع سیلان ترشحات رحم‌منافع زیاد دارد. برگ درخت من‌جهت التیام جراحات تازه سودمند می‌باشد. خاکستر چوب من بهترین گرد دندان بوده، واین خاکسترجهت درمان زخمهای خوره‌ای مفید است، آبی که‌هنگام سوختن چوب بلوط به دست می‌آیـد، بهترین خضاب جهت ابـرو می‌باشد. پوست درخت من به علت داشتن جوهرمازومنافع دارویی زیادی دارد، ولی به علت داشتن بوی‌نامطبوع بطورخوراکی کمتراز‌آن استفاده می‌شود وچون دارای‌اثرضد عفونی کننده می‌باشد، بیشتربرای پانسمان زخمهابه‌کارمی‌رود. شستشوبا جوشانده یا دمکردهٔ ۳۰درهزار‌آن جهت ازبین بردن ترشحات بی‌رنگ زنانه وجلوگیری ازخونریزی بواسیر تجویزشده است.

ازپوست ساقه‌های جوان من‌جهت مصارف دارویی وپوست ساقه‌های کهنه ومسن‌آن دردباغی‌وچرم سازی‌استفاده می‌شود. چوب درخت من‌محکم بوده وجهت ساختن قایق وکشتی به‌کارمی‌رود، ودرنجاری و منبت‌کاری از آن استفادهٔ زیاد می‌شود.

شاه بلوط: میوهٔ من غذاییت بسیار دارد و برای چاق شدن اشخاص ضعیف‌المزاج یك غذای مناسب می‌باشد. پوست و چوب درخت من قابض بوده، جوشاندهٔ‌آن برای‌معالجهٔ‌اسهال‌خونی به‌صورت تنقیه تجویزشده‌است. دمکردهٔ پنجاه درهزاربرگ من به مقدارسه فنجان درروزجهت سرفه، ونزله تجویزمی‌شود.

میوهٔ من دارای ۲/۵ درصد روغن قابل استخراج مواد غذایی است. جفت یعنی پوست‌نازکی‌که درروی مغزمن است، دارای تانن فراوان بوده و خواص‌آن را دارد.

سایر محصولاتی که از درخت بلوط به‌دست می‌آید

علاوه برمنافع زیادی که‌پوست ـ برگ ـ ریشه وساقه‌ومیوه وجفت‌آن دارد، ازدرخت بلوط محصولات دیگری نیز به دست می‌آیدکه مهمترین‌آنها گزعلفی قرمزدانه و مازوست. گز علفی خود را قبلا معرفی کرده، و در اینجا قرمزدانه را هم به شما معرفی می کنیم.

قرمزدانه

قرمزدانه‌که به‌آن«قرمز» هم‌می‌گویندحشره‌ای است‌که‌درروی بعضی ازانواع بلوط زندگی می‌کند و به‌ندرت در روی‌سرو و کاج‌هم دیده می‌شود و به این حشره در زبان فارسی کرم رنگریزان و به عربی «دودالصباغین»

نامند. برای به دست آوردن آن ابتدا حشرات را ازروی درخت جمع کرده، با بخارآب می‌کشند. پس‌ازکشتن حشره‌آن را خشك می‌کنندو برای رنگرزی آن راکوبیده، و درآبی که دارای ترشی باشد می‌جوشانند تا رنگ قرمز آن حل‌شود، بهترین رنگ قرمز برای ابریشم ونقاشی ونویسندگی است واگر به جای ترشی درآب یك مادهٔ قلیایی‌اضافه‌کنند، رنگ بنفش به دست‌می‌آید. در درمان‌سنتی ایران خوردن‌آن رایك هفته، روزی سه‌گرم جهت بندآوردن خون قاعدگی واخراج جنین مرده مفید می‌دانستند وخوردن‌آن را با سرکه یکی از راه‌های جلوگیری ازآبستنی معرفی‌کرده‌اند. ضمادآن با عسل جهت التیام جراحات و شستشوی سربا آب جوشاندهٔ آن جهت زیبایی و درازشدن مو وکشتن شپش ورشك مفید می‌باشد.

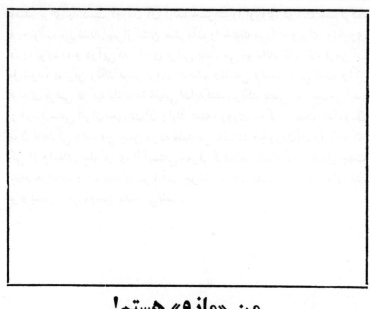

من «مازو» هستم!

داروی خوبی، برای تراخم هستم. جوشهای جلدی را بامن‌درمان‌کنید. برای تقویت دندان ولثه‌ها‌عامل مؤثری هستم. با شرایطی، از ریزش مـو جلوگیری می‌کنم. خون‌دماغ را بند می‌آورم. ازجوشانده‌من برای دفع سموم استفاده‌کنید...

فارسی من گلگاو است، در لرستان به‌من برارمازی و اعـراب به‌من محفص‌گویند، و در کتابهای مختلف به‌من قلقات ـ کلوان ـ زشکته‌گـره ـ خرنوك یا سه‌حك گفته‌اند. من جسمی‌کروی به‌قطر ۱۰ تا ۱۲میلیمتر بوده، و دارای برجستگیهای متعدد می‌باشم. مـن در اثر گـزش حشرهٔ مخصوصی برروی جوانه‌های درخت (بلوط مازو) ظاهر می‌شوم، این حشره به‌صورت پروانه‌ای است‌که ازبرگ وساقـهٔ درخت بلوط تغذیه می‌کند و بعد درخت را نیش زده، وحفره‌ای ایجاد ودرآن تخم‌ریزی می‌کند ودرنتیجه شیرهٔ‌درخت بلوط جمع شده، و درآنجا یك برجستگی به‌وجود می‌آید. تخم حشره از آن شیرهٔ‌گیاهی استفاده‌کرده‌کم‌کم رشد می‌کند و پس‌از بلوغ آن‌را سوراخ‌کرده،

وبه‌صورت پروانه خارج می‌شود. نوع سوراخ‌کردهٔ مـن مرغوب نیست و بایستی قبل‌ازبلوغ حشره‌که معمولا بعدازتیرماه است، آن‌را چیده ونگذارند حشره‌آن را سوراخ‌کرده وخارج شود. به‌این جهت درپایان تیرماه مراچیده خشك می‌نمایند وبه‌این ترتیب حشره دراثر نرسیدن شیرهٔ غذایی می‌میرد. نوع سوراخ نشدهٔ من به‌رنگ سبز زیتونی یا سیاه است، و سنگین می‌باشد. ولی نوع سوراخ شدهٔ‌آن‌قهوه‌ای‌رنگ و گاهی سفید وبسیار سبك است. طعم نوع سبزرنگ مرغوب من گس و گاهی‌کمی ترش است، بسیار قابض بـوده، جوشاندهٔ‌آن‌به‌صورت تنقیه برای‌معالجهٔ اسهال‌واسهال خونی تجویزمی‌شود. ازمن‌کمتردر مصارف داخلی استفاده می‌کنند، وتنها برای درمان مسمومیتها ازجوشاندهٔ من به‌مسموم می‌خورانند. در صنعت برای دباغی وچرمسازی‌از من زیاد بهره‌برداری می‌شود ونسخهٔ ساختن مرکب سیاه کـه مورد استفادهٔ خوشنویسان ایرانی است، دراین‌شعر جمع شده‌است.

هم‌وزن دوده صمغ است، هم‌وزن هردومازو

هم‌وزن هـرسه‌آب است، آنگـاه زور بـازو

گردکوبیدهٔ من عرق‌راخشك می‌کندوازبوی بدآن جلوگیری می‌کند. شستشو باجوشاندهٔ‌آن ترشحات رحم واورام نشستنگاه و بواسیر را معالجه می‌کند و باسرکه، جهت جوشهای جلدی و بادسرخ وبرآمدن ناف اطفال‌به کارمی‌رود. سوختهٔ‌آن جهت جلوگیری‌ازسیلان خون ومالیدن‌آن به‌دندان‌و مضمضه باجوشاندهٔ‌آن جهت جوشهای دهان وتقویت لثه ومحکمی دندان و جلوگیری ازکرم‌خوردن آن تجویز می‌شود. سرمهٔ‌کوبیدهٔ من جهت‌آبریزش چشم وسلاق (تراخم) نافع است. شستشوی موی سربا آب جوشاندهٔ مـن، جهت تقویت مو وسیاه‌شدن‌آن سودمند می‌باشد. برای‌بندآوردن خون‌دماغ آب جوشاندهٔ مرا دربینی بکشید. مقدارخوراك من دراستعمال داخلی تادو گرم ودر استعمال‌خارجی به‌صورت جوشانده بیست درهزارو پودر ده‌درصد، وبه‌صورت ضماد، ده‌درصد می‌باشد.

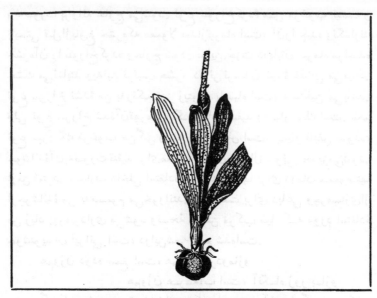

اسم من «ثعلب» است!

برای تجدید قوای ازدست رفتهٔ خود، ازمن استفاده
کنید. آرد من خـونسـاز ومقوی اعصاب است. تشنج
بدن را رفع می‌کنم، اگرآرد مرا طبق دستور به‌کار
بریداز ریزش موی سرتان جلوگیری می‌کند. به‌زنان
نازا،استفاده مرا توصیه کنید. اگرازناراحتی سینه‌رنج
می‌برید، من شفابخش آن هستم.

فارسی من سه‌برگ است. اعراب به‌من«خصی‌الثعلب» یعنی بیضهٔ روباه
گویند و این روزها درایران به‌من ثعلب خطاب می‌کنند، و فرنگیهاهم اسم
مرا سالپ گذاشته‌اند. وجه تسمیهٔ من به «خصی‌الثعلب» برای آن است که
بیخ‌من دارای دوغدهٔ به‌هم پیوسته، یکی توخالی مربوط به‌گیاهی‌که روییده
و دیگری توپرمربوط به‌گیاهی که بعداً خواهد رویـد می‌بـاشد. گلهای من
خوشه‌ای قشنگ به‌رنگ صورتی یا سفیدباخطوط ونقطه‌های بنفش‌یاارغوانی
است. غدهٔ توپـر من دارای نشاسته ـ قند و مقدار زیـادی لعاب است که

خوراکی می‌باشد. ازغده‌های زیرزمینی من‌آردی تهیه می کنند که دربستنی‌سازی وشیرینی‌سازی مصرف‌می‌شود.

تاکنون بیست‌وپنج نوع‌ازگیاه من شناخته‌شده‌که ده‌گونهٔ‌آن درایران می‌روید. گونه‌های مختلف من درآذربایجان ـ کردستان ـ لرستان ـ خراسان سواحل درپای مازندران ونواحی البرز فراوان بوده وبطور خودرو به‌عمل می‌آید. به‌عنوان یك‌گل زینتی نیز می‌توان انواع مرا در باغچه‌ها پرورش داد. برای تهیهٔ آرد ثعلب کافی است‌که غده‌های زیرزمینی مرا شسته‌و بعد درآب‌جوش بخیسانند تا ورم نماید، بعد خشك‌کرده وآسیا نمایند. آرد من علاوه براینکه درمداوا وتغذیه به‌کار می‌رود، همه‌ساله مقدار زیادی از آن صادر می‌شود و کارخانجات غذاسازی و داروسازی خریدارآن می‌باشند.

آرد من‌برای رفع خستگی، تجدیدقوا وتقویت شهوت‌منافع زیاددارد، آردمن نرم‌کنندهٔ سینه وخلط‌آور بوده و برای این کار جوشاندهٔ یك‌درصدآن مصرف می‌شود.

آرد من خونساز بوده ومقوی‌اعصاب است. برای درمان‌کزاز،تشنج، لقوه وفلج تجویز شده است. مالیدن‌آن برسرمقوی مو بوده و از ریزش آن جلوگیری می کند. مقدار خوراك‌آن تادومثقال‌بوده و زیاده‌روی درخوردن آن برای شکم خوب نیست.

پزشکان سنتی ایران عقیده داشتندکه چنانچه زنان نازا برگ ثعلب‌را با زعفران وکمی مشك ساییده، قبل از آمیزش حمول نمایند ممکن است آبستن شوند.

وانیل

وانیل‌که پودرآن درشیرینی‌سازی جهت معطرکردن شیرینی به‌کار می‌رود، ازخانوادهٔ ثعلب بوده‌که متأسفانه در ایران نمی‌روید. پودر وانیل (وانیلین) علاوه‌برآنکه درقنادیها مصرف می‌شود،درساختن لیکورهای‌معطر نیز قابل استفاده بوده، نیروبخش وضدعفونی‌کننده می‌باشد، برای تقویت شهوت وضد تشنج تجویزشده است.

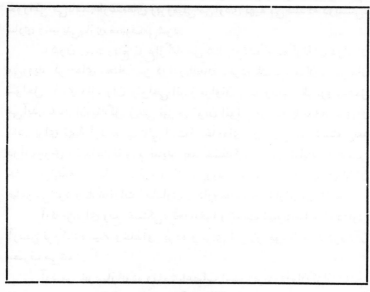

من «نانخواه» هستم!

فارسی من نانخواه است، بهمن نانخا ــ نانخه و زینان هم می گویند. عربی من طالب‌الخبزاست.

من بذرگیاهی هستم که به آن زیرهٔ حبشی وانیسون‌بری می‌گویند، و درمشرق ایران وبلوچستان می‌رویم، در هند و مصر هم مرا می‌کارند. بذر من کوچك بیضی‌شکل قهوه‌ای مایل بـه‌زرد است، و بـوی آن معطر بوده، شبیه تیمول است، مقدار اسانس نوع ایرانی من بیشتر از انواع خارجی است و در صنعت داروسازی از آن تیمول استخراج می‌کنند. سابقاً مــرا روی نان می‌پاشیدند و گاهی با خمیر مخلوط می‌کردند تا نان خوشبو وخوشمزه شود. من پادزهر سموم حشرات و دافع مضرات تریاك ومواد مخدر هستم، وبرای ترك تریاك می‌توان از من بهترین استفاده را کرد. بـه‌کسانی که تریاك را با

۶۴

وسایـل دیگر ترک می‌کنند، توصیه‌کنید که مدتی از من استفاده‌کنند تا از عوارض ترک تریاک مصون بمانند. من بادشکن و مقوی شهوت می‌باشم. جوشاندهٔ من برای معالجهٔ عقرب گزیده و تسکین درد نیش‌آن اثر فوری دارد. ضماد من باعسل برای تسکین درد و تحلیل ورم‌ها نافع است، و برای از بین بردن خون زیر جلد بی‌مانند است، اگر دانهٔ مرا در آب‌لیمو بخیسانند و قدری آب‌لیمو روی‌آن بریزند که یک انگشت بالای‌آن‌باشد و بعد بگذارند تا خشک شود، و این‌عمل‌راهفت مرتبه تکرار کنند، ترکیبی‌به‌دست می‌آید که برای‌اعادهٔ شهوت مأیوس شدگان‌نظیر ندارد. خوردن دانه‌های من ناشتا، سنگریزه‌های کلیه و مثانه‌رامی‌ریزاند. برای سکسکه، قی‌و آروغ بدبو و تخامه و قراقر شکم وهضم غذا مفید بوده، و مخصوصاً از تخمیر غذا در معده و روده‌ها جلو گیری می کند، پیشاب‌آور، معرق‌و باز کنندهٔ شیر است، ولی زیاده روی در خوردن‌آن شیر را در پستان خشک می‌کند و شهوت را از بین می‌برد. جهت اخراج کرم کدو و کرم معده نافع‌است، بخورمن با«راتیانج» و شستشوی رحم باجوشاندهٔ دانه‌های من جهت رفع بدبویی رحم توصیه شده است. مقدار خوراک دانه‌های من تا دو مثقال می‌باشد .

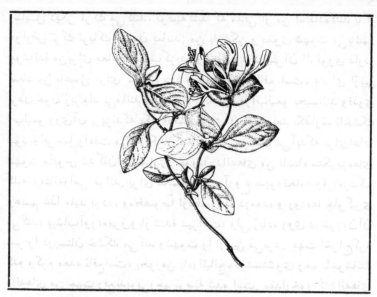

من «پیچ امین الدوله» هستم!

این روزها در تهران به من پیچ امین الدوله می گویند. پیچ باغی ـ شونک ـ شجر الطحال ـ زهر العسل ـ بلاخور ـ شن ـ سفیدال ـ اوج قد ـ دقزدون ـ دقـزدانه ـ ام الشعراء ـ سلطان الجبل ـ ماذلاشلبه ـ خانم الی ـ خـانم یـا رماغی ـ وسلطان الغاید اسامی دیگر من است. من انواع واقسام زیاد دارم، گیاه مرا باغبان به هر طریقی قیچی کند به همان وضع درمی آید ودر نقاط آفتاب رو بهتر به عمل می آید.

داروسازان سنتی ایران به نوعی ازمن صریمةالجدی لقب داده اندکه گویا یک کلمهٔ اسپانیایی است (اندلس). بوئیدن گل من مقوی دماغ، نشاط آورومحرک شهوت است وبرای استفادهٔ درمانی بایستی آنها راقبل ازشکفتن چیده ودرسایه خشک کرد و جهت درمان سرفه، گریپ، نزلهٔ ریوی، تنگ نفس

که منشاء عصبی داشته باشد ـ سکسکه ـ سردردهای یک‌طرفه و حالات تشنجی به صورت دمکرده، هشت درهزار روزی دوتا سه فنجان نوشید. خوردن بذر من ادرار را بازمی‌کند. ملین معده، مخرج مشیمه، زهکش رحم، و پـادزهـر سموم است. مقدار خوراک آن نیز یک مثقال است.

از پوست درخت من هم به عنوان درمان نزله ـ معرق ـ مدر و تصفیه کننده می‌توان استفاده کرد.

جوشاندهٔ پنجاه درهزار پوست و ساقه‌های من، برای درمان آب‌آوردن انساج ـ سنگ کلیه و مثانه ویرقان تجویز شده است. برگ درختچهٔ من قابض است و غرغرهٔ جوشاندهٔ آن برای التهاب و گلودرد نافع می‌باشد. ضماد لـه شدهٔ برگ من در روی زخمهای جلدی و کورک سودمند می‌باشد.

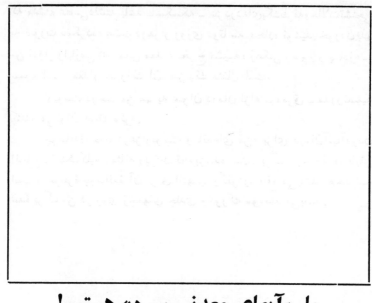

ما «آبهای معدنی سرد» هستیم!

املاح بسیاری درما نهفته است. اگـربه کلسیم احتیاج دارید به سراغ مابیایید. کم‌خونی را برطرف می‌کنیم. ضدسنگ کلیه هستیم. اثری مهم بر روی دستگاه گوارش داشته، حرکات دودی روده‌ها را تنظیم می‌کنیم. و اگر از چاقی رنج می‌برید به سراغ ما بیایید...

تاکنون درصحنهٔ زبان‌خوراکیها، آبهای معدنی شاهان، گرماب‌مشهد، شلف شهسوار و حسنک گچسر خود را معرفی کرده، و منافع خـود را بیان داشته‌اند و چون تاکنون بیش از هفتصد چشمهٔ آب معدنی خوراکی درایران کشف شده است، صفحات کتاب زبان خوراکیها فرصت معرفی یکایک آنها را ندارد، و ازاین‌رو تصمیم گرفتیم که آبهای معدنی خوراکی را به پنج دسته تقسیم کرده و هردسته خود را دستجمعی معرفی نمایند. اکنون اجازه فرمایید که دستهٔ اول که آبهای معدنی لیمونادی کلسیم‌دار هستند خودرا معرفی کنند.

ماآبهای لیمونادی کلسیم‌دار هستیم!

در زبان علمی به ما آبهای بیکربناته کلسیک گویند. املاح ما بیشتر بیکربنات کلسیم بوده، مقداری کلرور وسولفات هم‌داریم. ماعلاوه برداشتن فلز کلسیم‌دارای املاح سدیم، پتاسیم و منیزیم نیز می‌باشیم. در بعضی از چشمه‌های ماآهن وسیلیس‌باهم یا بدون هم دیده می‌شوند. معروفترین‌معادن ما درایران عبارتند ازآبعلی و تیزاب در دماوند ـ آب معدنی عمارت در نزدیکی‌آمل ـدوچشمه گلعلی درسرعین ازتوابع اردبیل‌که دربیله دره ظاهر می‌شوند. آبهای معدنی شلف و حسنک که قبلا خودرا معرفی کردند. آب معدنی رازی در نزدیکی خوی ـ آب معدنی سنگرود در عمارلوی لوشان، همه‌از خانوادهٔ ما هستند و در استان خراسان نیز چند چشمه از خانوادهٔ ما وجود دارد.

در مجاور چشمهٔ آبعلی آب‌آهن‌داری به نام آب حمام وجود داردکه درآن‌استحمام می‌نمایند. آب معدنی‌آبعلی به علت داشتن‌املاح زیاد دارای طعم گزنده وفلزی‌است وآنگونه که‌سایرچشمه‌های خانوادهٔ‌ما گوارا می‌باشند، مزهٔ آن مطبوع‌نیست. درجهٔ حرارت‌آن درمظهر ده درجهٔ سانتی گراد است. این‌آب به علت داشتن سیلیس معده را ضد عفونی می‌کند، و به علت داشتن آهن ضدکم خونی است، مشروط براینکه درسرچشمه ازآن بنوشند. آهن‌آن رسوب‌کرده وازبین می‌رود وبااینکه این چشمه دارای گازطبیعی‌زیادی‌است، قسمت اعظم آن به‌هدر می‌رود و کارخانه مجبور است مقداری‌گاز مصنوعی به‌آن بدهد. درحال‌حاضر آب این چشمه دربطری به فروش می‌رسد و باآن دوغ آبعلی هم می‌سازند.

آب معدنی گلعلی درسرعین ازتوابع اردبیل است. طعم آن لیمونادی ومطبوع می‌باشد و املاح زیادی ندارد، مقدار سیلیس آن بیشتر از آبعلی بوده، و فاقدآهن است وبه‌همین جهت طعم مطبوعی دارد. درجه حرارت‌این آب درچشمه هجده درجه می‌باشد.

چشمهٔ عمارت‌که درجادهٔ هراز بیست‌کیلومتری‌آمل است، نیز دارای طعم مطبوع وگوارا است و املاح زیادی ندارد، درجه حرارت‌آن درمظهر چشمه بیست درجه است.

آب معدنی «نی‌دشت» در درهٔ صفارود نزدیک رامسر از زمین خارج می‌شود، املاح وگاز این چشمه زیاد است، ولی چون فاقد آهن می‌باشد، طعم‌آن گواراتر ازآبعلی‌است، درجه حرارت‌آن نوزده درجه می‌باشد. چشمهٔ

«رازی خوی» دارای املاح زیاد بوده، طعم‌آن گزنده و فلزی است و مانند آبعلی دارای آهن و سیلیس می‌باشد.

آب معدنی سنگرود در عمارلوی لوشان نزدیك رودبار بوده و از توابع رشت است، از زمین خارج‌می‌شود ودارای املاح زیاد است، سیلیس و آهن ندارد.

خواص درمانی ما

ماهمه در ردیف آب معدنی اویان درفرانسه می‌باشیم. ادرار را زیاد می‌کنیم، وهرقدراملاح ماکمترباشد، این‌خاصیت درمازیادتراست، سنگهای کلیه را از بین برده، کلیه ومثانه را زهکشی می‌نماییم. اثرما در روی‌کبد ودستگاه گوارش زیاد وقابل‌توجه‌است. حرکات دودی روده هاراکم‌می‌کنیم، صفرابر بوده، وچنانچه چندروزمتوالی ازما بنوشید، املاح‌صفراوی خون راکم می‌نماییم. اثرارزندهٔ ماکم‌کردن آب نسوج بدن است وبرای نقرس ـ رماتیسم ـچاقی ـتورم‌کبد وحالات تشنجی مفید می‌باشیم. نوشیدن ما همراه با غذا و بعد ازآن باعث زیاد شدن‌اشتها وزودهضم‌شدن‌غذاست. مبتلایان به‌فشار خون‌نباید ازمابنوشند وچنانچه مبتلایان به‌سنگهای بزرگ صفراوی از ما بنوشند، ممکن است سبب ناراحتی آنها شود.

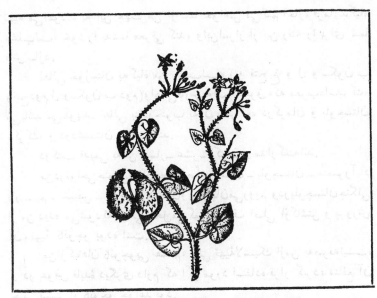

اسم من «غلب‌لب» است!

زبان خوراکیها با فاش‌کردن اسرار پیشینیان، خدمات زیادی به علم و صنعت ایران کرده و مایقین داریم‌که باهمت و پشتکارخوانندگان، ارزش این خدمت بزرگ در آیندهٔ نزدیک برهمگان ثابت خواهد شد. اکنون می‌خواهیم‌از راز دیگری‌که مربوط به یکی از صنایع مستظرفه بوده وبکلی فراموش شده وازبین رفته‌است پرده برداریم و باکمک اهل تحقیق این‌هنر ملی‌را دوباره زنده نماییم. درکتب ادبی واشعارفارسی از دیبای شوشتری واستبرق سخن به‌میان‌آمده وازنرمی ولطافت این پارچهٔ نفیس زیادتوصیف شده است، و دریکی‌ازکتب تاریخی خوزستان نوشته‌اندکه پردهٔ کعبه را از دیبای شوشتری تهیه کرده‌اند. حال با توجه به اینکه شوشتر محل تربیت نوغان و ابریشم نبوده ، باید دید که این پارچهٔ نفیس را از چه ماده‌ای

تهیه می‌نمودند به این جهت من از شما خواهش می کنم اجازه فرمایید گیاه «غلب‌لب» خود را به‌شما معرفی کند، و این اسرار از بین رفته را برای شما فاش سازد.

اهالی خوزستان به‌گیاه من «غلب‌لب» (به فتح غ و ل و سکون ب وفتح دوم ل وسکون ب دوم) واهالی فارس به‌آن «استبرق» که معرب «استبرک» می‌باشد می گویند. اهالی بنادرجنوب به‌آن «خرگ» درکرمان و بلوچستان «کرک» و دردشتستان غرق نامند.

در کتب قدیمی به‌من عشار- عشر- اکران و مدار گفته‌اند.

من درنواحی جنوبی ایران مخصوصاً خوزستان ـ بلوچستان ـ منصورآباد لار ـ بم ـ خبیص ـ شوش ـ دیلمان و برازجان می‌رویم ودربلوچستان جنگلی از من دیده می‌شود که اهالی محل می گویند هدف اصلی ازکاشتن و پرورش آن، تهیهٔ کائوچو بوده است.

من ازگیاهان کائوچویی هستم، ولی تهیهٔ لاستیک ازمن به‌صرفه نیست، و در عوض فایدهٔ دیگری دارم که اگر مورد استفاده قرار گیرد، منافع آن خیلی بیشتر از کائوچو خواهد بود.

قسمت ارزندهٔ من پنبه‌ام می‌باشد که در گذشته دیبای شوشتری را با آن می‌بافتند. این پنبه درجوف میوهٔ من است که پس از رسیدن و بازشدن مانند تارهای ابریشم جلوه گری می کندودرحال حاضرمردم راه تابیدن آن رانمی دانند، ولی درقرنهای ششم تا هشتم‌هجری، یکی از خانواده‌های هنرمند شوشترراه آن را می‌دانستند و اسرار آن را درخانوادهٔ خودحفظ کرده، نسلاً بعدنسل ازآن استفاده می کردند، ولی دراواخر قرن هشتم دراثر بیماری طاعون این خانواده بکلی از بین رفته، واسرار بافتن دیبای شوشتری را با خود به‌گور برده، و درخاك مدفون کرده و بدین ترتیب یك هنراصیل وارزندهٔ ایرانی از بین رفته است، و تنها استفاده‌ای که اکنون از این پنبه می‌شود، آن‌است که‌آن را داخل بالش ومتکا می کنند و از نرمی ولطافت آن درزیرسر بهره‌مند می‌شوند.

طبق تحقیقات عمیقی که‌نویسندهٔ زبان خوراکیها به عمل‌آورده، به‌این نتیجه رسیده است که‌این پنبه چنانچه تحت تأثیر دیاستازهای بزاق قرارگیرد، محکم شده و قابل تابیدن و بافتن می‌شود و اینطور به نظر می‌رسد که آن خانوادهٔ هنرمند این پنبه را دردهان خود گذاشته ومدتی آن رامکیده مزه‌مزه کرده و قابل استفاده می‌نمودند. بدیهی است که درحال‌حاضر این روش قابل عمل نیست وبایستی آن‌را با دیاستازهای مصنوعی به‌عمل‌آورد.

من جزو گیاهان شیردارهستم. درتمام اجزای بدن‌من شیرابه‌ای وجود داردکه سمی، سوزاننده و اکال است، ولـی این شیرابه درپنبهٔ مـن‌نیست، بلکه دربرگ، ساقه ومیوهٔ من‌قبل ازرسیدن وجود دارد ومقدارآن درهرگیاه ازیك لیترتجاوز می کند. این شیرابه پوست را زخم می کند، خاصیت مسهل داشته وبلغم را ازبین می‌برد، وسوزاننده‌ترین شیرهٔ نباتی است‌که مو را نیز زایل می کند ودباغان عرب وهند ازاین شیرابه برای ازبین بردن‌موی‌پوست در چرمسازی از آن استفاده می کنند. مالیدن این شیرابـه کچلی را معالجـه می کند، و دانه‌های بواسیر راقطع می‌نماید ومضمضهٔ‌آن با عسل‌برای جوش دهان اطفال نافع است، وچون‌پنبه را به‌آن آغشته و درسوراخ دندان کرم‌خورده بگذارند، دردآن‌را ساکت می کند.

حکیم «میرعبدالحمید» درحاشیهٔ «تحفه» نوشته است‌که این شیرابـه جهت معالجهٔ جذام ـ قوبا (زخمهای جلدی‌که منشاء عصبی دارند)، دمل، کـورك و سختی طحال وامراض‌کبدی واستسقا وکرمهای معده و کدو مفید است. بعضی ازاهالی هندکه مبتلا به‌رماتیسم وپادرد می‌باشند، مقدارکمی‌از شیرهٔ مرا بایك چوب کبریت برروی مفصل مانند چندخال می گذارند تاجای آن تاول کند ومعتقدندکه این عمل درد مفاصل را تسکین می‌دهد. چنانکه برگ وشاخه‌های‌تازهٔ مرا گرم کرده و روی ورمهای بدن بگذارند، دردآنها را معالجه‌کرده وورم را ازبین‌می‌برد، وچون برگ وشاخهٔ تازهٔ مرا درروغن زیتون بجوشانند، روغن آن جهت معالجهٔ فلج مفید بوده و ضد تشنج است. پاشیدن‌گرد کوبیدهٔ خشك شدهٔ برگ من جهت زخمهای چرکی و بـدخیم و زخمهای خوره‌ای وازبین بردن‌گوشت زاید مفیداست. ازپنبهٔ من در گذشته به‌عنوان‌آتشزنه‌درسنگ‌چخماق‌استفاده می کردند،وچون‌این‌پنبه راهنگامی‌که تازه‌است ازهم بازکرده،آن‌را برروی جراحات‌بگذارند ازخونریزی‌جلوگیری کرده، وباعث رویاندن‌گوشت تازه‌می‌شود. مقدارخوراك شیرابهٔ من‌نیم‌گرم بوده،وپنج گرم‌آن‌سمی وکشنده‌است. اهالی مصرمعتقدندکه فرش‌کردن‌ودود برگ من حشرات را فراری می‌دهد. خواص شیرابه وبرگ من زیاد است‌و دوچون‌سمی وخطرناك‌است، ازتفصیل‌آنها خودداری می‌نماییم.

کتوس

در خانوادهٔ «غلب‌لب» گیاه دیگـری وجـود داردکه اعراب بـه‌آن «شجرالحریر» گویند و اکنون اجازه فرمایید خودرا معرفی کند.

در گیلان بهمن‌کتوس ـ در رامسر وشهسوار کتوس‌لو ـ در مازندران عسلماگویند، ودرفارس بهمن پیچ‌وپیچك‌هم گفته‌اند ـ اهالی شمال‌شاخه‌های نازك مرا چیده وپس ازپوست‌کندن باآن سبد می‌بافند ونوعی ازمن درکنگو به‌عمل می‌آیدکه ازشیرابهٔ‌آن‌لاستیك سفیدتهیه می‌کنند.

ازپوست وساقه‌های من درصنعت داروسازی دارویی جهت تقویت‌قلب می‌گیرند، وعصارهٔ پوست وساقه‌های من‌هم جهت تقویت قلب ودرمان‌تنگ نفس سودمند می‌باشد.

۷۴

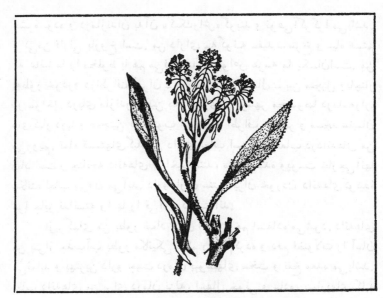

اسم من «اسفرزه» است!

از برگ من برای التیام زخمها استفاده برید. دانه هایم بهترین داروجهت رفع نفخ معده است. برای پایین آوردن تبهای شدید از لعاب دانه هایم میل کنید. همین لعاب، غمهای بی دلیل را از بین برده، جای آن را به نشاط وشادی می دهد. برای زخم معده و روده نیز می توانید مرا تجویز کنید.

فارسی من اسفرزه است، ولی درشیراز که مهد زبان فارسی است به من «بتکو» گویند. درکتب قدیم از من به اسامی اسفیوس ـ اسپغل و اسپغول یاد کرده اند، وچون دانه های من شبیه حشرهٔ کک است به آن برغوثی نیز گفته اند. عربی من قطونا می باشد، ولی عده ای از لغت نویسان عربی مرا حشیشةالبراغیث نوشته اند، واین اشتباه است. زیرا برغوث عربی کک بوده وحشیشةالبراغیث به گیاهی گفته می شود که ضد حشره بوده، و کک را دفع می کند و چنانچه در کتابهای داروسازان سنتی ایران نوشته اند حشیشةالبراغیث گیاهی است که ضد

۷۵

حشره بوده و درمازندان به‌آن «کیک‌واش» گویند و نوعی آکر کرا می‌باشد. ترکی‌من قارنی باروخ است. من دارای سه گونه سفید ـ سرخ و سیاه هستم که غالباً ما را مخلوط با هم می‌فروشند و خواص هرسه ما یکسان‌است. من به‌طور خودرو دراطراف تهران ـ درتمام مناطق شمال ـ بین منجیل وپاچنار در سواحل دریای مازندران بین بندرپهلوی و نوشهر مخصوصاً درماسه‌زار- های‌کنار دریا و همچنین در جنوب ایران در اطراف بوشهر و مسجد سلیمان می‌رویم. تمام قسمتهای گیاه من دارای لعاب است. این‌لعاب دردانه‌های من زیاد است و چنانچه دانه‌های مراخیس‌کنند، متورم شده وپوست خارجی آنها شکافته لعاب بیرون می‌آید. داروسازان سنتی ایران خوردن دانه‌های‌کوبیدهٔ مرا جایز ندانسته وآنها را قی‌آور دانسته‌اند.

ازبرگهای من بطور ضماد برای التیام زخم استفاده می‌شود. دانه‌های من پس‌از جذب‌آب بطور مکانیکی شکم را نرم‌کرده و دفع فضولات را آسان می‌نماید و بهترین دارو جهت درمان یبوستهای سخت و نفخ معده می‌باشد. لعاب دانه‌های من برای درمان نزله، اسهال خونی و ساده، بیماریهای کلیه ومثانه تجویز شده‌اند، وبهترین‌خاصیت من‌جلو گیری‌ازخونریزی سینه‌است. درصنعت ازلعاب من برای دادن آهار به پارچه و درصنعت داروسازی جهت ساختن‌داروهای‌چشمی‌استفاده می کنند، ودراین مورد روایتی‌ازحضرت عیسی نقل شده است‌که ذکرآن بی‌مناسبت نیست. می گویند روزی حضرت عیسی مبتلا به‌چشم‌درد شده، وازمادرخود خواستندکه‌لعاب اسفرزه درچشم ایشان بچکانند. وقتی حضرت مریم لعاب اسفرزه را حاضر کرده خواستند در چشم ایشان بریزند، آن حضرت چشم خود را ازترس بسته و مانع چکاندن لعاب اسفرزه درچشم خود شدند و درنتیجه مادر فرزند خود را مخاطب قرارداده می‌فرمایند: «ازیک طرف طبابت می‌کنی و از طرف دیگر ازدارویی‌که خود تجویزکرده‌ای‌می‌ترسی». حضرت‌مسیح‌درجواب‌می‌فرمایند: «طبابت من‌نتیجهٔ علم‌است‌که می‌دانم این داروبرای چشم من مفید است، ولی ترس من نتیجهٔ غریزهٔ بشری من است‌که هرانسانی‌ازریختن یک مادهٔ خارجی درچشم خود ناراحت‌می‌شود». لعاب من مسکن تشنگی وحرارت بوده وبرای پایین‌آوردن تبهای شدید توصیه شده است. برای رفع غلیان خون، سختی سینه و گلو، دل پیچه و زخم روده می‌توان ازلعاب من استفاده‌کرد. ضماد دانه‌های من با سرکه وروغن جهت تسکین درد مفاصل، نقرس، ورم پشت‌گوش، خنازیر و جراحات مختلف توصیه شده‌است. برای معالجهٔ سوزاک مزمن دانه‌های مرا خیسانده و درکیسه یا پارچه‌ای ریخته، روی دهانهٔ‌مجرا ضماد نمایید تا چرک

آن خارج شده وزخم التیام پذیرد. اگر موی سرشما دوشقه می‌شود، لعاب مرا روی موی سرخود بمالید تا بیماری آن برطرف شده، و موی سرشما بلند شود. برای رفع غم و ایجاد شادی از لعاب دانه‌های من بنوشید که فوق‌العاده مؤثر است.

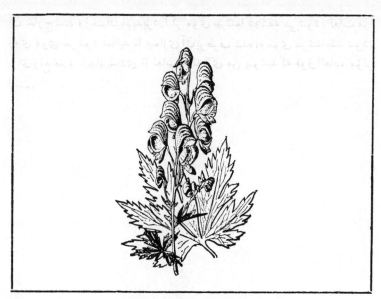

من «تاج‌الملوك» هستم!

فارسی من گرگ‌کش و ماه پروین است، ولی بیشتر به انواع پرورش یافتهٔ من که جزو گلهای تزئینی هستند تاج‌الملوک گویند. عربی من «قاتل‌النمر» است و در کتب قدیم از من به اسامی اجل‌گیاه ـ بیش ـ موش‌بیشا ـ اقونیطون اقنیطون و پوحا یاد شده‌است. ماه پروین به گیاه من و گیاه دیگری که معروف به زرنباد است هر دو گفته می‌شود. و نوع قرمز من تاج‌الملوک ژاپنی می‌باشد. من از قدیم در جنوب شرقی ایران مخصوصاً بلوچستان بطور خود رو به عمل آمده و اکنون گونه‌های زینتی مرا پرورش داده‌اند. انواع وحشی من سمی است و اثر سمی آن روی درندگان بیشتر از حیوانات اهلی است، ولی انواع پرورش یافتهٔ من سمیت کمتری دارند. گل من پیشاب‌آور وضد رقت خون بوده، آرام کنندهٔ سرفه و برنشیت است و چون دانه‌های من اثر بیشتری در تصفیهٔ خون

۷۸

داردآن را در بیماریهای‌پوستی وجر بهایی که‌پس‌ازِخشک شدن لکه‌های‌شیری رنگ بجا می گذارند، تجویز کرده‌اند.

در کتب‌قدیم‌نوشته‌اند که‌چون‌عقرب‌نزدیک من‌شود، هلاک‌می گردد. درمصرف من باید حتماً رعایت مقدارخوراک راکرد. جوشاندهٔ چهارتا هفت گرم دانه‌های من دریک لیترآب جوش و دوتا چهارگرم گرد دانه‌های من تجویزشده‌است،ازخیساندن‌چهارگرم گل‌در سی گرم‌الکل‌تنتوری‌به‌دست‌می‌آید که‌پنج‌قطره درروزمی‌توان‌خورد. شربت گل من‌ازیک قسمت گل ـ دوقسمت آب و دوقسمت قند ساخته می‌شود و در روز سی تا پنجاه‌گرم این شربت را می‌توان خورد.

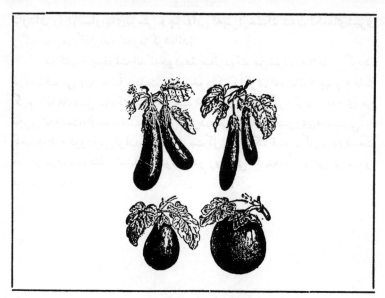

اسم من «بادنجان» است!

فارسی من بادنگان ومعرب آن بادنجان و بادمجان است، ولی‌عده‌ای از اعراب به من حدق و عده‌ای حدج گویند.

زادگاه اولیهٔ من هندوستان است و قبل از اسلام به ایران‌آمده‌ام. از نظرغذایی نیروی زیادی ندارم و به همین جهت است‌که در رژیم لاغری از من زیاد استفاده می‌کنند، خاصیت درمانی من بیشتر به‌علت بازکردن عروق است و به‌همین جهت رنگ رخساره را بازمی‌کنم، من‌کمی پیشاب‌آور وکمی ملین هستم، به‌علت داشتن یک مـادهٔ سمی به نام «سولانین» برای اشخاص سودایی مزاج خوب نیستم، مخصوصاًاین دسته نسبت به‌نمونه‌های تخم‌دار من حساسیت داشته و بلافاصله پس ازخـوردن من دچار چشم درد شده و یا دربدنشان جوش پیدا می‌شود، و دسته‌ای هم مبتلا به‌کهیر می‌شوند، ولی با

امراض غیرسودایی سازگار هستم و معده را تقویت می‌نمایم.

کدبانوهای قدیم طرز تهیهٔ مرا از آن روز می‌دانستند و اکنون نیز آشپزهای ماهر طبق همان رویهٔ گذشته مرا تهیه می‌کنند

بهترین نمونهٔ من قلمی بدون تخم و رسیده است و فرآورده‌های اندیمشک و دزفول که زمستان به بازار می‌آیند، به علت داشتن گوشت زیاد و نداشتن تخم فوق‌العاده مرغوب می‌باشند وحتی عده‌ای گوشت بدون تخم مراجوجهٔ گیاهی لقب داده‌اند.

برای تهیهٔ غذا با من اول باید مرا پوست بکنند و بعد آن را ورقه ورقه کنند و درنمونه‌های قلمی که قابل ورقه شدن نیستند، با چاقو جوف آنها را شکاف داده، بعد در رو و زیر و یا جوف آن نمک بپاشند و بعد درآب سرد روی هم بچینند. پس از مدتی که این آب سیاه و تند می‌شود، آب آن را عوض کنند تا زمانی که دیگر آب سیاه و تند نشود، و چنانچه به این دستور عمل نمایند گوشت من خوشمزه‌تر شده و سم آن گرفته می‌شود.

هیچوقت مرا با روغن کهنه و بودار سرخ نکنید، بلکه مرا با کره گاو یا روغن تازهٔ حیوانی سرخ نمایید و چنانچه خواستید با روغن نباتی تهیه کنید، سعی نمایید روغن بدون بو یا معطر باشد و یا با کمک پیاز زیاد یا سیر روغن را معطر کنید. انواع وحشی من که درهندوستان به عمل می‌آید قابل استفاده نیستند و تنها نمونه‌های پرورش یافته درتهیهٔ خوراک به کار می‌رود.

من مقوی معده هستم و گرفتگی معده را باز می‌کنم، مشروط بر آنکه گرفتگی دراثر خوردن من نباشد. چه من بعضی اوقات باعث گرفتگی کبد و طحال می‌شوم. ترشی من قابض بوده، وادرار را بیشتر می‌کند، خوردن من بوی عرق بدن را از بین می‌برد و کسانی که زیر بغل و کشاله‌های ران آنها بدبو است بایستی زیاد از من استفاده کنند.

کسانیکه دستهایشان عرق می‌کند و همیشه نمناک است، می‌توانند از آب سیاه پوست من استفاده کنند، کوبیدهٔ پوست مرا در دست بگیرند و یا دست خود را مدتی در جوشاندهٔ گرم آن بگذارند. من مسکن در پهلو، دردمثانه (زیرشکم) و درد بواسیرهستم، و دردچشم را که علت سودایی نداشته باشد برطرف می‌کنم.

خاکستر من مخلوط با سرکه برای معالجهٔ زخمهای جلدی نافع است اگر کلاهک و دم مرا در سایه خشک کنید و خوب بسایید و گرد آن را روی بواسیر وسایر زخمهای نشیمنگاه بپاشید، آنها را معالجه می‌کنم.

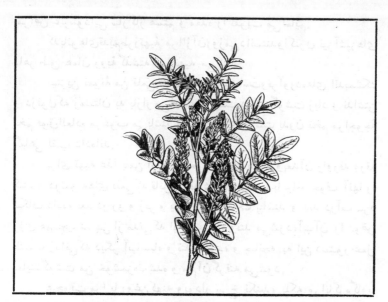

من «شیرین‌بیان» هستم!

من امروز می‌خواهم با بیانی شیرین خودرا خدمت شما معرفی کنم و شما را به ارزش واقعی خود واقف نمایم. من بیخ یک گیاه خود رو هستم که در ایران از شمال تا جنوب، از آذربایجان تا بلوچستان می‌رویم. در فارس به من شیرین بیان می گویند، ولی در اطراف اصفهان به «پژو» معروف می باشم. در شیراز به من مهک گویند و در بازار بعضی از شهرهای ایران به من آسه لقب داده‌اند. عربی من سوس است و به بیخ من اصل السوس و عرق السوس خطاب می کنند، قسمت مورد استفادهٔ من بیخ و ریشهٔ من است. در اینجا بد نیست که توضیح دهیم، بعضی از گیاهان علاوه بر ساقهٔ هوایی یک ساقهٔ زیرزمینی هم دارند، به این ساقه‌های زیرزمینی گیاه شناسان قدیم ایران بیخ می گفتند و گیاه‌شناسان جدید که از وسعت زبان فارسی بی اطلاع می باشند، لغت فرنگی آن را که «ریزوم» است به کار

می‌برند.

این بیخ یک قلم مهم ازصادرات ایران است، و کارخانجات داروسازی آن را به‌قیمت نازل می‌خرند وپس ازآنکه آن را به‌صورت گرد یا قرص و شربت درآوردند به ایران برمی گردانند.

علاوه بر کارخانجات داروسازی، کارخانجات دخانیات و سیگارسازی هم خریدار من می‌باشند.

دراین کارخانجات برگ‌توتون رادرجوشاندهٔ من خیس‌می کنند تاسیگار آنها خوش طعم و بی‌ضرر شود. اخیراً عده‌ای ازکارشناسان دخانیات، اظهار نظرکرده‌اندکه اینگونه سیگارهاسرطان‌زانیستند. در داروسازی‌پودر وعصارهٔ مرا جهت از بین بردن طعم بد بعضی از داروها به‌کارمی‌برند وباعصارهٔ من شربتها وقرصهای ضدنفخ ومقوی‌معده‌می‌سازند. خاصیت‌اصلی من‌جلوگیری ازانقباضات معده است و به‌همین جهت غالباً مرا بامسهلهایی که تولید پیچش معده می‌کنند، همراه می‌سازند تا از ضرر آنها جلوگیری شود. عصارهٔ من همراه باعسل جهت مبتلایان به‌زخم معده بهترین‌اکسیراست، زیرا ازانبساط و انقباض معده جلوگیری‌کرده و این آرامش جدار معده، سبب بهبود زخم می‌شود. یکی ازرجال معروف ایران‌که مدتها از زخم‌معده زجرمی‌کشید،و برای معالجه‌به‌اکثرپزشکان معروف‌جهان مراجعه‌کرده وازدرمان آن‌مأیوس بود، سه‌ماه مرتباً روزی نیم مثقال مغز بیخ مراهمراه باعسل خوردومعالجه گردید. این شخص دراین مدت ازخوردن تمام‌داروهای‌دیگر خودداری‌کرد وفقط روزی یک‌گرم رازیانه ویک‌گرم سقز تلخ‌را همراه با من میل‌می‌نمود واکنون‌مدت‌دوسال‌است‌که‌بکلی خوب شده واحساس‌ناراحتی‌معدی نمی‌کند.

من‌علاوه برآن‌که‌طعم‌سیگار را خوب‌کرده وقطران‌آن را کم می‌کنم، یکی‌از داروها و وسایل ترک اعتیاد سیگار نیز می‌باشم و برای این کار کافی است معتادان یک تکه از بیخ مرا مانند سیگار کنج‌لب خود گذاشته و با آن بازی‌کنند و گاهی مقداری ازآن راجویده وبمکند. من دارای انواع واقسام می‌باشم، مقدار قند وشیرینی دربعضی‌ازانواع من بیشتراست، ودریک‌نوع کمترمی‌باشدکه به‌آن تلخ بیان گویند. درطب سنتی ایران این‌نوع را قابل مصرف نمی‌دانستند. انواع مرغوب‌من‌درآذربایجان، رضائیه، افشار، خلخال، کرمان، پل‌جاجرود، اراک، لرستان، بجنورد، شیروان و بلوچستان می‌رویند و یک نوع من به‌شیرین بیان چینی معروف است که در خراسان مخصوصاً بین بجنورد و «مرادتپه» دیده می‌شود. علاوه بر انواع فوق، رب‌السوس را ازعصارهٔ نوعی ازگون‌هم می‌گیرند که به‌آن سوس کاذب

می گویند و بطور تقلبی آن‌را به‌جای عصارهٔ شیرین بیان می فروشند.

بیخ من دارای یك پوست چوب پنبه‌ای است و به‌همین جهت بایستی آن‌را همیشه پوست کنده و بعد مصرف کرد و اینکه در بعضی از کتب قدیمی نوشته‌اند که چون مار بیخ شیرین بیان‌را دوست دارد و خودرا به‌آن می‌مالد و زهرآلود می‌شود و بایستی آن‌را پوست کند صحیح نیست. من مسکن تشنگی و التهاب معده هستم، مخصوصاً خیساندهٔ من در آب سرد برای این کار نافع است. من معده و احشاء داخلی‌را شستشو می دهم، من مقوی اعصاب، بادشکن، مدر بول وحیض می باشم و بهترین دارو برای تنگ نفس می باشم. من سینه‌را نرم می کنم و آواز رابازمی نمایم. اگر بیخ مرا ساییده و مانند سرمه به‌چشم بکشند، برای رفع لکهٔ سفیدی و تقویت بینایی چشم سودمند می‌باشم، اگرجوشاندهٔ مرا برمو بمالند موخوره را ازبین می برم. ضماد کوبیدهٔ برگ تازهٔ من بدبویی زیر بغل و کشالهٔ ران را برطرف می کند و ترك لای انگشتان را درمان می نماید.

چوب گیاه من به‌سرعت می‌سوزد و حرارت زیادی تولید می کند. و به همین جهت سابقاً شیشه گران ازآن برای ذوب سنگ استفاده می کردند. شستشوی چشم باجوشاندهٔ من ورم پلك را ازبین می برد.

مقدار خوراك مغز پوست کندهٔ بیخ من ده گرم است که بایستی آن را جوشانده و باعسل میل کرد و بدرقهٔ آن بایستی آلو یا آش آلو باشد. چنانچه آب هندوانه را بدرقهٔ من کنند، فشارخون‌را پایین می آورم.

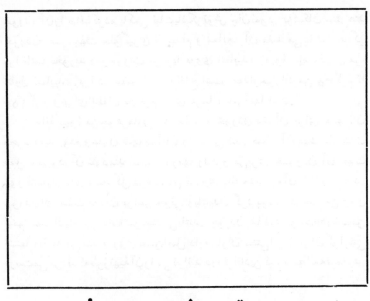

من «تمبرهندی» هستم!

مرا برای جلوگیری از جـذام مفید می‌دانند. مقوی قلب ومعده هستم. التهاب خون را کم می‌کنم. برای مبتلایان به‌دیفتری مفیدم. نارس مرا نخورید که برای دستگاه‌گوارش زیان‌آور است.

فارسی من «تمرهندی» است، به‌من خرمـای گجـرات هم می‌گویند. زادگاه من‌هند وبلوچستان است، اعراب به‌من‌صبادا، حمار، خوش و حومن می‌گویند. در کتب قدیم به‌اسامی امله، املی، انبله، خنچه، نیز آمـده‌ام. درخت من بلندقامت است، به‌طوری‌که طول آن به۲۵ متر می‌رسد. میوهٔ من لطیف‌تر ازآلو بوده، ومقوی قلب ومعده است. شکم‌را هم جمع می‌کند وهم کمی ملین. است وصفرا بر خوبی است، به‌طوری‌که در بین میوه‌های تـرش در این خاصیت مقامی والا دارم. هیجان والتهاب خون را کم می‌کند و بـرای خارش و گال مفید است. غرغرهٔ خیساندهٔ من درآب بعداز زدن سرم بـرای مبتلایان به‌دیفتری مفیداست، ولی‌هر گز مرا درآب نبایدمالید. چون‌خوردن آن ایجاد قی می‌نماید.بلکه بایستی‌آن‌را درآب خیس کرد وچون خوب خیس

۸۵

خورد، آن را صاف کرده با کمی نبات یا شکر نوش جان نمود. پزشکان سنتی هند خوردن مرا جهت جلوگیری از جذام و معالجهٔ آن مفید می‌دانند. هرگز مرا ناشتا نخورید و در خوردن من زیاده‌روی ننمایید، و میوهٔ خام و نارس مرا تناول ننمایید، زیرا دیرهضم بوده و نفاخ است، مقدار خوراک من ۳۵ گرم تا ۱۵۰ گرم و برای اطفال دو گرم برای هر سال عمر آنها است.

دانهٔ میوهٔ من جوهر مازو زیاد دارد و خوردن مغز آن برای جوانان مجرد مفید بوده و غلیان شهوت آنان را کم می‌کند. ضماد آن جهت باز شدن دمل و بهبود آن سودمند است و ورم‌ها را فرو می‌برد. خوردن آن جهت سوزاک مفیداست. ضماد گل درخت من بر روی پلک چشم ورم آن را فرو می‌برد. خوردن آن جهت درمان بواسیر خونی و پاشیدن گرد پوست درخت من روی زخم جهت التیام جراحات سودمند می‌باشد. خوردن خاکستر پوست درخت من اشتها را زیاد می‌کند و روی همین اصل داروسازان سنتی ایران از آن گوارشی درست می‌کردند که طرز تهیهٔ آن را می‌توانید در «قرابادین کبیر» مطالعه فرمایید.

۸۶

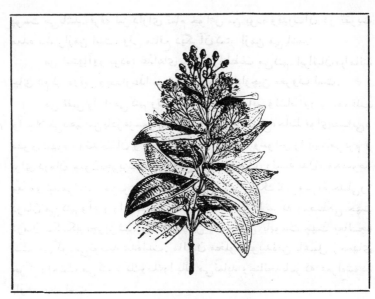

اسم من «دارچین» است!

من اشتها آورم. نشاط آور بوده، نفس را باز می کنم. پادزهر خوبی برای سموم حیوانی و نباتی هستم. دلهره و وسواس را از بین می برم. کبد و معده را تقویت می کنم. ضد سکسکه هستم و رعشه را نیز تسکین می دهم.

نام دارچین، مخصوص پوستهای معطری است که بهترین آنها در سیلان به عمل می آید و انواع دیگر آن که در خارج از سیلان می روید به مرغوبی دارچین سیلان نیست.

فارسی من دارچین سفید است. به من دارچینی هم می گویند. اعراب اسم مرا دارصینی گذاشته اند. سلیخه نوع چینی من است که به آن دارچین ختایی هم می گویند و درهند و عمان هم کاشته می شود. بوی آن کمتر از من بوده و رنگ آن کمی سرخ است و درخواص مانند من می باشد. منتها کمی ضعیفتر. «قرفه» نوع دیگری از من است که خارج از سیلان روییده و دارای پوست ضخیمی می باشد و درلغت عرب قرفه به معنی پوست درخت است و اختصاصاً نام این

پوست می‌باشد. قرفه نیز دارای تمام خواص من بوده وقدرت‌آن در تقویت معده بیشتر ازمن است، ولی منافع دیگر آن کمتر ازمن می‌باشد.

من اشتهاآور بوده، غذاهای سنگین را لطیف می‌کنم. ایرانیان مرا مانند چای دم کرده وقبل و بعدازغذا می‌نوشند وچای دارچین معروف است.

من نفس را بازمی‌کنم وتنفس راآسان می‌نمایم ونشاط‌آور بوده، قلب را جلا می‌دهم. من پادزهرسموم حیوانی و نباتی ومعدنی، حافظ قوای‌نفسانی و مقوی شهوت وضدخفقان و وحشت هستم. دلهره، وسواس راازبین‌می‌برم و برای درمان جنون‌تجویزشده‌ام. کارمن تقویت اعضای رئیسهٔ بدن، مخصوصاً معده وکبد می‌باشد. من بوی بددهان راازبین می‌برم،تنگ نفس وسرفهٔ خلطی‌را درمان می‌کنم وآواز را تصفیه می‌نمایم. پختهٔ من با سرکه ومصطکی جهت درمان سکسکه تجویز شده‌است وهمچنین پختهٔ من باپوست جهت معالجهٔ استسقای گوشتی‌توصیه شده‌است. مالیدن مخلوط‌کوبیدهٔ‌من باعسل،زخمهای چرکی‌راخشك می‌کند وکك‌ومك‌را پاك می‌نماید وچنانچه‌باسرکه همراه‌شود، بازهم مفیداست.

اگر مرا در روغن بجوشانید، مالیدن این روغن به‌تنهایی یا بازردهٔ تخم‌مرغ پخته، جهت‌رعشه وتسکین درد عضلات مفیداست و برای درمان اعضای‌بی‌حس شده به کارمی‌رود. چکاندن‌این‌روغن‌در گوش، سنگینی آن‌را از بین می‌برد وبرای بادهای معدی ویرقان وبواسیر نافع‌است. درصنعت دارو-سازی از اسانس دارچین ودرطب سنتی ایران، ازعرق وعطر دارچین استفاده می‌کنند.

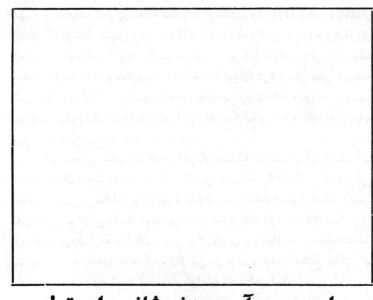

اسم من «آب معدنی شلف» است!

در ایران آبهای معدنی گرم ـ گوگردی و گازدار زیاد است که تعدادی از آنها از قدیم شناخته شده ومورد بهره‌برداری و استفادهٔ علمی قرار گرفته و همه‌ساله عده‌ای از نقاط دیگر ایران و حتی کشورهای همسایه بـرای معالجهٔ امراض خود به‌سراغ آنها می‌روند.

«آب معدنی شلف» که اکنون خودرا معرفی می‌کند، یکـی از آبهای گازدار و گوارایی است که شاید تاکنون اسم آن را نشنیده باشید. ولی بطوری که در کتب قدیمی نوشته‌شده‌است، در حدود هفتادسال قبل این آب را در بطری کرده و به‌جای لیموناد در تهران ورشت می‌فروختند.

هفتاد سال پیش به‌من آب معدنی نصرالسلطنه هم می‌گفتند. زادگاه من دریکی از ییلاقات شمال، معروف «یمیان‌رود» از بلوک «هزار من» در نـزدیکی

۸۹

شهسوار است، درکنار رودخانهٔ شلف سر ازخاك بیرون آورده وهمراه بامقدار زیادی گازکربنیك طبیعی وارد رودخانه شلف شده وازبین می‌روم وبه‌طوری که درکتاب «جنگ‌الادویه» تألیف مرحوم نصیرالاطبادواساز باشی کل نظام ومفتش داروخانه‌ها وعطاریهای دارالخلافهٔ تهران در۶۹ سال پیش نوشته است، مقداری از آب مراجهت تجزیه به‌پاریس فرستاده‌اند ودرآنجا پرفسور «ماری» استاد دانشکدهٔ داروسازی آن‌را تجزیه‌کرده و در۱۶ ژانویهٔ ۱۹۰۲ نتیجه را به‌این‌شرح مرقوم داشته است:

آب معدنی شلف یك قلیایی‌آهن‌دار است‌که می‌توان آن‌را نظیرآب معدنی«آدیان ویوك» دانست. نوشیدن من هضم‌غذا را آسان می‌کندوترشی معده را خنثی می‌نماید وبرای‌کبد وکلیه‌ها بسیار مفید است وبه‌علت داشتن آهن علاج کم‌خونی وفسادخون می‌باشد. سموم بدن وزهرابه‌های میکربی‌را ازمفاصل بیرون‌کرده ودرمان خوبی برای‌نقرس ـ روماتیسم وسیاتیك‌است. سنگهای‌کلیه ومثانه‌را خرد کرده واز بین می‌برد. و چون املاح خاکی کم دارد، سبك بوده ونوشیدن‌آن بسیار گوارا ولذت‌بخش است.

استحمام دراین‌آب جهت امراض‌جلدی و مفاصل بسیار نافع است، به علت‌داشتن گازکربنیك زیاد، تهوع‌ودل به‌هم‌خوردگی را درمان می‌کند وبه علت داشتن اشعهٔ رادیوآکتیو توقف دراطراف‌معدن امراض مزمن رابیدار کرده و ازبین می‌برد. خوبی و مرغوبی پرتقالهای شهسوار قبل از آنکه معلول‌نژادوخاك‌باشد، به‌علت استفاده ازاشعهٔ‌رادیوآکتیواین معدن‌می‌باشد.

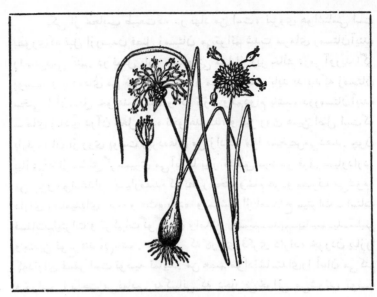

اسم من «پیاز» است!

هواشناس خوبی هستم. بی‌خوابی را از بین می‌برم. بـرای جـلوگیری از سرطان مرا تـوصیه کنید. نقش مؤثری در معالجهٔ «آبشکم» دارم. سنگ کلیه را خرد می‌کنم.

فارسی و هندی من پیاز است، در فارسی به من «سوخ» هم می‌گویند. اعراب به من بصل، و ترکان «سوقان» گویند. در زبان ترکی به نوع بیابانی من «کومران» نام داده‌اند.

دانشمندان قدیم وجدید برای من بیش از هزار خاصیت قائل شده‌اند، من انواع و اقسام کوچک و بزرگ، تند و شیرین، پوست سفید و پوست قرمز دارم. من دارای یک ساقهٔ زیرزمینی به‌نام طبق پیاز هستم. این ساقه از یک‌طرف به ریشه‌های افشان و از طرف بالا به‌یک ساقهٔ هوایی ختم می‌شود، و در اطراف این طبق فلسهای پیاز پرده پرده روی هم جمع شده و یک شکل کروی به‌وجود می‌آورند. در روی این جسم کروی پوست پیاز قرار دارد.

یکی از عجایب طبیعت که در نهاد من است، نیروی هواشناسی است بطوری که قبل ازرسیدن فصل زمستان می‌توانم شدت سرمای زمستان‌آینده را پیش‌بینی کنم. در فصل پاییز شما وقتی مرا از زیر خاك درمی‌آورید اگر پوستها و پرده‌های من ضخیم، چرمی و محکم باشد، باید بدانیدکه زمستان سختی‌را آن‌محل خواهد داشت واگر نازك وکم‌دوام باشد، درزمستان‌آینده سرمای زیادی درآن محل دیده نخواهد شد، و نیز روی همین اصل است که بارفروشان از روی پوست وپرده‌های من زادگاه مرا تشخیص‌می‌دهند. چون پیازی‌که از مناطق گرمسیری می‌آید با پیاز مناطق سردسیر فرق بسیاردارد. من جزو موادغذایی بسیارمفیدم‌که بطور پخته وخام هردو مصرف می‌شوم، دارای ویتامینهای «ب» و «ث» بوده و سرشار از املاح سیترات ـ استات فسفات‌ـنیترات و ترکیبات گوگردی واملاح کلسیم‌ـسدیم‌ـپتاسیم‌ـید‌ـسلیس وچندین نوع قند می‌باشم. به‌کسانی‌که کارهای فکری دارند، خوردن پیازرا که‌دارای فسفر است توصیه نمایید. من هضم موادنشاسته‌ای‌را آسان می‌کنم وخواب را راحت می‌نمایم. به‌کسانی که دچار بی‌خوابی می‌شوند، توصیه کنیدکه از خوردنْ من غافل نشوند. درعصرحاضرکه به‌علت انفجارهای پی درپی خورشید وانفجارهای‌اتمی وآلودگی‌هوا وسروصدای شهرها سکته‌های مغزی وقلبی زیاد شده‌است، نبایستی هیچ سفره‌ای خالی ازمن‌باشد، زیرا من از لخته شدن خون جلوگیری می‌کنم واز زیان آلودگی هوا می‌کاهم. من دارای یك مادهٔ میکربکش نظیر پنی‌سیلین هستم‌که میکربهای وبایی‌شکل را می‌کشم وباسیلهایی راکه سبب مسمومیت غذا می‌شوند، از بین می‌برم، و زهرابهٔ آنها را خنثی می‌کنم وبه‌همین جهت است‌که طباخان گوشت‌را همراه من حفظ می‌کنند وهیچ غذای گوشتی‌را بدون من‌نمی‌پذیرند. هیچگاه غذای مانده وبازاری نخورید، مگر آنکه با آن مقداری پیاز میل نمایید. خوردن پخته وخام من‌به‌رشد اطفال مخصوصاً کودکان عقب‌افتاده‌کمك می‌کند، من به‌علت داشتن مواد گوگردی، خون و مجازی تنفسی را ضد عفونی می‌کنم وجهت درمان تنگ‌نفس‌ـورم گلوـبرنشیت‌ـ گریپ وغیره مفید می‌باشم ونیز به‌علت داشتن گوگرد است‌که موهای سروصورت را تقویت‌کرده واز ریزش «آنها جلوگیری می‌نمایم. عمل من درمعالجهٔ امراض‌کلیوی غیرقابل‌تردید است. من درمان‌پرستات، ورم ساق‌پا وروماتیسم مفصلی‌وغیره‌مفیدمی‌باشم. من با اینکه به‌هضم غذا کمك می‌کنم، ونفخ را از بین می‌برم، خودم کمی نفاخ‌هستم وبرای جلوگیری از نفخ‌من، بایستی از مواد قندی استفاده‌کنید. خوردن‌کمی قند یا شکر یا مکیدن نبات و آب‌نبات نفخ‌مرا از بین می‌برد.

برای تسکین‌درد دندان کافی است کمی آب‌پیازرا با پنبه‌آغشته وآن‌را درحفرهٔ دندان کرم‌خورده‌بگذارید. برای‌معالجهٔ زگیلهای گوشتی وسط یك پیازبزرگ را گودکرده، ودرآن نمك بریزید وبگذارید تا نمك آب شود و آن را روی زگیل بمالید. برای از بین بردن لکه‌های سیاهی پوست نیز دارویی مفیدتر ازآب‌پیاز ونمك نیست.

من دارای چندین نوع قندبوده، وبا کمك نیتراتهایی‌که دارم ادرار را زیاد می‌کنم. اثر من درجلوگیری ازتشمع کبدی وسرطان، غیرقابل‌انکاراست ودر معالجهٔ ورم پردهٔ خارجی قلب و ذات‌الریه تجویز می‌شوم.

من‌بوی زهم گوشت‌را از بین می‌برم و گرفتگی دماغ راکه دراثرتنفس در هوای متعفن پیدا شده باشد باز مـی‌نمایم. من دارای انسولین گیاهی و اینولین هستم و به همین جهت برای مبتلایان به مرض‌قند مفید بوده و قند خون را پایین می‌آورم. برای معالجهٔ آب آوردن شکم،پیدا شدن آلبومین درادرار به‌سراغ من‌بیایید، وازمدربودن من‌استفاده‌کنید. دربرگ من‌مقداری قند وآنزیمهای مختلف و مقدار زیادی سبزینه وجود دارد. ضمناً نیم پختهٔ من مسکن‌التهابات‌وناراحتیهای‌مربوط به‌سوختگی‌وبواسیراست. من اشك‌آور بوده وچشم را ضد عفونی‌کرده واز فشارآن می‌کاهم ودرعین حال ضرری به چشم نمی‌زنم. خوردن من‌بانان، بازکنندهٔ ادرار وحیض بوده وشکنندهٔ سنگ کلیه ومثانه است. پختهٔ‌مهرای من قدرت غذایی بیشتری دارد، شکم را نرم می‌کند وآروغ ترش‌رااز‌بین‌می‌برد، پخته من‌بادنبه وچربی جهت پاك‌کردن اخلاط غلیظ سینه وریه مفید است. ترشی‌من جهت درمان یرقان وزیاد شدن اشتها و تقویت هاضمه وجلوگیری از قی صفراوی و بلغمی سودمند است. من پادزهر سموم هستم، خوردن‌آب‌من به مقدار زیاد، برای‌کسانی‌که سگ هار آنها راگزیده باشد سابقاً تجویز می‌شد. چکاندن آب من در چشم جهت جلوگیری ازآبریزش وخارش پلك چشم نافع است، وباعسل جهت رفع لکهٔ سفیدی وزخم چشم وضعف بینایی تجویز شده است.

کشیدن‌آب من‌دربینی‌پاك‌کنندهٔ دماغ‌است. بوئیدن من‌درمواقع شیوع امراض مسریه منافع بسیار دارد. چکاندن‌آب من‌درگوش جهت رفع سنگینی وصداکردن گوش وپاك‌کردن چرك آن نافع است، مقدارخوراك من تاصدگرم است. ضمادکوبیدهٔ من برمحل نیش عقرب وزنبور زهرآنها را ازبین می‌برد. ضماد من برروی پوست بدن خون را به سـوی جلد می‌کشد وآن را خوش آب و رنگ می‌نماید، ضماد من باعسل و باروت جهت درمان برص، زگیل گوشتی، کك ومك و زخمهای چرکی توصیه شده است و برای ازبین بـردن

زگیل بهتراست ضماد مرا بانمك و گیلاب و عسل‌استعمال نمایید. ضماد من بازردهٔ تخم مرغ جهت بواسیر و دردنشستنگاه به‌کار می‌رود و با کوهان شترجهت شقاق وبواسیر مفید بوده، بواسیر را باز می کند. پختهٔ من باپیه جهت معالجهٔ زخم پاکه دراثرزدن کفش بوجودآمده باشد مفید است. عده‌ای از اشخاص گرم مزاج وسودایی نسبت به من‌حساسیت دارند. این اشخاص یا بایستی ازپختهٔ من استفاده‌کنند و یابعد از خوردن من، کمی سرکه یاآب انارمیل‌نمایند. برای برطرف‌ساختن‌بوی من خوردن سبزیهای معطر، باقلای خام، گردوی بوداده، ونان سوخته مؤثراست. بذرمن مقوی قوای شهوانی است، وجهت‌موخوره و داءالثعلب مفید است.

پیازچه:

اسم من پیازچه است، به من پیاز اسپانیایی، بصل اسپانیا و پیاز تازه هم می گویند، و دارای‌تمام خواص پیازمی‌باشم. چنانچه ازاسم من‌پیداست، مرا از اسپانیا آورده‌اند. تره و «والك» نیز نوعی پیاز بوده‌که قبلاً خود را معرفی‌کرده‌اند. باری، خانوادهٔ ما عامل سلامتی وطول عمر می‌باشند و این خاصیت درپیازچه و والك هم وجود دارد. سوپ پیاز واشکنه‌که با آب پیاز درست شود، بهترین غذابرای‌کسانی‌است‌که ازنفخ شکم رنج می‌برند. سوپ پیازچه نیزهمین خاصیت را دارد. باآب پیاز مرکب نامرئی می‌سازند، به‌این معنی‌که اگرشما در روی‌کاغذ جملاتی باآب پیاز بنویسید خوانده نمی‌شود وچون آن را مختصری حرارت دهید، نوشتهٔ‌آن ظاهر خواهد شد.

برای براق‌کردن اشیاء چرمی وظروف مسی‌ولعابی، می‌توانید ازپیاز استفاده‌کرده وآنها راباکمك‌پره‌های پیازپاك‌کنید. درایران قدیم باپیازچسبی درست می‌کردندکه قطعات شیشه وچینی را به هم می‌چسبانید. دستور تهیهٔ این چسب جزو اسرار بوده، ومتأسفانه ازبین‌رفته است. برای جلوگیری‌از سبز شدن بایستی‌آن را در تاریکی نگاه دارند.

پیاز دشتی:

فارسی من پیازدشتی‌است، به‌من پیازموش هم می گویند. چون دشمن این حیوان موذی هستم. یك نوع من درخراسان می‌روید و به‌آن پیازخرك و «بصل الخنزیر» گویند. عربی من عنصل، بصل‌الفار، بصل، العنصل و عنصلان است. درکتب قدیم مرا زیرنام‌اسقیل‌که‌گویا یك لغت یونانی‌است آورده‌اند. بیخ من شبیه پیاز بوده، وگلابی شکل است. بزرگ و کوچك ـ

سفید و قرمز، کوهی و بیابانی دارم. بزرگی پیاز من حتی به دو کیلو هم می‌رسد و نساجان بنگال لعاب مرا جهت محکم کردن ریسمان و تار و پود پارچه بکار می‌برند. پیاز مرا بایستی در پاییز بچینند تا چسبندگی زیادتری داشته باشم. من پیشاب را زیاد می‌کنم، و آب نسوج را از بین می‌برم. همراه با کاکل ذرت و دم گیلاس و خارسک بهترین درمان داءالفیل (چاقی زیاد) هستم. مقوی قلب بوده و سینه را نرم می‌کنم و ضد سیاه سرفه می‌باشم.

من جهت اکثر امراض دماغی و عصبی مانند سرگیجه، مالیخولیا، درد شقیقه، سردرد یک طرفه، بی‌حسی اعصاب، فلج و نسیان مفید می‌باشم. قدرت بینایی را زیاد می‌کنم و از فشار چشم می‌کاهم. درد گوش را ساکت می‌کنم. تنگ نفس را معالجه می‌نمایم. درمان سرفهٔ کهنه بوده، سینه را نرم می‌کنم. من معده را تقویت کرده، به هضم غذا کمک می‌کنم و آن را گوارا می‌نمایم. برای یرقان، استسقا، سختی طحال، پیچش شکم و درد مفاصل و سیاتیک مفید هستم. ادرار و حیض را باز کرده، سنگهای مثانه را خرد می‌نمایم، خوردن من برای زنان حامله خوب نیست، چون ممکن است سقط جنین نموده و یا فرزند آنها ناقص الخلقه به دنیا بیاید.

چون پیاز مرا با سرکه کوبیده و در حمام بر لکه‌های سیاه پوست بدن بمالند رنگ آن را از بین می‌برم و در این مورد هیچ دارویی رقیب من نیست. اگر نپختهٔ مرا با یک چهارم وزنش بوره (بورات دو سود) کوبیده و در پارچه بسته و آن را بر موضع گری (داءالثعلب) آنقدر بمالند که خون آلود شود، موی آن محل روییده خواهد شد و چنانچه محتاج به تکرار عمل باشد، بایستی چند روز صبر کرد تا زخم آن بهبودی یابد. چون موش مرا بخورد، در کمتر از یک ساعت خواهد مرد. بوی من قاتل مگس می‌باشد، حشرات و مورچه را نیز از بین می‌برم.

من آفات نباتی را از بین می‌برم و به همین جهت است که در گذشته که سمپاشی نباتات معمول نبود، مرا در پای درختانی چون مو و انار می‌کاشتند، تا آفات آنها از بین برود.

بذر من شکم را نرم می‌کند و درمان دل پیچه است.

مقدار خوراک من سه گرم بوده، و زیاده بر آن خطرناک است.

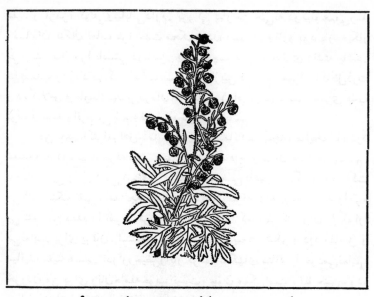

اسم من «افسنتین» است!

اشتها را تحریک می‌کنم واختلالات معدی را از بین می‌برم.برای درمان‌کابوس، لقوه وبی حسی اعضا مفیدم. دوست صمیمی کبد هستم.

فارسی من «خاراگوش»و«مروه» است، ولی در داروخانه‌ها وعطاریها به من «افسنتین» می‌گویند. درکتب قدیم «کشوتـا» و «شیح رومی» به من لقب داده‌اند، عربی من «فترق» است و درمصر به یك نوع من «دسیسه»و کوهی مرا «ربل» گویند. ترکی من «قوت اوذی» است، گیاه من بین بوته و درخت بوده و گل آن شبیه‌گل بابونهٔ گاو چشم است. من دارای انواع و اقسام خـراسانـی، نبطی، رومی، سویسی، بلژیکی وفرانسوی هستم. یك نوع من که درسواحل دریای مازندران‌از گیلان تاآستارا می‌روید، دراطراف رشت به‌آن «واش» و « گندواش»گویند و گیلانیان جوشاندهٔآن‌رابه‌مقدار کم برای‌رفع اختلالات معدی وزیاد شدن اشتها ودرمان یبوست می‌نوشند. من دارای طعمی تلخ بوده، و ایرانیان تلخی‌مـرا شبیه تلخی «صبر» می‌دانند و

۹٦

درکتاب مقدس انجیل تلخی حقیقت را به تلخیِ من تشبیه کرده‌اند. وقتی گیاه من گل کرد، بایستی آن راچید ودرسایه وجای خنک آویزان کرد تاخشک شود. نوع وحشی من مفیدتر از انواع پرورش یافته است.

پزشکان و داروسازان سنتی ایران مرا داروی ضدکرم و مقوی معده و اشتهاآورمی‌دانستند. من مسهل صفرا وباباسطوخودوس وافتیمون مسهل سودا بوده، برای سردرد ،لقوه، فلج، وبی‌حسی اعضامفید می‌باشم. برای درمان کابوس، سرگیجه، مالیخولیا نیزسودمندم. دوست کبد و درمان ورم طحال و رحم می‌باشم و مرا برای درد اعصاب وبواسیر و ورم چشم تجویز می‌کنند.

من بااینکه قاعده‌آور نیستم، برای دخترانی که به‌علت ضعف دچار یائسگی پیشرس شده‌اند، مفید بوده و عادت ماهانهٔ زنان را منظم می‌کنم. چون مرا ساییده، درپارچهٔ کتان بسته و آن را در آب جوش فروبرده روی پلک چشم بگذارند، لکه‌های قرمزچشم راکه دراثرضربه پیدا شده‌باشد، برطرف می‌کنم. زیرا من خون را به‌سوی خود جذب می‌کنم، ضماد پختهٔ من برای دردچشم و ورم آن سود دارد، وباعسل جهت رفع آثار بنفشی‌که زیر پلک چشم پیدا می‌شود نافع است.

چون برگ بوتهٔ مرا درآب یاالکل ویاروغن بجوشانند، وباآن گوش را بخوردهند، دردآن‌راساکت می‌کنم و ورم بناگوش را التیام می‌هم وچرک وعفونت گوش را ازبین‌می‌برم. چکاندن جوشاندهٔ من برای سنگینی وعفونت گوش‌که در اثرآب رفتن درآن پیدا شده باشد نافع است.

من‌ضد عفونی کننده وکرمکش قوی و ضد حشره می‌باشم. گذاشتن من درصندوق وکمد مانع بید زدن لباس می‌شود، وچنانچه مرا بامرکب مخلوط کرده، و باآن‌کتاب بنویسند، مانع تغییر رنگ آن شده واوراق‌آن را از شر حشرات وموش محفوظ می‌دارم. اگرمرابا روغن‌مخلوط‌کرده، بربدن بمالید پشه ومگس به شما نزدیک نخواهد شد.

درگذشته‌که پنی‌سیلین‌وداروهای میکربکش کشف‌نشده بود، من‌بهترین داروی ضد میکرب بوده و در مواقع شیوع امراض‌مسری مانند طاعون مرا تجویزمی‌کردند. من‌تب بروضدیرقان‌بوده‌وبرای‌جلوگیری‌ازآب‌آوردن‌نسوج به‌کار می‌روم. من در درمان اسهال مزمن معجزه می‌کنم وضدنفخ می‌باشم‌و برای‌امراض‌نوبه‌ای سودفراوان‌دارم، ضمادپختهٔ نمک‌زده‌من درروی‌زخمهای عفونی و گنده‌تاول، اثرضدعفونی کننده والتیام‌دارد. برای‌این کارنیزمی‌توان ازتنتورمن استفاده‌کرد. من‌سرعت جریان‌خون رازیادمی‌کنم‌وخون رابه‌سوی

خود جذب می‌نمایم، برای رفع ترشحات زنانه می‌توانید ازمن استفاده کنید. ممکن است بعضیهانسبت به من‌حساسیت داشته یاازخوردن من‌ناراحت‌شوند، این اشخاص و بیماران عصبی ومبتلایان به خونریزی بایستی ازخوردن من پرهیز نمایند، روی هم رفته مصرف من به‌طور مداوم جایزنیست وبایستی با فاصله انجام گیرد.

قسمت مورد استفادهٔ من برگ و سرشاخه‌های گلدار من‌است، مقدار خوراك آنها نیم تا دوگرم به‌عنوان مقوی معده، دوتا سه‌گرم برای دفع کرم، به‌مدت پنج روز متوالی است.

دمکردهٔ ۵ تا ده‌گرم من دریك لیترآب بدون قند، به عنوان تب‌بر به کارمی‌رود. قند ازتأثیرمن‌می‌کاهد. خیساندهٔ ۳۰تا۱۰۰ گرم گیاه من درهزار، بهتر ازدمکردهٔآن‌است. درموقع تب ولرزموقعی که گنه گنه وداروهای دیگر مؤثر واقع نشوند، شراب من‌اثرآنها را زیاد می‌کند.

من در اطراف تهران ـ ارتفاعات دماوند ـ در آذربایجان، خراسان، ییلاق عمارلو ـ بین‌چرم کش و شورین ـ نیز می‌رویم.

افسنتین دریایی

گیاه شناسان جدید مرا «افسنتین دریایی»نامیده‌اند. عربی‌من‌شیح‌البحر است. من درشمال غربی ایران، مخصوصاً سواحل دریاچهٔ رضائیه و اطراف شاهپورتامیانه در کنارمردابهاوشوره‌زارهاوهمچنین دربلوچستان بطورخودرو به عمل می‌آیم. خواص من بین درمنهٔ ترکی و افسنتین است. سرشاخه‌های گلداروبرگ من ـ مقوی معده، ضدکرم، درمان مرض قند وضد صرع است. برای دفع کرم بایستی چهارتا هشت‌گرم سرشاخهٔ‌گلدار وبرگ مراجوشانده، وصبح ناشتاپس‌ازشیرین کردن نوشید، وبرای‌دفع کرمك می‌توان این‌جوشانده را تنقیه کرد. مقدار خوراك سرشاخه‌های خشك وبرگ من‌چهار تاهشت‌گرم برای اشخاص بالغ و یك تا دوگرم برای اطفال است‌که بطور گردکوبیده جوشانده وتنقیه مصرف می‌شود. مادهٔ عاملهٔ من شبیه سنتونین است وچون دارای اثرسمی‌است، نبایستی زیادمصرف، شود. وجود من‌دراطراف دریاچهٔ حوض سلطان چندان قطعی نیست.

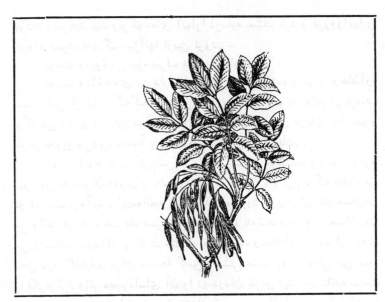

من «زبان گنجشك» هستم!

فارسی من‌زبان گنجشك‌است، اعراب به‌من «مران» و«لسان العصفور» می گویند. عده‌ای به‌غلط لسان‌العصافیر و شجرالبق را زبان گنجشك ترجمه می کنند واین اشتباه‌است زیراالسان‌العصافیر میوهٔ درخت نارون‌است که‌شباهت زیادی به زبان گنجشك دارد وچون دروسطآن نوعی پشه‌که عربی‌آن «بق» می‌باشد زندگانی می کند، به درخت آن «شجرالبق» می گویند. من درنقاط مختلف ایران، گرگان، مازندران، گیلان ورامیان به‌حالت وحشی می‌رویم و بطور زینتی‌مرادرتهران وبسیاری ازنقاط دیگرمی کارند. من دارای انواع و اقسام می‌باشم‌که فرقمان درتعداد برگچه‌ها و شکل ظاهری آنها می‌باشد. گلهای قرمز رنگ مایل به قهوه‌ای من قبل از روییدن برگ پیدا می‌شود. قسمت مورد استفادهٔ من برگ من‌است‌که پس از رشدکامل‌آنها را درماه‌های

خرداد وتیر باید چید وبرگچه‌های آنهارا درسایه خشك کرد و هرروزآنها را زیرورو نمود، تا رنگ سبزآنها ازبین نرود.

پوست ومیوهٔ من نیزمصرف دارویی دارد.

پوست وشاخه‌های من دارای طعم‌تلخ و گس بوده، وتب‌بر وخلط‌آور است و قبل ازپیدایش گنه‌گنه‌آن را برای درمان تب ونوبه به‌کار می‌بردند. برگ من دارای اثرملین بوده زیاد آن مسهل‌است وبرای درمان رماتیسم و نقرس تجویز می‌شود وضمناً پیشاب‌آور ومعرق نیز می‌باشم.

دمکردهٔ ۳۰ تا ۶۰ گرم من در یك لیترآب و جوشاندهٔ ۱۵ تا ۳۰ گرم میوهٔ من به عنوان مقوی و مدر و دمکردهٔ ۱۰ تا ۲۰ گرم برگ خشك من در دویست گرم‌آب برای‌معالجهٔ نقرس به‌کارمی‌رود، وبرای‌این‌کار مبتلایان می‌توانند هرسه ساعت یك مـرتبه یك فنجـان بنوشند و همچنین مبتلایـان می‌توانندآب جوشاندهٔبرگ درخت مراتنقیه‌کرده وتفالهٔآن راگرم‌گرم روی محل درد بگذارند. برای معالجهٔ کامل بایستی هشت روز متوالی این عمل را تکرارکرد واثر معجزه‌آسای آن را در درمان نقرس دید. جوشاندهٔ شصت گرم پوست من دریك لیتر آب به عنوان تب‌بر و معالجهٔ تب و لرز تجویز می‌شود. شکرکی که در روی بعضی از انواع من پیدا می‌شود، همان «من‌والسلوی» می‌باشدکه به‌عنوان مائده برای‌قوم بنی‌اسرائیل نازل‌می‌شد.

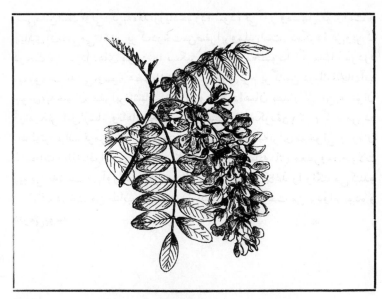

اسم من «اقاقیا» است!

دمکردهٔ گل و برگ من سردردهای مزمن را تسکین می‌دهد. از برگ من برای بریدن صفرا، استفاده کنید. گل من آرامش‌بخش است. همین گل، مقوی و ملین نیز می‌باشد. برای درمان کم‌خونی، طبق دستور از من استفاده کنید.

فارسی من اقاقیا و عربی آن شجرةالجراد می‌باشد. من درختی زینتی هستم که زادگاه اولیهٔ من امریکای شمالی است ولی امروزه در اروپا ـ آسیا مرا به نام یک درخت زینتی می‌کارند. گیاه اصلی من خاردار است، ولی در انواع پرورش‌یافتهٔ من خار از بین رفته است گلهای من سفید و معطر است، ولی در انواع پرورش یافته گلی رنگ هم دیده می‌شود. گلهای درخت من نوش فراوان دارد و زنبور عسل به آن راغب است. گل من کمی آرام‌بخش است. مقوی، ملین و صفرا بر می‌باشد. پوست درخت من مخصوصاً پوست ریشهٔ آن به مقدار کم مخلوط با قند

۱۰۱

کمی ملین است، ولی اگر به مقدار زیاد خورده شود، قی آور و مسهل قوی است و زیادی آن سمی می باشد. برگ درخت من صفرابر و ملین است. دمکردهٔ گل و برگ درخت من سردردهای مزمن را تسکین می دهد، مخصوصاً اگر منشاء سردرد مسمومیت غذایی وسوء هضم باشد. دمکردهٔ ۱۲ گرم برگ من در یك فنجان آب جوش، به عنوان صفرابر ناشتا می خورند و دمکردهٔ همان مقدار گل من به عنوان آرامبخش قبل از شام و ناهار تجویز شده است. از دمکردهٔ ۱۵ تا ۲۰ گرم من در یك لیتر شراب قرمز، شرابی مقوی به دست می آید که برای کم خونی و درمان ترشحات زنانه نافع است. با گل من نان شیرینی، نوشابه های معطر و محصولات زیبایی به دست می آورند. با گل من ابریشم، پنبه و کاغذ را رنگ می کنند و با الیاف درخت من طناب درست می نمایند. چوب درخت من بادوام بوده و دیر می پوسد.

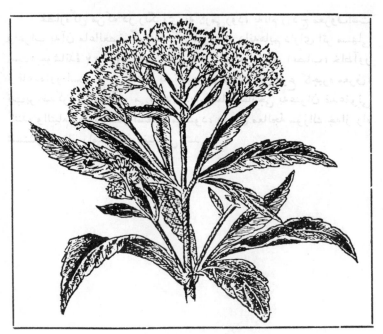

من «گل رنگ» هستم!

این روزها بیشتر به‌من گل‌رنگ می گویند، ولی درفارسی به‌یك‌نوع‌من که‌درخراسان، تبریز وتراران تفرش به‌عمل می‌آید کافیشه، زعفران کاذب وگل زردك گویند وبه‌یك نوع دیگرمن که درناحیهٔ ایسبیلی گیلان ودرمغرب ایران، اشتران‌کوه، جام تونه درکرمانشاه وهمچنین در بوشهر، بیشه و کازرون به‌عمل می‌آیدکاجیره ـ کاژیره ـ کاجره ـ بهرامه ـ بهرمان گویند.

درفارسی به‌دانهٔ من خسك‌دانه‌وتخم‌کاجره واعراب به‌دانهٔ من‌قرطم، حب‌العصفر وبذرالاحریض گویند. گل من‌خاردار وزردمایل به‌قرمزی است، ولی تدریجاً زرد نارنجی می‌شود. ازگل من‌برای رنگ‌کردن پارچه وبه‌جای زعفران برای رنگ‌کردن غذا استفاده می کنند، هرکس گل مرا بخورد رنگ ادرارش قرمز می‌شود.

عصارهٔ گل من که در رنگرزی به کار می‌رود، به‌نام زردج معروف است و اعراب به‌آن ماءالعصفر گویند. گل من مانند دانه‌هایم دارای اثر مسهلی است، جوشاندهٔ ۱۲ تا ۲۴ درهزار آن محلل غذا و مقوی اعصاب، خلط‌آور و قاعده‌آور است، و در ذات‌الریه تجویز می‌شود. گل نوع کاجیره معرق، تب‌بر، ضدکرم و قاعده‌آور می‌باشد. و در استعمال خارجی به‌عنوان ضدعفونی کننده و التیام دهندهٔ زخم‌ها استفاده می‌شود، و برای معالجهٔ سوزاک چه از راه شستشو و چه از راه‌خوردن مفید می‌باشد.

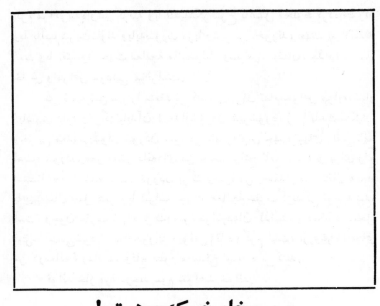

من «خارخسک» هستم!

میوهٔ من که به اسامی خسک‌دانه، تخم کافشه و تخم کاجیره معروف است. دارای ۳۰ تا ۳۷ درصد مادهٔ سفیده‌ای و ۴۵ تا ۵۶ درصد روغن است، که پس از تصفیه به مصرف تغذیه می‌رسد و معمولاً با آن مارگارین می‌سازند. گیاه مرا برای استفاده از گل و میوهٔ روغنی آن می‌کارند و هر کیلودانه که کاشته شود ۳۳ کیلو محصول می‌دهد و چون میوهٔ من در وسط برگها محصور شده روی زمین نمی‌افتد و به‌علت داشتن تیغ پرندگان به‌سراغ آن نمی‌آیند. به‌این جهت دانه‌های من به‌هدر نمی‌روند.

میوهٔ من دارای اثر مسهلی است، هشت گرم دانهٔ له‌شدهٔ من مخلوط با ۲۵ گرم آب به‌عنوان مسهل به کار می‌رود.

دانه‌های من مسهل بلغم و اخلاط سوخته و بادشکن است، و چون ۷/۵

گرم مراکوبیده وشیر گرفته وبا قندیاشکر سرخ یاعسل مخلوط کرده‌بخورند ویا باآب شربت‌سازند ویابه‌صورت مربا وشیرینی بخورند، جهت پیران‌مفید است وبا افتیمون جهت معالجهٔ مالیخولیا، وسواس، خفقان، جذام، جرب، خارش وامراض سودایی مؤثراست.

شیرهٔ میوهٔمن شیر را منعقد می کند، وپنیر آن تمام خواص مرابه‌مقدار زیادتری دارد وهرگزنبایدآن‌را بعدازخوردن شیرخورد، زیرا باعث سنگینی وخرابی معده‌می‌شود. خوردن میوهٔ من بامغزفلوس جهت تبهای بلغمی‌نافع است، خوردن مغز مقشر دانه‌های من جهت قولنج نافع است، و برای رفع استسقا تجویز شده است. خوردن برگ ومیوهٔ من به‌مقدار یك مثقال همراه با نیم‌مثقال فلفل همراه با شراب جهت معالجهٔ عقرب‌گزیدگی توصیه شده است، وچون عقرب گزیده برگ‌ومیوهٔ مرادردهان گذاشته و بمکد دردمحل نیش‌ساکت‌می‌شود. مقدارخوراك میوهٔمن۱ تا ۱۰ گرم است، ازروغن‌دانه‌های من درمعالجهٔ رماتیسم وفلج بطور مالیدنی استفاده می‌کنند.

فوائد خار مرا درجلد سوم خواهید خواند.

اسم من «بید» است!

برگ من تقویت کنندهٔ قلب است. من تب بر بوده، سردرد را نیز تسکین می‌دهم. چکاندن جوشاندهٔ برگ من در گوش آن‌را ازچرك پاك می کند.

بید نام‌دیوسفید بود که رستم درمازندران اوراکشت واسم او روی من گذاشت. اعراب به‌من صفصاف گویند، درکتب مختلفهٔ قدیم از من به‌نام خلاف یادشده است. من‌انواع واقسام دارم که مهمترین آنها عبارتند از: بید سفید یا بید ساده.

من‌درتهران، کرج، کوههای طالقان، پشند، گچسر، درهٔلورلاهیجان، پل‌زغال، درهٔ چالوس، مازندران، آذربایجان، دیلمان مغرب ایران، اشتران کوه، بین سقز وهمدان، کوه رجب، کوه‌کهواره درکنار جویبارها می‌رویم. سایه گستر بوده و برخلاف شایع دارای میوه هستم، منتها میوهٔ من مأکول نیست، ولی در داروسازی ازآن استفاده می‌شود. رنگ چوب من کمی سفید است، گل‌من درایام‌بهار بعداز روییدن برگ به‌صورت سنبله‌ای کوچك دربین

برگها ظاهر می‌شود. این گل کمی خوشبوست. میوهٔ من مانند خوشه از ساقه آویزان می‌شود ودر کتابهای داروسازی سنتی ایران به این «میوه بید» اطلاق کرده ودرخت مرا چنانچه قبلاً گفتم «فلاف» می‌نامیدند. برگ من مقوی دماغ وقلب وبازکنندهٔ گرفتگی جگرودرمان سردرد می باشد. خفقان‌تشنگی وضعف معده وتبهای محرقه وصفراوی باآن معالجه می‌شوند. وبرای جمیع امراض صفرای مفید می‌باشم. عرق شکوفهٔ من دارای خواص بیشتری است. برگ‌من قایض وتب‌براست، وقبل‌از کشف امریکا وپیدایش «گنه گنه» تنها داروی ضدتب ونوبه بود وپزشکان‌سنتی ایران‌مبتلایان‌به‌حصبه ومطبقه را روی برگ من می‌خوابانیدند تا تب آنها پایین بیاید، عصارهٔ برگ من مسهل بلغم وصفرا می‌باشد.

عرق من‌که به‌عرق بید معروف است، و آن را مانند گلاب از تقطیر برگ من به‌دست‌می‌آورند، سردرد رابرطرف‌می‌کند وازتب‌ونوبه جلوگیری می‌نماید وبرای بازشدن جگرودرمان یرقان وسختی‌اسپرز واختناق رحم‌نافع است. همچنین پادزهر سم‌عقرب‌وسموم دارویی‌است. چکاندن‌جوشاندهٔ برگ من‌درگوش‌آن‌رااز‌چرك پاك‌می‌کند. نشستن‌درآب‌جوشاندهٔ برگ وشاخه‌های من جهت ازبین بردن فساد چرك مفید می‌باشد. خوابیدن در روی برگ من جهت رفع حرارت‌کبد وقلب مفید می‌باشد. خوابیدن درزیرسایهٔ درخت من در روز برای تقویت قلب واعصاب سودمند می‌باشد. ضماد برگ من جهت جلوگیری از خونریزی، ونوشیدن جوشاندهٔ برگ من جهت معالجهٔ اسهال خونی سودمند می‌باشد.

صمغی که‌ازبرگ‌من‌بیرون می‌آید، ضدعفونی‌کننده ومقوی بینایی‌است وبه‌صورت سرمه می‌توان آن را به‌کاربرد. خاکستر چوب درخت من برای جلوگیری‌ازخونریزی‌وباسرمه‌جهت‌زگیل وورم‌پستان تجویزشده‌است‌وبرای جلوگیری‌ازنفوذ میکرب سودمندمی‌باشد. به همین جهت‌است‌که به‌جوانانی که مبتلا به‌خوش غرورمی‌باشند توصیه می‌شودکه‌آب برگ‌مرا بافشارگرفته وبه‌صورت خود بمالند تا مانع پیدایش جوش شود.

مفیدترین قسمت مورد استفادهٔ من پوست درخت من است‌که دارای چندین عامل دارویی است‌که مقدار آنها درانواع بید فرق می‌کند، و مقدار آنها درساقه‌های مسن بیشتراز ساقه‌های جوان است وبه همین جهت توصیه کرده‌اندکه بایستی ازپوست ساقه‌هایی استفاده‌کردکه سن‌آنهاکمتر از سه سال نباشد. برای تبهای نوبه‌ای از دمکردهٔ ۴۰ تا ۵۰ درهزار پوست ساقه‌های سه‌سالهٔ من‌استفاده نمایید. این پوست دارای‌اثرمسکن‌مخصوصاً‌برای دردهای

اعضای تناسلی است.

عصارهٔ روان‌سنبله‌های من، برای درمان بی‌خوابی که نتیجهٔ ضعف اعصاب است و اختلالات عصبی مفید می‌باشد و سختی ادرار راهم برطرف می‌کند، خوردن مقدار کمی از پوست درخت من اشتها را بازمی‌کند ودستگاه گوارش را تقویت می‌نماید.

یکی ازعوامل دارویی که از درخت من گرفته می‌شود برای رماتیسم، نقرس، گریپ و اسهال خونی مؤثر است

بید فوکا

من نوعی بید هستم که درمازندران به‌من فك در رامسروشهسوارفوکا و در گیلان ویدار می‌گویند و بیدخشت را ازمن‌می‌گیرند، ودرنواحی البرز، جوستان طالقان و نقاط کم ارتفاع شمال ایران و شمال غربی گرگان، درهٔ ترکمن ودرمغرب ایران درکوه‌های زاگرس‌وکردستان‌وهمچنین دربلوچستان به عمل می‌آیم، ولی در همه جا بیدخشت از من گرفته نمی‌شود، و چون بیدخشت همراه با سایر انگبینهای گیاهی خودرا قبلامعرفی کرده‌است، بیشتر از این خودرا معرفی نمی‌کنم. تنها یادآور می‌شوم که پزشکان سنتی ایران بید خشت را خنک‌ترین انگبینها می‌دانستند، و خواص ساقه، برگ و میوه وگل من همانند بید ساده است.

بیدمشك

فارسی من بیدمشك است. به‌من شاه بید، بهرامه، بهرامج، مشك بید و بیدطبری هم می‌گویند. درکتب داروسازی سنتی‌ایران‌مرا «فلاف بلخی» نامیده‌اند. درخت من شبیه‌بیدساده‌بوده، وازآن‌کوچکتر است، گل‌من قبل از روییدن برگ ظاهرمی‌شودکه بسیار خوشبو بوده، وبه‌صورت سنبله‌ای است که درسرآن دانه‌هایی دیده می‌شود. عطرگل من گرفتگی دماغ‌رابازمی‌کند. مقوی قلب و مغز بوده، ومسکن‌سردرد می‌باشد. جوشاندهٔ میوهٔ من شکم را نرم می‌کند. عرق من‌که به عرق بیدمشك معروف است، قویتر از عرق بید بوده، مقوی دل و دماغ وملین شکم است. شهوت را تقویت می‌کند وباد‌شکن معدی است. غرغرهٔ جوشاندهٔ برگ من جهت انداختن زالویی که در گلو چسبیده باشد، مؤثر است. خوردن جوشاندهٔ برگ و شکوفهٔ من مانع غلیان خون است.

سرخ بید

من دردامنهٔ کوه‌البرز، اطراف کرج، رضائیه،دیزه، سیامك وآذربایجان شرقی می‌رویم و از شاخه‌های من در سبدبافی استفاده می‌کنند.

بید مجنون

من‌نوعی‌بید هستم‌که شاخه‌هایم به‌سوی زمین‌است. به من «بیدموله» هم می‌گویند. درخت من فاقد عوامل دارویی بید بوده و تب‌بر نیستم.

شالك

به من دراطراف تهران «شالك»، درهمدان «دله‌راجو» می‌گویند. من در شمال ایران، دامنهٔ البرز، کرج، شهر ستانك، طالش، آذربایجان، حسن بگلو، بلوچستان‌وشرق‌ایران‌می‌رویم. برگهای مثلثی وبراق‌من‌باکوچکترین نسیم می‌لزرد و به‌همین جهت است که سایر بیدها به خود بالیده و در مثل می‌گویند ما ازآن بیدهایی‌نیستیم‌که با این بادها بلرزیم. چون حتی موقعی که باد هم نمی‌آید برگهای من درحرکت می‌باشند.

قامت درخت من۲/۵تا۴متراست وقسمت مورداستفادهٔ من جوانه‌های مولدگل من است‌که بایستی آنها را درآخر زمستان چیده و خشك‌کرد. این جوانه‌ها معطر بوده، و دارای طعم تلخ و کمی شیرین است. دمکردهٔ ۸ تا ۱۵ گرم من درنیم لیترآب وجوانهٔ پوست‌درخت من‌پیشاب‌آور ومعرق‌بوده، مقوی معده و تقویت‌کنندهٔ دستگاه‌گوارش است. برای مبتلایان به رماتیسم نقرس، سیاتیك، ناراحتیهای کلیه و مثانه تجویز می‌شود. شراب جوانه‌های من به علت داشتن تانن برای‌مسلولین تجویز می‌شود. برای تهیهٔ‌این شراب ۱۰۰ گرم جوانهٔ نیم‌کوب و ۴۰ گرم پوست نارنج را هشت روز دریك لیتر شراب خیسانده، سپس بافشار صاف‌کرده ویك لیوان‌کوچك‌آن را بعد ازناهار وشام به مسلولین می‌خورانند.

ضماد یك قسمت جوانهٔ من با دو قسمت پیه‌برای سوختگی وخراش و ترك دست و پا، لب وپستان والتهاب پوست و رفع ورمهای مفاصل ونقرس تجویز می‌شود.

در داروخانه‌ها جوانهٔ مرا با برگ خشك بلادن، ژوسکیام‌وپیه خوك مخلوط‌کرده، وبرای‌امراض مذکور تجویزمی‌کنند، زغال‌چوب من به‌صورت قرص در داروخانه‌ها به‌نام حب زغال (شاربن) فروخته می‌شود که بـرای

جلوگیری از سوء هضم توأم بانفخ بسیار مفید است و بیشتر آن را درمواقعی که مدفوع زیاد متعفن است تجویــز می‌کنند. با زغال چوبمن می‌تـوان بهترین گرد دندان را ساخت. پاشیدن کوبیدهٔ زغال من بر روی زخم از عفونی شدن آن جلوگیری کرده و آن را خشك می کند.

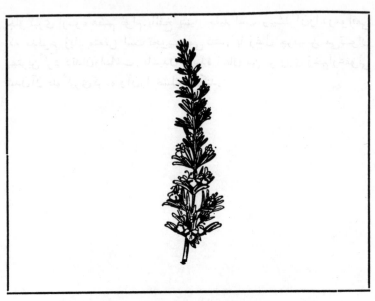

اسم من «اکلیل کوهی» است!

برای ازبین بردن‌ضعف‌عمومی بدن سودبسیار دارم. تنگ نفس را درمان می کنم. برگ من ازفاسد شدن گوشت جلوگیری‌می کند. تپش قلب را ازبین‌می‌برم و مانع تشمع کبد می‌شوم. علاج صددرصد رماتیسم را درمن جستجوکنید...

اسم من اکلیل کوهی است. اعراب به‌من اکلیل الجبل گویند. درخت من سبزی وزیبایی خاص و بویی مطبوع دارد و در غالب نواحی به‌عمل می‌آید، مخصوصاً در اطراف اسکندریه زیاد است. در قبور مصریان قدیم شاخه‌های من دیده می‌شود. گلهای من نوش فراوان دارد، و زنبورعسل به آن‌علاقمند می باشدوباآن عسل‌خوشبویی‌تهیه می کند. ازگلهاوسرشاخه‌های من اسانس مخصوصی به‌نام «اسانس رمارن» می گیرند.

ملکهٔ هنگری درسن ۷۲ سالگی مبتلا به رماتیسم ونقرس بود، و با گیاه من معالجه شد و بعد به‌فکر ازدواج افتاد. سرشاخه‌های گیاه من

پیشاب‌آور، ضد تشنج وصفرا بر می‌باشد. تزریق دمکردهٔ سرشاخه‌های گلدار من درورید‌سگ‌ترشح‌صفرارا دوبرابرمی‌کند درمواردضعف‌عمومی وخستگی در دورهٔ نقاهت مفید بوده، برای مبتلایان به‌سوءِهاضمه و تقویت دستگاه گوارش، مخصوصاً پس‌ازابتلابه‌تیفوس و گریپ‌مفیدمی‌باشد. دررفع نزله‌های مزمن، تنگ‌نفس، سیاه‌سرفه، تأخیر و قطع عادت ماهانهٔ زنان، جلوگیری از ترشحات‌زنانه، خنازیر، دوار، تپش‌قلب، سردرهای‌یك‌طرفه، فلج‌وآب‌آوردن انساج تجویز می‌شود. من به علت خاصیت صفرابری‌که دارم، دورم‌مزمن کیسهٔ صفرا، استسقا، بزرگ وکوچك شدن‌کبد، تشمع‌کبدی، مخصوصاً اگر دراثرسوءِتغذیه باشدتوصیه‌شده‌ام.

تنقیهٔ جوشاندهٔ برگهای‌من برای اسهال خونی مفید است.

خوردن اسانس من‌حالتی شبیه (هیستری) ایجاد می‌کند. اگربه‌مقدار کم به حیوانی تزریق شود حالت ترس در آن ایجاد می‌کند. (مانند اسانس رازیانه) درصورتی‌که تزریق اسانس‌مرزه، مریم گلی وافسنتین حالت‌سبعیت وحمله در آنها ایجاد می‌کند. زیاده روی در خوردن اسانس من خطر مرگ دارد. اگر دمکردهٔ ۵ تا ۲۰ گرم برگ وسرشاخه‌های گلدار من و همچنین شرابی‌که از خیساندن یك مشت برگ یا سرشاخه‌های گلدار من در یك لیتر شراب سفید ریخته و۲۴ ساعت درتاریکی نگاه‌دارند، واز آن سه‌تا ۴ قاشق سوپ‌خوری درصبح وشب بنوشند، برای‌رفع خیزاندامها واستسقا مفیدبوده و پیشاب‌را زیاد می‌کند.

از اسانس من درتهیهٔ ادوکلن نیز استفاده می‌کنند. برای رفع‌ورمهای کهنه ضماد برگ من مفیدتر از سایر قسمتهای من‌می‌باشد. چنانکه شکم‌شکار را از برگ من پرکنند، گوشت آن از فساد دراما‌ن می‌ماند و گویند برای جلوگیری ازفساد گوشت بهتر از نمك است.

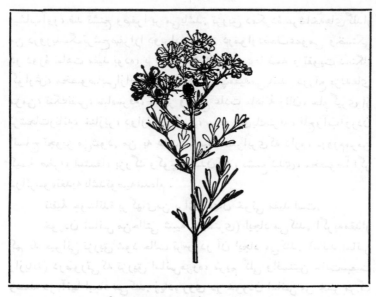

من «سداب» هستم!

نیروی شنوایی را زیاد می‌کنم. اگر شبها به کابوسهای وحشتناک دچار می‌شوید، از من استفاده کنید. اعصاب را آرامش می‌دهم. قوهٔ عقل را زیاد می‌کنم. ضد تشنج بوده، پادزهر خوبی برای سموم مختلف هستم!

اسم من سداب است. به من سذاب هم می‌گویند. من در شمال ایران می‌رویم، در اطراف رشت به من سیاب و در دیلم و شهسوار به من پیم می‌گویند. در قدیم مرا داروی تمام بیماریها می‌دانستند، و از حضرت صادق «ع» روایت شده است که سداب عقل را زیاد می‌کند. من آرامبخش، ضدتشنج، ادرارآور، معرق، ضدکرم، ضدعفونی کننده و پادزهر سموم مخصوصاً نیش حشرات سمی هستم. خاصیت اصلی من کم کردن فشار شهوت است. اثر قاعده‌آور من مورد تأیید تمام پزشکان است، ولی عده‌ای از پزشکان جدید اثر مرا در سقط جنین حتمی نمی‌دانند و این اشتباه از آنجا حاصل شده است که طرز استفاده از گیاه مرا برای این کار به خوبی نمی‌دانند، ولی پزشکان و داروسازان سنتی ایران که در این مورد بیشتر

تجربه داشته‌اند می‌نویسند، مداومت در خوردن برگ و تخم سداب باعث سقوط جنین است، نه خوردن آن در یك دفعه، و همچنین عقیده داشتند که خوردن وحمول بذر من بعد از آمیزش مانع آبستنی است، و پادزهر سموم می‌باشد. بخورآن نیز مؤثر است. مداومت دربوئیدن برگ من باعث ضعف وتاریکی قلب است. ضماد برگ من جهت تسکین درد نیش‌حشرات وچکاندن عصارهٔ مایع آن درگوش، باعث تسکین دردو درمان سنگینی نیروی‌شنوایی است. چکاندن جوشاندهٔ آن در بینی اطفال، جهت‌ام‌الصبیان (نوعی مرض صرع که مخصوص اطفال است) تجویز می‌شود وباعث بندآمدن خون دماغ است. گویند که همراه داشتن سداب باعث گریختن حیوانات موذی است. خیساندن بذر من در الکل بوی بد آن را از بین برده، و برای تهیهٔ ادوکلن‌آن رامناسب می‌نماید، ضماد برگ من با عسل جهت امراض جلدی مفید است، چکاندن و سرمه کردن عصارهٔ برگ وبذر من‌همراه باآب رازیانه وعسل باعث تقویت وضدعفونی کردن چشم است. خوردن برگ و بذر من جهت امراض رعشه و تشنج و فلج نافع‌است، و روزی ۱٫۵ گرم خوردن آن درمان سکسکهٔ مداوم است. مقدار خوراك من جهت بالغین سه‌مثقال است، چنانچه بذرمرا کوبیده،یك تادوازده گرم‌آن‌راباعسل و یا سکنجبین بیاشامند، برای هیستری،کابوس و فشار چشم مفید می‌باشد، سکسکه‌ای‌بادی رااز بین می‌برد و پادزهراکثر سموم است و چون بذر مرا در روغن زیتون جوشانده و زیر شکم را با آن کمپرس‌کنند، ادراررا باز می‌کند. صمغ‌نوعی وحشی و بستانی من جهت‌قرحه چشم، خنازیر و ورم زیربغل و کشالهٔ ران و برص سودمند می‌باشند.

چنانچه صمغ مرا با چهار برابر آب و ده قسمت روغن زیتون بجوشانند تا آب آن تبخیر شده و روغن بماند، جهت بی حسی و سردی کلیه و مثانه و درد پهلو وکمر و رحم مفید است، وتنقیهٔ آن جهت دل‌پیچه مفید می‌باشد.

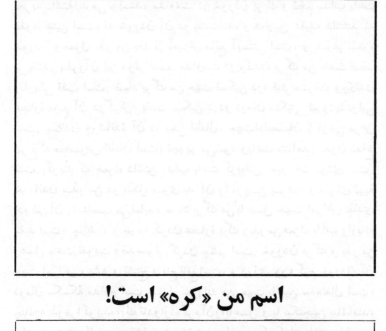

اسم من «کره» است!

باعسل ذات‌الریه را رفع می کنم. برای ازبین بردن جوشهای جلدی ازمن استفاده برید. زیاده‌روی در خوردن من، معده را خراب وضعیف می کند. به‌علت داشتن ویتامین «د» ضد نرمی استخـوان هستم. از فساددندان‌جلوگیری کرده، مانع‌امراض‌جلدی هستم!

فارسی من کره و مسکه است، اعراب به من «زبد» گویند. وقتی مرا حـرارت داده و ذوب کنند، تا آب آن خارج شود، به آن روغن خوراکی وعده‌ای روغن حیوانی گویند، ولی نباید روغن حیوانی را با چربی‌حیوانی مثل پیه، دنبه، پیه‌خوك وچربی‌بدن‌گاو اشتباه‌کرد. چه‌این چربیهای‌حیوانی به‌دلایلی‌که دراین قسمت خواهید دید، برای کبد که سکان‌کشتی بدن انسان است‌زیان‌آورند وبرعکس روغن‌حیوانی‌که ذوب شدهٔ من‌است، نه تنها مضر نیست بلکه منافع بسیار دارد.

برادر من سرشیر است که به آن این روزها بیشتر خامه می گویند و چون ما دوبرادر خواص مشترك داریم اجازه می‌خواهم خودرایکجا معرفی

کنیم. چربیها بطورکلی جزو ساختمان سلولهای بدن واعصاب بوده وباعث نرمی‌آنهاست وجزو غذاهای نیروبخش‌بوده وضعیفترین آنها دوبرابر قویترین قندها نیروبخش است. چربیها برای تکمیل خاصیت نیروبخش مواد قندی نهایت لزوم‌را دارند، وکسانی‌که به‌زوربازو ونیروی بیشتری احتیاج‌دارند، مانندجوانان وکارگران وهمچنین کسانی‌که‌درنواحی‌سردسیر زندگی‌می‌کنند، حتماً بایستی موادچربی را به‌جیرهٔ غذایی خود اضافه کنند، ولی درمصرف مواد چربی بایستی همیشه متوجه نکات‌زیرباشند:

۱ـ تنها باخوردن موادچربی می‌توان حرارت ونیروی لازم را برای بدن تهیه‌کرد، زیرا چربیهادربدن انسان خود به‌خود نمی‌سوزند، بلکه‌همراه بامواد قندی سوخته‌وحرارت می‌دهند. نیروی حاصله‌ازموادچربی زیاداست، دیر می‌سوزند وقدرت توقف آنها دربدن بیشتر ازمواد دیگر است، و چون حرارت فوری نمی‌دهند، برای ورزشکاران وکسانی‌که کارهای سخت دارند مناسب نیست. و برعکس برای کارگران‌که‌کار مداوم دارند مناسب‌ترند.

۲ـ چربیهامی‌توانند به‌مقدار زیاد درسلولهای بدن ذخیره شوند،یك مرد بالغ معمولاً ۱۳درصد ویك زن ۲۰ درصد وزن خود چربی دارد. این چربیهاکه بین پوست وگوشت‌ذخیره می‌شوند، ازخوردن مواد قندی ساخته می‌شوند و به‌جرأت می‌توان گفت، خوردن چربی‌کسی راچاق نمی‌کند.

۳ـ تنها بامصرف مواد قندی نمی‌توان نیروی‌لازم را برای حرارت بدن به‌دست‌آورد،چه دراین‌صورت بایستی مواد قندی‌را زیاد مصرف کرد و همین امر سبب می‌شودکه دستگاه‌گوارش دچار اختلال شده، و شخص‌مبتلا به‌یبوست ونفخ گردد، وازطرفی مصرف زیاد چربی‌سربارکبد بوده، و آن‌را که سکان‌کشتی بدن انسان است خسته می‌کند. بهترین روش غذایی‌آن است که انسان سی‌درصد حرارت لازم را ازمواد چربی وهفتاد درصد دیگر را از مواد دیگر بگیرد، وبرای محاسبه‌کافی‌است که‌هرشخص بالغ روزانه‌یکهزارم وزن بدن خود روغن مصرف‌کند، یعنی‌شخصی‌که۷۵کیلووزن دارد، هفتادو پنج گرم، یعنی به‌یك‌سیرروغن احتیاج دارد.

۴ـ معمولاً غذایی‌که با روغن تهیه شوند، خوشمزه‌تر بوده و انسان آنها را با اشتها می‌خورد، ولی نسبت به‌غذاهای خیلی چرب‌هم زده شده، اشتهای خودرا ازدست می‌دهد.

هضم چربیها

هضم‌چربیهادربدن‌به‌ذوب‌شدن‌وبعد ممزوج‌شدن‌آنهابا‌آب‌مربوط‌است،

یعنی چربیها تازمانی که ذوب نشده وباآن ممزوج نشوند، قابل هضم وجذب نیستند، وروی همین اصل هضم آنها متناسب بانقطهٔ ذوب آنهاست، یعنی هرچه روغن نقطهٔ ذوبش پایین‌تر باشد، زود هضم‌تراست و به‌همین جهت است که ما (کره ـ خامه) و روغنهای مایع زودتر از چربیهای سفت مانند پیه، دنبه، پیه‌خوك و چربی بدن گاو قابل هضم می‌باشیم وفشارمان روی کبد کمتر از آنهاست.

چربیهای حیوانی که نقطهٔ ذوبشان بالاتر از ۳۷ درجه است، سنگین بوده و بـه‌آسانی هضم نمی‌شونـد و حتی ممکن است هضم نشده، و به‌اشکال از روده‌ها خارج شوند.

ممزوج شدن باآب

دومین مرحلهٔ هضم چربیها ممزوج شدن آنها باآب است. ما (کره و خامه) چون باآب ممزوج ومخلوط می‌باشیم، ازاین جهت فشاری بر روی کبد نداریم وازاین نظر بر روغن حیوانی هم که ذوب شده‌خود ما می‌باشدترجیح داریم. ولی روغنهای دیگر برای ممزوج‌شدن باآب احتیاج به‌مواد ممزوج کننده دارد واین مواد دربدن انسان املاح صفراوی می‌باشند، ومبتلایان به کیسهٔ صفرا نمی‌تـوانندآنها را مصرف‌کنند و بایستی حتماً از کره و خـامه استفاده کنند.

منافع کره وخامه

ما بعداز روغن ماهی بزرگترین منبع ویتامینهای «آ» و «د» هستیم‌و چون ذائقهٔ انسان روغن ماهی را نمی‌پسندد و در تابستان اصولاً مطبوع نیست، لذا می‌توانیم ادعـاکنیم که بهترین منبع این‌دو ویتامین می‌باشیم و بعلاوه دارای ویتامین «ث» و ویتامین «اف» نیزهستیم.

خواص ویتامینهای «آ» و «د» درجلد اول زبان خوراکیها نوشته‌شده واینجا یادآور می‌شویم که ویتامین «آ» ضدبیماری شبکوری‌است، این‌بیماری از زمان بقراط شناخته شد، مرضی که هنگام شب انسان را کور می‌کند و همیشه با خرابی چشم همراه است. پس‌از بقراط دوهزار سال وقت لازم بود تا انسان قرن بیستم کشف کندکه‌این بیماری نتیجهٔ‌کمبود ویتامین «آ»می‌باشد وبعلاوه کمبود این ویتامین‌موجب توقف رشد جوانان می گردد، و به‌همین مناسبت است که‌درطول تاریخ کمبود این‌ویتامین همیشه خطرات عظیم‌مرگبار داده است. درچین و ژاپن این بیماری در گذشته به‌صورت یك‌بیماری بومی

وجود داشته ومانع رشد ونمو ساکنان آنها شده، وانبوهی ازآنها را دچار کوری کرده است، ولی‌پس ازکشف این ویتامین، این بیماری ازآنجا رخت بربسته وریشه‌کن شده‌است.

ارتباط نابینایی باگرسنگی خیلی زودتر ازکشف ویتامینها شناخته‌شده و حکمای سنتی ایران همواره مردم را به‌خوردن لبنیات تشویق کرده، و بسیاری ازبیماریها مخصوصاً امراض جلدی را باتجویزکره وخامه درمان می‌نمودند.

خصوصاً خوردن‌کره را باعسل بطور صبحانه توصیه کرده و معتقد بودندکه خوردن‌آن باعسل گواراتر، مفیدتر وزود هضم‌تراست، محمدبن زکریای رازی مارا معزی وململس می‌داند، یعنی تعزیه‌کننده وبه‌غذایادوایی می‌گویندکه دارای رطوبت وچسبندگی باشد ومنافذ جدار معده راپرکند و چون ما(کره وخامه)باآب‌سازگاربوده، وازرطوبت فرار نمی‌کنیم،می‌توانیم به‌آسانی روی پرزهای معده‌را بپوشانیم. مملس به‌غذا یا دوایی گفته‌می‌شود که جدار معده و روده‌ها را روغن زده ونرم نماید و اگر بخواهید این دو اصطلاح را بطور ساده بیان نمایید، باید بگوییدکه‌کره وخامه جدارمعده و روده‌ها راگریسکاری وروغن‌مالی‌کرده، نرم ولطیف ساخته مانع خراب‌شدن آنها می‌شوند واین دوخاصیت دربین روغنها فقط درکره وخامه وشیرهٔبادام موجود است، و سایر روغنها چون باآب سازگار نیستند، واز رطوبت فرار می‌کنند، چنین خاصیتی را نداشته‌به‌سرعت ردشده وپس‌ازهضم وتغییرماهیت جذب می‌شوند. ماکمی ملین بوده وخوردن ما باغذا به‌هضم‌آن‌کمك‌کرده و ضمناً اشتها به‌پرخوری راکم‌می‌نماییم. به‌علت داشتن ویتامین (د) ضدنرمی استخوان هستیم و ازفساد دندان جلوگیری می‌نماییم و نیز به‌علت داشتن ویتامین «اف»ضدامراض جلدی می‌باشیم،وبه‌همین جهت پزشکان سنتی‌ایران مارا بهترین‌داروی قوبا (جوشهای‌جلدی‌که منشاءعصبی دارند) می‌دانستند. ما زبری وخشونت پوست‌را ازبین می‌بریم وجذب آن‌را برای پوست‌آسان می‌کنیم. ما برخلاف چربیهای سفت حیوانی، کبد را خراب نمی‌نماییم. در یك رژیم غذایی خوب انسان بایستی نصف چربی مورد نیاز خود را از روغنهای گیاهی و نصف دیگر آن را از ما بگیرد و حتی‌المقدور از خوردن چربیهای حیوانی سفت، یعنی پیه، پیه خوك و چربی بدن گاو اجتناب نماید.

من ملین، بازکنندهٔ‌معده، صاف‌کنندهٔ‌آوازونرم‌کنندهٔ قصب‌الریه، حلق وسرفهٔ خشك‌می‌باشم. باعسل جهت ذات‌الجنب وذات‌الریه تجویز می‌شوم،

خوردن ما باعسل و دانهٔ خشخاش اشخاص لاغر را فربه می‌نماید و بامیوه‌های گس اسهال را بند می‌آورد. مالیدن من بر بدن، باعث تغذیهٔ پوست است و برای فرورفتن ورمها، مخصوصاً ورم بناگوش مفید است. چنانچه مرا گرم کرده گرماگرم روی محل نیش حشرات و افعی بگذارید، درد آن را تسکین می‌دهم، و مالیدن من بر لثه جهت تسریع در بیرون‌آمدن دندان اطفال سودمند می‌باشد، برای معالجهٔ جرب‌خشك و جوشهای جلدی ابتدا بدن را با آب‌سرد بشویید و بعد مقداری کره به آن بمالید و لباس‌پشمی بر تن کرده، در محل‌گرم بمانید تا عرق کنید و نتیجهٔ آن را ببینید. ضماد من با سورنجانی که نرم کوبیده باشند، جهت قطع دکمهٔ بواسیر به‌تجربه رسیده است، و برای این کار کره هرچه کهنه‌تر باشد مفیدتر است.

زیاده‌روی در خوردن ما، معده را خراب وضعیف می‌کند و اشتها را سد می‌نماید.

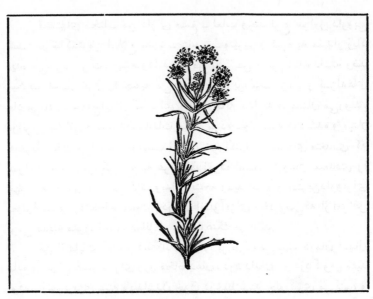

اسم من «بارهنگ» است!

خون راتصفیه می کنم. ریشه ودانه‌های‌من ضدمیکرب است. برای دندان درد وگـوش‌درد مفیدم. بـرای معالجهٔ زخمهای جلدی ازبرگ من استفاده‌کنید. از التهاب‌کلیه ومثانه جلوگیری می کنم.

اسم من بارهنگ است، به‌من بارتنگ هم می گویند. عربی من لسان‌ـ الحمل، یعنی‌زبان‌گوسفنداست، زیرابرگ نوع بزرگ من‌به‌آن شباهت دارد. در گیلان به یك نـوع من (رم‌هاج‌لك) و بیك نـوع دیگر مـن وارانگو خطاب‌می کنند. من انواع و اقسام دارم وسه‌نوع آن در ایران می‌رویدکه عبارتنداز بارهنگ‌بزرگ ـ بارهنگ‌کوچك‌وبارهنگ سرنیزه‌ای! قسمت‌مورد استفادهٔ من‌برگ،ریشه‌وبذرمن‌است،بااینکه گل من نوش‌ندارد‌معذلك زنبور عسل به‌آن علاقه داشته و عسلی‌که پس‌ازخوردن گردهٔ گل من می‌سازد، در اروپا به آب نبات بارهنگ معروف بوده و درآلمان آن رابه‌اطفال می‌دهند تا تندرستی آنهاحفظ شده، ورشد ونمو کامل نمایند.

قسمتهای مختلف من دارای صمغ ـ لعاب وچند نوع عوامل دارویی است، در خاکسترمن املاح سدیم ـ پتاسیم ـ منیزیم و غیره به مقدار زیاد دیده می‌شود. برگ، ریشه ودانه‌های من اثرقابض و نرم‌کننده داشته وضد میکرب است. خون را تصفیه می‌کنم، درمان برنشیت مزمن و نزله‌های حاد می‌باشم، حجاج ایرانی که برای زیارت خانهٔ خدا به عربستان می‌روند، دراثربی مبالاتی و نوشیدن مایعات بسیار سرد، دچار سینه درد شده و مبتلا به سرفهٔ سخت می‌شوند. نویسندهٔ زبان خوراکیها در سفرهای متعددی که همراه باکاروان پزشکی حج به عربستان نموده است، داروهای متعددی را جهت معالجهٔ آنهاآزمایش کرده وبه‌این نتیجه رسیده‌است که بهترین‌داروبرای معالجهٔ سینه درد حجاج وهچنین درمان انفلوآنزای مخصوصی که از امراض بومی مدینهٔ منوره است، همانا شربت بارهنگ می‌باشد.

من التهابات معده و دستگاه ادرار را بر طرف می‌کنم، درمان اسهال ساده و خونی هستم، برای ورم مخاط دهان، درد دندان و دردگوش مفید بوده، ازخونریزی سینه وپیداشدن خون درخلط سینه جلوگیری می‌کنم، و التهاب کلیه و مثانه را فرو می‌نشانم، اگر برگ تازهٔ مرا چند ساعت درآب جوشیده بگذارید و بعد در روی دمل و زخمهای جلدی قرار دهید، آنها را ضد عفونی کرده وازآلودگی وچرك‌کردن آنها جلوگیری می‌نمایم. ضماد و کمپرس برگ من نیزبه همین منظورمفید است. مضمضه وغرغرهٔ جوشاندهٔ ریشه وکمپرس برگ من نیز به همین منظور نافع است، جوشاندهٔ ریشهٔ گیاه من که باعسل شیرین‌شده‌باشد، جهت‌زخم‌دهان وورم گلوسودمندمی‌باشد، برای معالجهٔجوش‌غرور وزخمهای‌جلدی برگ مرا له‌کرده و بصورت بمالید، در صنعت‌داروسازی باآب برگ‌من کرمی می‌سازندکه‌درمان‌قطعی‌جوشهای‌صورت است، وبرای درمان درد نیش‌زنبوزدارویی‌بهترازله شدهٔ برگهای من‌نیست، وهمچنین برای درمان‌زخمهای‌اطراف بینی‌وزنخدان وگونه می‌توان ازبرگ له شدهٔ من استفاده‌کرد. شستشوی چشم باجوشاندهٔ برگ من جهت معالجهٔ پلك و ورم ملتحمه بسیار سودمند است.

جوشاندهٔ پنجاه تاصدگرم ریشه وبرگ من دریك سطل آب ونوشیدن سه فنجان‌ازآب‌صاف شدهٔ‌آن‌دربینی‌جهت بندآمدن خون‌دماغ تجویزمی‌شود. چکاندن این آب درگوش دردآن راتسکین می‌دهد. مضمضهٔ آن پیلهٔ دندان را بازمی‌کند. خوردن‌آن برای جلوگیری ازخونریزی بواسیر وزیادی خون عادت ماهانهٔ زنان نافع است. برگهای مرا با عدس بپزید و برای معالجهٔ تنگ‌نفس و سل و خونریزی سینه میل نمایید. این غذا برای درمان استسقا

نیز سودمند می‌باشد. پختهٔ برگ من با عدس و سرکه و کمی نمک برای معالجهٔ اسهال خونی اثر بسیار دارد. نوشیدن آب پختهٔ ریشهٔ من جهت تبهای نوبه‌ای اثری چون گنه‌گنه دارد. حمول برگ من برای تسکین درد رحم به کار می‌رود. ضماد برگ من با نمک بر روی جای دندان سگ‌هار، از درد آن می‌کاهد، ولی درمان قطعی آن نیست، و بایستی از واکسن ضد هاری استفاده شود. ضماد برگ من جهت معالجهٔ سوختگی و زخمهای خوره‌ای و بدخیم مفید است. بذر من که در ایران بیشتر جهت معالجهٔ اسهال کهنه مصرف می‌شود در همه حال دارای خواص برگ و ریشهٔ من می‌باشد، منتها اثر آن ضعیف‌تر است.

در صفحات شمال ایران عرقی از برگ من می‌گیرند، یعنی آن را مانند گلاب تقطیر می‌نمایند. نوشیدن آن عرق بـرای تقویت قـوای مـاسکه (نگاهدارندهٔ غذا در معده) نظیر ندارد و معالج اسهال نیز بوده، برای زخم معده و زخمهای داخلی بسیار مفید می‌باشد، دانه‌های مرا به پرندگان خانگی مخصوصاً قناری و مرغ بدهید تا کمتر مریض شوند.

مبتلایان به اسهال که با داروهای دیگر، معالجه نمی‌شوند، بایستی از بو داده دانه‌های من مانند قاووت استفاده نمایند.

شستشوی زخمهای چرکی با جوشاندهی برگ آن نوع که در گیلان رم حاج لك می‌گویند بسیار مفید است.

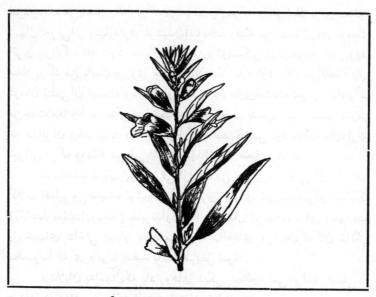

من «کنجد» هستم!

خستگی فکری را کاهش می‌دهم. برای رفع سوزش معده، مرا با نبات بکوبید و میل کنید. قدرت سازندگی من به‌اندازهٔ گوشت است. از ریشهٔ من برای سیاهی و بلندشدن مو استفاده برید...

اسم من کنجد است، به من جلجلان هم مــی‌گویند و عربی من سمسم می‌باشد. من از دانه‌های روغنی هستم که از قدیم‌الایام مورد توجه بوده و کشت شده‌ام. من دارای بیش از دویست نژاد مختلف می‌باشم، ولی در حدود بیست نژاد من را برای کاشتن انتخاب کرده‌اند. دانه‌های من به رنگهای سفید، سیاه، حنایی و قهوه‌ای می‌باشد، روغن دانه‌های من کمتر تند می‌شود، علاوه بر تغذیه در صنعت نیز از آن استفاده می‌شود. روغن دانه‌های سفید مرغوب‌تر از سایر رنگها بوده ولی میزان آن نسبت به دانه‌های سیاه کمتر است. در صنعت ورنی‌سازی مخصوصاً از روغن کنجد سیاه استفاده می‌شود. روغن دانه‌های من حتی در زمستان هم منجمد نمی‌شود. قسمت مورد استفادهٔ دانهٔ من ارده و روغن من است، دانه‌های مــرا روی نان و بعضی از شیرینیها

می‌پاشند تا ارزش غذایی آنها رابالا ببرد. درمصارف درمانی هم می‌توان از روغن من به جای روغن کرچك استفاده‌کرد. روغن من روی خمول (پرزها) معده را پوشانده‌آنها را چرب ونرم نگاه می‌دارد، وازاین روجهت مبتلایان به زخم معده وکسانی که معده‌ای‌حساس دارند، ارزش زیادی دارد. دانه‌های من تقریباً فاقد قنداست، ولی تا بخواهید دارای انواع مواد سفیده است و تاکنون بیش از ۲۴ مادهٔ سفیده‌ای درآن‌کشف شده است. به‌این جهت قدرت سازندگی و نوسازی‌آن زیاد بوده، ومی‌توان‌آن راگوشت‌گیاهی لقب داد. بهترین غذابرای‌ورزشکاران‌وکسانی‌است‌که دارای‌کارهای فکری می‌باشند. اگرهنگام خواندن‌کتاب احساس خستگی‌فکری‌کردید، کافی‌است مشتی‌کنجد بوداده را دردهان ریخته بخورید تا خستگی شما برطرف شده و دوباره‌میل به خواندن‌کتاب ومطالعه پیدا نمایید وهمچنین دانشجویان و دانش آموزان می‌توانند درشبهای امتحان ازاین‌اکسیر بسیار مفید استفاده نمایند. من سینه وگلو را نرم می‌کنم، معده و روده‌ها راروغن می‌زنم، خوردن دانه‌های من پادزهرنیش ماروعقرب است. شیرهٔ‌کوبیدهٔ من بانبات جهت رفع‌سوزش معده و جلوگیری از اثرات سوء ترشی معده تجویز می‌شود. خوردن پنج گرم دانهٔ من با پنج گرم مغز گردوجهت قطع خون بواسیر توصیه شده‌است. خوردن‌آب پختهٔ من با نخود بازکننده‌ی عادت ماهانهٔ زنان است. دانه‌های بودادهٔ من زودتر هضم می‌شوند. ضماد دانهٔ من فرو برندهٔ‌آماس ونرم‌کنندهٔ پوست بدن وازبین‌برندهٔ آثار سیاهی پوست وسختی‌عصب ودرمان‌سوختگی آتش است وبعدازسوختگی مانع تاول زدن ومسکن سوزش‌آن است. مالیدن آب برگ‌گیاه من‌باعث درازی و سیاهی مومی‌باشد. چون ریشهٔ مرا درآب بجوشانند و سرومو را با آن بشویند، باعث درازی و سیاه شدن مو شده و موخوره وشوره را ازبین می‌برد.

ارده – من کنجد مقشرنرم ساییده هستم که‌درکتب‌طبی‌قدیم ازمن‌به‌نام رهشی یاد شده است. در ایران با من نوعی حلوا درست می‌کنندکه به نام «حلوا ارده» معروف است، سابقاً مرا با شیره مخلوط‌کرده به نام ارده شیره می‌خوردند، و یکی از شعرای قدیم در وصف ارده شیره دیوانی دارد. من مجموعه‌ای از مواد سفیده‌ای مخلوط‌باروغن هستم، من جزوغذاهای مقوی بوده و اشتها را کم می‌کنم و نرم‌کنندهٔ صلابات ظاهری و باطنی هستم. در صنعت بیسکویت سازی‌روغن مراگرفته‌آردآن راجهت‌تردشدن به‌بیسکویت می‌زنند.

روغن کنجد ـ من دیـر فاسـد می‌شـوم، و در زمستان هم منجمد نمی‌گردم، انواع دست اول و مرغوب من به مصارف تغذیه می‌رسد. چهل تاشصت گرم من معده را نرم می‌کند و اثر ملین دارد و چون تند نمی‌شوم، درمصارف درمانی مـرغوبتر از روغن زیتون می‌باشم. در صنعت از انواع فشار دوم من برای ساختن بریانتین وصابو نهای مختلف استفاده‌می‌کنند. اگر مرا بازردهٔ تخم‌مرغ مخلوط‌کرده، روی ورمهای جلدی و ورم پلک بیندازند، آنها را فرومی‌برم، مالیدن من در روی زخم سوختگی مفید می‌باشد.

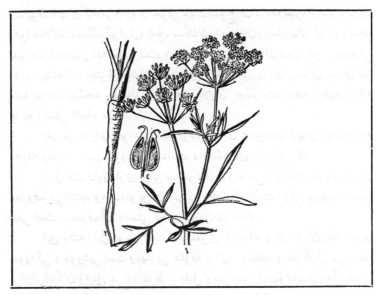

اسم من «جعفری» است!

اختلالات دستگاه گوارش را رفع می‌کنم. برای یرقان وتنگ‌نفس‌مفیدم. بهترین‌پادزهر برای انواع سم‌می‌باشم. در ریشه‌ام خواص بسیاری نهفته‌است.

فارسی من‌جعفری‌است، اعراب به‌من «کرفس ماقدونی» و در شهسوار واپلیهم گویند. فرنگیها به نوع کم عطروکم خاصیت من پرسیل‌و به‌من‌پرسیل معطر گویند. درکتب قدیمی ازمن به‌نام فطراسالیون یاد شده است واین لفظ معرب پتروسلیوم لاتینی است.

قسمت مورد استفادهٔ من ساقهٔ جوان برگدار ـ ریشه ومیوهٔ من است. میوهٔ من از دانه‌های روغنی است‌که به‌علت داشتن مواد مازویی وعطری و کمی سمیت مصرف غذایی ندارد، باکمك بخار آب از آن عطـر مخصوصی می‌گیرند که باسولفات‌آهن به‌رنگ‌قرمزخون‌درمی‌آید. ریشهٔ‌من‌دارای‌اسانس، موادقندی‌وموادمعدنی‌است‌وبسیارخوشبووطعم‌آن‌شبیه‌ساقه وبرگ من‌است. این‌ریشه‌پیشاب‌آوربوده وخوردن‌آن‌اشتها رازیاد می کند. جوشاندهٔ‌این‌ریشه

وسایر قسمتهای گیاه من داروی خوبی جهت نسوج پف کرده و خیزدار است، برای رفع اختلالات دستگاه گوارش و نفخ، سنگ کلیه، یرقان و بیماریهای کبدی و تنگ نفس و ترشحات زنانه مفید است و زنان جوانی که در اثر ضعف دچار یائسگی زودرس شده‌اند، بهتر از جوشاندهٔ من دارویی ندارند. برای بیماری جلدی نیز مفید بوده و چنانچه جوشاندهٔ مرا به مبتلایان به سرخک بدهند، ظهور دانه‌ها به راحتی انجام می‌گیرد.

بذر من دارای خواص ریشه بوده اثر آن در بریدن تبهای نوبه‌ای به تجربه رسیده است. خوردن آن عادت ماهانهٔ زنان را بازمی‌کند.

درصنعت داروسازی از من سه نوع فرآورده می‌گیرند که به نام آپیول معروف می‌باشند و هرسه نوع آن تب بر و قاعده‌آور است، ولی چون یک مادهٔ سمی است، مصرف آن بایستی تحت نظر پزشک باشد.

این نکته قابل توجه است که جعفری با اینکه برای انسان یک سبزی خوراکی و خورشی است و بهترین علوفه برای گوسفند و خرگوش می‌باشد، برای پرندگان از قبیل مرغ، طوطی، بلبل و غیره سمی است و نبایستی به آنها داد.

من بادشکن بوده و چسبندگی معده و روده را از بین می‌برم و نفخ را رد می‌کنم و دردپهلو و پیچش شکم را معالجه می‌نمایم، مخرج جنین بوده، شهوت را زیاد می‌کنم، پادزهر جمیع سموم می‌باشم، مقدار خوراک گرد برگ خشک من دو گرم و جوشاندهٔ ۵ تا ۱۰ گرم میوهٔ من در دویست گرم آب به‌عنوان پیشاب‌آور و سی گرم در ۲۵۰ گرم آب جهت باز شدن عادت ماهانهٔ زنان مفید می‌باشد.

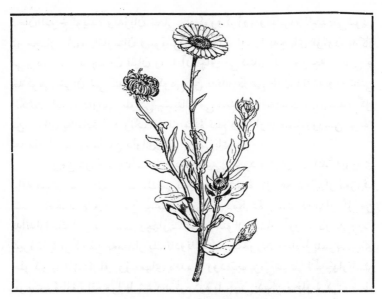

من گل «همیشه بهار» هستم!

شیرهٔ برگ من جلو استفراغ را می‌گیرد واثر مفیدی بر روی زخمهای روده ومعده دارد. برای ازبین بردن زگیل ومیخچه ازمن استفاده کنید. با گل من اختلالات کبدی و یرقان را رفع کنید. اگر گیاه «سس» شیرهٔ مرا مکیده باشد، ازآن به‌عنوان داروی ضد سرطان می‌توان استفاده کرد!

فارسی من گل همیشه‌بهار است، اعراب به‌من دائم‌الحیات و حی‌العالم گویند، در کتب مختلف قدیم ازمن به‌نامهای ابرون، افحوان اصغر، زبیده، قوقهان، مرجون، کحلاء، سهلابی، خیر، خیری‌زرد، میشامیش بهار، همیشه جوان یاد شده است. گلهای من زردطلایی بوده، بدون دمگل روی نهنج قرار گرفته، در ساعت نه تا ده صبح باز و درساعت چهار تا پنج بعدازظهر بسته می‌شوند، و با اینکه فاقد نوش است زنبور عسل به آن راغب بوده، و گرده‌های آن را می‌خورد. نوع کوهی من که در اطراف مسجد سلیمان زیاد است به‌تنباکوی کوهی معروف بوده، و ترکان به‌آن داغ توتونی و اعراب

دخان‌الفوخ گویند، و به‌زبان محلی «اوکوزوکوزو» و«پنیره» نامیده‌می‌شود. در مجـارستان، بلغارستان وسوئیس روستاییان آن را به‌جـای توتون به‌کار می‌برند ودر بلوچستان قلیان را با آن چاق می‌کنند. گیاه من چه بیابانی و چه‌کوهی خزان نمی‌کند، ساقهٔ کوهی من به‌قدر ذرعی طول داشته و به‌کلفتی انگشت است، دارای رطوبتی چسبناك می‌باشد کـه به‌دست می‌چسبد، گل من دارای یك‌مادهٔ زرد رنگ، یـك مادهٔ تلخ ومقداری صمغ ورزیـن بوده، لعابدار است. ریشهٔ من دارای اینولین می‌باشد.

گل‌من درمجاورت‌آب یك‌مادهٔ ژلاتینی‌ازخود تراوش می‌کندکه‌برروی ساقه منتشر شده آن‌را چسبناك می‌نماید و به شیرهٔ گل همیشه بهار معروف است. دمکردهٔ پنج گرم من به‌عنوان‌معرق و دمکردهٔ بیست درهزار گل من به‌اندازهٔ یك لیتر دربیست وچهار ساعت به‌عنوان پیشاب‌آور به‌کار می‌رود. شیرهٔ تازهٔ برگ من به‌مقدار یك تادوقاشق سوپ‌خوری مخلوط باشربت‌برای جلوگیری ازاستفراق وزخمهای معده و روده‌تجویزمی‌شود. اگرچهارتاشش گرم شیرهٔ‌تازهٔ ساقهٔ مرا با ششصدگرم‌کره یا چربی دیگر مخلوط کرده ضماد نمایید، زخمهای بدخیم را سودمند بـوده، واثـرش در روی زخمها و غدد سرطانی قابل توجه است، اگربرگ یا ساقهٔ‌گیاه مرا در سرکه خیس نمایید، برای ازبین بردن زگیل، میخچه و پینهٔ دست وپا نافع است، خوردن برگ ساییدهٔ من جهت درمان اسهال‌سودمند می‌باشد. ضمادگل من باآردجوجهت زخمهای پلید وچرکی وردردمفاصل ونقرس وسوختگی آتش وجهت درمان‌باد سرخ که‌تیغ‌زده وخون ازآن بیرون‌آمده باشد، وهمچنین معالجهٔ جوش غرور نافع است. گل وبرگ من خون را تصفیه می‌نماید. حیض را باز می‌کند، ضدتشنج بوده وقی رابند می‌آورد.

مبتلایان به‌اختلالات قاعدگی اگر یك‌هفته‌قبل از روز رگل، گل‌مرا مصرف نمایندبه‌موقع به‌وضع طبیعی‌وبدون درد بازخواهند شد، اثرقاعده‌آور من درمبتلایان به‌کم‌خونی وضعف اعجاب‌آور است. اختلالات‌کبدی ویرقان نیز بامصرف گل من‌ازبین می‌رود.

در صنعت داروسازی ازگل‌من تنتوری تهیه می‌کنندکه زخمها رابهتر ازمحلول مرکورکرم وتنتوریـد التیام داده، و مانع التهاب و چـرکی شدن زخمها می‌شود وبرای درمان‌سوختگی، سرمازدگی، واگزما مفید بوده، واز همه بالاتر یك‌داروی مؤثربرای جلوگیری ازتجزیه شدن خون سرطانی‌است و در روی زخمهای سرطانی اثرقاطع دارد، و بـرای معالجـهٔ جوش غرور، کورك، پینه، میخچه، زگیل نیز به‌کار می‌رود.

اگر گیاه انگلی «سس» که قبلاً خودرا در زبانهای خوراکیها معرفی
کرده است، بهدور گیاه من بپیچد، وشیرهٔ مرابمکد بهترین داروی ضدسرطان
میباشد که پزشکان سنتی ایران بسیاری ازمبتلایان را باآن نجات دادهاند، و
این خاصیت درافتیمون که نوعی سس میباشد بیشتراست.

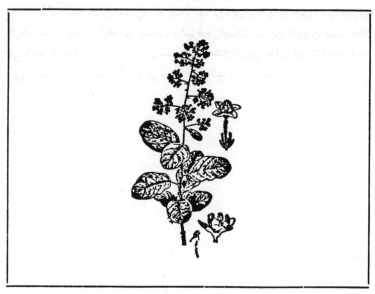

اسم من «سماق» است!

برای دندان دردمفیدم. تازهٔ مرا نخوریدکهمسمومتان
می‌کند. محرک اشتها هستم. لثه‌ها را تقویت می‌کنم
و با شرایطی مانع خونریزی دماغ‌می‌شوم. ضداسهال
بوده، ازخونریزی معده نیزجلوگیری می‌نمایم..

فارسی من سماک و معرب آن سماق است. من میوهٔ درختچه‌ای هستم
که درشمیران، تفرش، خراسان، قم، محلات، شیراز، رودبار، تبریز وبعضی
ازکشورهای خاورمیانه می‌رویم.

رنگ میوهٔ من قرمز وقهوه‌ای‌است، طعم میوهٔ من گس است. ولی پس
از رسیدن ترش می‌شود. درتمام قسمتهای گیاه من جوهر مازو (تانن) فراوان
است وبه همین جهت قابض وپاک کنندهٔ معده می‌باشد وازانواع اسهال حاد و
مزمن وخونریزی معدی جلوگیری می‌نماید.

خوردن گرد سماق با آب سرد از خونریزی داخلی جلوگیری کرده، و
خوردن نیم‌کوفتهٔ آن باآب سرد وزیره برای کسی‌که مرتباً قی می‌کند و غذا
درشکمش بند نمی‌شود مفید است.

من چاشنی خوبی برای آشها وسوپها وخورشها هستم و رنگ آنها را مشکی می کنم و اشتها را تحریك می‌نمایم. قدرت بو دادهٔ من زیادتر از خام آن است. گردی که برروی میوهٔ من می‌نشیند و به‌آن خاك سماق می گویند بسیارقابض وکمی‌تلخ است، وبه علت داشتن‌املاح، ازترشحات بی‌رنگ‌زنانه جلوگیری می‌کند. برای‌این منظور ودرمان نزله وتبهای صفراوی ۱۵تا۲۴ گرم درروزمصرف دارد. غرغره ومضمضهٔ جوشاندهٔ من‌جهت ورم گلوودهان تجویز شده است.

گرد دندانی‌که در آن گـردسماق باشد، جهت تقوبت و استحکام لثه وجوشهای چرکی‌دهان وتسکین درد دندان‌کرم خورده مفیداست و چون گرد روی‌میوهٔ مراپاك‌کرده‌وآن‌رادرآب بخیسانند، وباکمی‌کتیرادرچشم بچکانند، درد آن را تسکین می‌دهد وچون ۷/۵ گرم آن را درنیم لیترآب بجوشانند و یك تکه پارچه را در آن خیس‌کرده، وبرروی چشم‌اندازند ویا با آن‌کمپرس نمایند، جهت‌تراخم‌وجوشهای‌پلك چشم‌وتسکین‌فشاروحرارت چشم‌مفیداست، کمپرس پیشانی باآن‌ازخون دماغ جلوگیری‌می‌کند. هرگزمیوهٔ تازه‌ونرسیدهٔ مرا نخورید، زیراتولیدمسمومیت‌می‌کند وتنها ازمیوهٔ‌خشك‌من به‌طورچاشنی تاپنج گرم‌می‌توان‌استفاده‌کرد. برگ، ساقه، گردمیوه و گردی‌که‌روی میوهٔ‌من می‌نشیند وبه‌خاك‌سماق‌معروف‌است‌وهمچنین‌صمغ‌درخت‌من‌اثرقابض‌کنندهٔ زیاد دارندوبه‌همین جهت‌دررفع خونریزی، شکم‌روش‌واسهال‌خونی به‌صورمختلف به‌کار می‌روند و از آبریزش چشم‌جلوگیری می‌کنند. چکاندن آب جوشاندهٔ آنها درگوش، چرك‌آن‌را ازبین می‌برد. ضماد آن جهت رفع آثار ضربه مفید است، مالیدن‌آب جوشاندهٔ من مانع ورم ضربه وصدمهٔ آن است. ضماد من با آب جهت جلوگیری از ورم قحف (استخوان جلو سر و بالای گیجگاه) نافع می‌باشد وضماد آن با زغال چوب بلوط، جهت بواسیر مفید است و چون مرا بابرگ وچوب وشاخه درآب بجوشانند تا قوام آید، جهت ورم پلك چشم و سایر ورمهاوآبله وزخمهای‌آبداروچرکی مفید می‌باشد. پختهٔ برگ من مورا سیاه می‌کند وتنقیهٔ جوشاندهٔ‌آن برای درمان زخم معده واسهال خونی و دل پیچه سودمند می‌باشد، وخون برگ مرا آنقدر بپزند تاله شود و آب آن را بجوشانند تاسفت شود، جهت تبرید مفیداست. صمغ‌درخت من تولید یبوست شدید می‌کند. سرمهٔ آن جهت تسکین فشارودرمان جوشهای پلك نافع است، پاشیدن‌آن روی زخم سبب التیام‌آن است وخون قدری از آن را در سوراخ دندان‌کرم خورده بگذارند، دردآن راتسکین‌می‌دهد و ازپیشرفت وپوسیدگی دندان جلوگیری می‌نماید.

برگ خشك شدهٔ درختچهٔ من كه به «سماق‌الصباغين» معروف‌است در حدود ۲۷ درصدجوهرمازو (تانن)داردكه درنمونه‌هایوحشی‌مقدارآن زیادتر است، و در دباغی ورنگرزی مصرف می‌شود. من یك پای ثابت سفرهٔ هفت سین و چاشنی مخصوص چلوكباب هستم و چون رنگ قرمز من مرغوبتر است، عده‌ای سماق زرد وتیره را از راه تقلب رنگ می‌كنند، از نظرخواص و منافع نوع قرمزمن امتیازی بررنگهای دیگر ندارد. به این جهت توصیه می‌شودكه از خوردن سماقهای رنگ كرده‌خودداری‌نمایید.

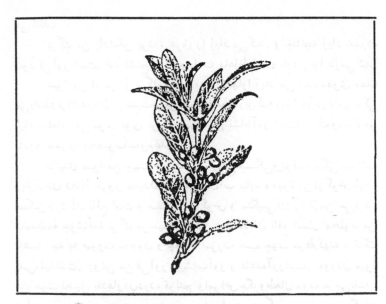

من «برگ بو» هستم!

این روزها در تهران به من برگ بومی گویند ولی لغت‌نویسان فارسی مرا «باهشتان» قید کرده‌اند. عربی من غار است و با «غار گیلاسی» نسبت دوری دارم. برگ من معطر است، درخت من بیش از هزار سال عمر می‌کند، برگ مرا در حال حاضر در خیار شور می‌اندازند تا آن را خوشبو کرده و از فسادآن جلوگیری نماید، ولی در گذشته برگ مرا در بسته‌های انجیر و خرما می‌گذاشتند تا از کرم گذاشتن آنها جلوگیری کنم. درخت من بزرگ است و در عهد باستان یونانیان به آن خیلی احترام می‌گذاشتند و شاخه‌های آن را در اعیاد و مراسم مذهبی در دست می‌گرفتند و دانشمندان تاجی از آن درست کرده، بر روی سر می‌گذاشتند، میوهٔ من به قدر فندق است و به فارسی به آن «دهمشت» گویند و روغنی خوشبو دارد. درخت من در تهران و استانهای شمال کاشته شده، و فقط از برگ خوشبوی آن استفاده

می کنند.

برگ من بادشکن بوده، عرق را زیاد می‌کند. و چنانچه زیاد خورده شود قی‌آور است. ضد تشنج بوده وعادت ماهانهٔ زنان باردار را بازمی‌کند.

میوهٔ من قویتر از برگ من بوده، واشتهارا زیاد می‌کند، مقوی معده می‌باشدوبرای درمان برنشیت مزمن تجویزشده، ازبرگ ومیوهٔ من دردامپزشکی زیاد استفاده می‌شود. بوی برگ ومیوهٔ من نشاط‌آور است، برگ ومیوهٔ من پادزهرسموم، مخصوصاً سموم غذایی است.

مالیدن میوهٔ من جهت درداعصاب ورفع خستگی وکوفت‌رفتگی عضلات وبازکردن دهانهٔ عروق مفیداست. چکاندن آب ساییده میوهٔ من در گوش جهت تسکین درد آن نافع است و صدا کردن گوش و سنگینی آن را ازبین می‌برد. مضمضهٔ جوشاندهٔ برگ من جهت تسکین درد دندان نافع است. مخلوط من باعسل چه به صورت معجون و چه به صورت حب جهت سرفهٔ کهنه و تنگ نفس مفیداست. روغن من قی‌آور، پیشاب‌آور و قاعده‌آوراست. خوردن میوهٔ من جهت تحلیل بادهاودل‌درد، قولنج وامراض جگروطحال سودمند می‌باشد، وباعسل جهت زخم معده وروده تجویزشده‌است. دوگرم پوست من سنگهای کلیه ومثانه را خردمی‌کند.

ضماد من باآردجهت تسکین ضربان ورمهای گرم و درد مفاصل سودمند می‌باشد ومالیدن کوبیدهٔ من جهت ازبین رفتن لکه‌های سیاه‌صورت وکك‌ومك ورفع آثارجلدی مؤثراست. مقدارخوراك برگ من دومثقال و مقدار خوراك میوهٔ من یك مثقال‌است. زیاده روی درخوردن آنها ایجاد قی می‌نماید.

حالااجازه‌فرمایید«غارگیلاسی» خودراخدمت شمامعرفی کند.

غارگیلاسی ـ درمازندران‌ونوروکجوربه‌من‌جل وجله،درلاهیجان‌جلی، درگیلان وطوالش چرم لیوه و درآستاراچرم گیله گویند.

زادگاه اولیهٔ من نواحی غرب‌آسیا، مخصوصاً ایران وقفقاز است. در ایران، درآستارا تابهشهر، درجنگلها می‌رویم وامروزه بیشترمرا درامریکا و اروپاکاشته‌اند. من از خانوادهٔ غار می‌باشم، و اعراب به من «غارالکرزی» وکرزالغار گویند. برگ من‌درحالت تازه بی‌بواست، ولی دراثرمالش دست و جویدن بویی شبیه به بوی روغن بادام تلخ می‌دهد.

طعم برگهای من تلخ‌است، درداروخانه‌ها وکارخانجات داروسازی‌آب مقطربرگ من‌مصرف جاری‌دارد. آب مقطرمن زودفاسد می‌شود، به‌این‌جهت توصیه شده است که‌آن را همیشه درشیشه‌های رنگین ودرمحل تاریك و خنك

نگاهداری کرده، و کوشش نمایند که سرشیشه خالی نباشد، آب مقطر من به شرطی در داروسازی قابل مصرف است که ۱۰ گرم درصد اسید سیانیدریک داشته باشد. در بعضی از داروخانه‌ها آب مقطر مرا بطورتقلبی ازشستشوی روغن بادام تلخ درآب به دست می‌آورند. آب مقطر برگ من ضد تشنج و درمان سرفه‌است و برای تنگ نفس، سیاه سرفه، التهابات دردناك معده و روده استفراغ و بی‌خوابی تجویزمی‌شود ودمکردهٔ برگهای‌من برای‌تسکین دردهای عصبی، سیاتیك به‌کارمی‌رود، ضماد آن برای رفع کوفتگی‌عضلات، ورمهای سطحی، پوست وخارش جلدی به‌کار می‌رود، ولی چون برگهای من دارای اثرسمی‌است، باید در استعمال‌آن رعایت احتیاط بشود. از برگ من می‌توان ترکیبات دارویی‌جهت معالجهٔ معتادان به تریاك وهروئین‌ومبتلایان به‌جنون الکلی تهیه نمود، ولی‌چون دارای اثرسمی هستم، و ازطرفی درایران گیاهان دیگری وجود دارندکه غیرسمی بوده ودرهمهٔ ایران می‌رویند واثرآنها برای نجات معتادان مؤثرترو مطمئن‌تراست، وبه‌آسانی‌می‌توان‌ازآنها استفاده‌کرد، ازاین جهت از دادن دستور استفاده از برگ من خودداری می‌شود. بدیهی است‌که همانگونه‌که یونجه وتریاك سیاه چگونگی‌راه علاج‌معتادان را شرح دادند، بقیهٔ‌گیاهان نیز به هنگام معرفی خود، نسخه‌های مؤثری را نشان خواهند داد.

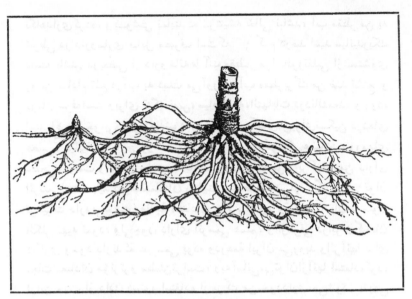

اسم من «سنبل‌الطیب» است!

اعصاب راآرامش می‌بخشم. مقوی معده وجگرهستم. شستن چشم با جوشاندهٔ من، سرخـی آن را از بین می‌برد. پـاشیدن خشك شدهٔ من روی زخم، باعث التیام‌آن می‌شود. ضد سرگیجه هستم و دمکردهٔ مـن تپش وضعف قلب را درمان می کند...
همراه باگل گاوزبان اصیل ایرانی بهتر از قرصهای والیوم ولیبریوم‌آرامش‌می‌بخشم. کسانی که به‌خوردن این قرصها عادت کرده‌اند به‌سراغ من بیایند تانجات یابند.

سنبل درزبان عربی‌به معنی خوشه‌است، ولی به بیخ وریشهٔ معطرچند گیاه نیزاطلاق می‌شود. سنبل رومی، سنبل هندی وسنبل‌کوهی ازاین ردیف بوده و به‌آنها سنبل طبی وسنبل‌الطیب می گویند. من بیخی‌معطرباریشه‌های افشان هستم وچون گربه عاشق بوی من است، مجذوب من شده و دربرابر

من می‌غلتد و به‌همین جهت دراین اواخر عده‌ای اسم فارسی مرا علف گربه گذاشته‌اند، ولی درکتابهای‌فرهنگ قدیمی‌چنین عنوانی‌دیده‌نمی‌شودو باتوجه به‌اینکه بیخ من‌ساقهٔ زیرزمینی بوده ونمی‌توان به‌من علف خطاب نمود این وجه تسمیه صحیح‌نیست. به من‌سنبل‌الطیب، سنبل‌طیب، سنبل‌رومی، سنبل‌العصافیر، والریانه، حشیشة العصافیر، اسمامن، آله‌آلك، میخوشه و سنبل طبی‌می گویند. من‌ضدصرع «هیستری» وضد تشنج می‌باشم وازهمه مهمتر اینکه ادرارمبتلایان به مرض قند راکم می‌کنم، مخصوصاً اگرمراهمراه باگل گاوزبان اصیل‌ایرانی که دردامنهٔ‌کوههای‌البرزمی‌روید دم‌کنند. سنبل‌کوهی یکی ازانواع من‌است‌که ریشهٔ‌آن عرق وادرار را زیاد می‌کند و اشتها آور است. سنبل‌هندی نوع‌دیگری‌ازمن‌می‌باشدکه خواصی‌نظیرمن‌داشته وبه‌او تاردوین هندی، عجزمکی‌وحب‌العصافیرهم‌می‌گویند. قسمت‌مورداستفاده، بیخ‌وریشهٔ افشان ما می‌باشدکه آن را به صورت دمکرده و تنتورمصرف می‌کنند و در کارخانجات داروسازی، ازآن داروهای اختصاصی جهت تقویت قلب درست می‌کنند،که یکی ازآنها «کورامین» نام دارد. انواع پرورش یافتهٔ من‌چندان خاصیت زیادی ندارند و بهتراست ازانواع وحشی من استفاده شود.

یکی دیگرازخواص من‌همراه داشتن مقداری‌منگنزاست. کمبود این‌فلز دربدن انسان باعث سفیدی مو می‌شود، و با اینکه داروساران سنتی ایران ازوجود این فلز وخواص‌آن مسبوق نبودند معذلك برای سیاه شدن و دراز شدن موی‌سروریش ازمن استفاده می‌کردند وبه این منظور پختهٔ مرا برسرو صورت بسته و نتیجه می‌گرفتند. نوشیدن دمکردهٔ من باگل گاوزبان ولیمو عمانی یك نوشابهٔ نشاط‌آور وآرامبخش می‌باشد. درمجالس ختم‌اگر به جای قهوه ازاین نوشیدنی به‌مصیبت زدگان بدهید، بدون‌آنکه‌اعصاب‌آنهاتخدیر شود آرامش درونی پیدا خواهندکرد. من بازکننده و مقوی دهانهٔ معده و جگرمی‌باشم، لیزی و رطوبت سینه و فضولات دماغی را ازبین می‌برم. من شکم را جمع می‌کنم، شستن چشم‌با آب من همراه با آب گشنیزسرخی‌آن را ازبین‌برده ودرتقویت‌بینایی‌مؤثراست وباعث‌روییدن‌مژگان می‌شود. نشستن درآب جوشانده و برداشتن مقدارکمی از ریشهٔ سنبل الطیب رحم را پاك و عقب افتادگی عادت را باز می‌نماید، پاشیدن گرد خشك من روی جراحات باعث التیام آنهاست. مقدار خوراك بیخ و ریشهٔ من پنج گرم می‌باشد. تازهٔ من مؤثرترازریشهٔ خشك من‌است. من‌بادشکن، خواب‌آوروضدکرم می‌باشم. سرگیجه، سردردیکطرفه، دلهره واضطراب، داءالرقص، حالات‌مالیخولیایی، اختلالات زمان یائسگی، سکسکه‌های مداوم و خلاصه هر بیماری که

منشاء عصبی داشته‌باشد باخوردن من‌تسکین‌می‌یابد. شستشوی دهان باآب جوشاندهٔ‌من‌جوشهاوزخمهای مخاط دهان را ازبین می‌برد ودمکردهٔ من برای تپش وضعف قلب هردو مفید است.

من «عدس» هستم!

من در خاصیت با گوشت برابری می کنم. تقویت کنندهٔ مغز بوده، حافظه را نیرو می دهم. جوشاندهٔ من ضد عفونی کننده است. گرد سوختهٔ دانه های من دندان را سفید می کند. از انواع ویتامین سرشارم. و اگر دلتان می خواهد صاحب دختر شوید از من استفاده کنید.

فارسی من مرجومک است و در بعضی از شهرها نسک می گویند، ولی امروزه در بیشتر شهرها به عدس معروف می باشم. رنگ من بر حسب نژاد، قهوه ای، قرمز، زرد و خاکستری است. دارای انواع بیابانی «نیم وحشی» و بستانی می باشم. بستانی من همین عدس معمولی است که شما آن را در آشها و سوپها ریخته، و با آن عدس پلو درست می کنید دیر هضم و نفاخ است و چنانچه با سرکه خورده شود نفخ آن از بین می رود. ساقه و برگ من به مصرف علوفهٔ حیوانات می رسد. آرد من خاصیت نرم کننده داشته و ضماد آن برای رفع التهاب پوستی نافع است. من در زمینهای آهکی خوب می رویم، ولی در خاک رس به عمل نمی آیم. موقع چیـدن دانه های من وقتی است که دانه های پایین ساقه تغییر

رنگ داده ومایل به‌قهوه‌ای شوند.

دانۀ‌من‌دارای ویتامینهای «آ»، «ب»وکمی«ث» می‌باشد وفلزاتی‌چون آهن، کلسیم وازهمه بیشترفسفردارد، پوست دانه‌های من‌ملین‌ومغزآن قابض است. ابوالعلای معری گیاهخوار معروف ایرانی، مرا به‌جای گوشت می‌خورد و مرا گوشت گیاهی لقب داده بود. پوست من گرم است و آب جوشاندۀآن ملین‌وضد عفونی کنندۀ پوست بدن‌است. خوردن‌آش‌من باروغن بادام پس ازبرطرف شدن تب مانع برگشت‌آن‌می‌باشد، پختۀ مهرای من با سرکه مقوی معده وبدون نفخ است. چنانچه مرا درآب بپزید، آب آن سینه رانرم‌وسرفه راازبین می‌برد ومضمضه باآن جهت ورم مخاط دهان ودیفتری مفیداست. فرو بردن سی‌عدد پوست‌کندۀ من بطورحب فساد معده را اصلاح می‌نماید. ضماد من باعسل‌جهت زخمهای عمیق وباروغن گل‌جهت ورم چشم مفید می‌باشد، وبا سفیدۀ تخم مرغ جهت رفع سرخی پوست و ترك پاشنۀ پا وباسرکه‌جهت‌ترك دست وپاکه دراثرسرماعارض‌شده باشد سودمند می‌باشد. ضماد پختۀ من بابرگ‌کلم جهت ورم پستان‌که دراثرانعقاد شیربه هم رسیده باشد مفیدمی‌باشد. مالیدن‌پختۀ من باتخم‌خربزه رنگ رخساره رابازمی‌نماید و زردی را ازبین می‌برد. گرد دندانی‌که باسوختۀ دانه‌های من ساخته شود دندان راسفید می‌نماید. زیاده روی درخوردن من مخصوصاً‌نوع نیم وحشی آن مولد سودا وغلیظ‌کنندۀ‌خون و باعث دیدن خوابهای پریشان وتشویش است. پزشکان‌سنتی ایران‌زیاده روی درخوردن مرا مولدسرطان ومالیخولیا وجذام می‌دانستند، ولی این اتهامات وارد نبوده و من درتولید این امراض نقشی ندارم. ممکن‌است نوع نیم‌وحشی من تاحدی درتولید سودای سوخته مؤثرباشد. همیشه مرا با سرکه یامواد قندی مثل خرما وکشمش میل‌نمایید، وهیچگاه مرا همراه با ماهی شورنخورید. بستانی من قابض وکم‌کنندۀ خون حیض است، ولی نیم وحشی وبیابانی‌من برعکس‌مسهل وقاعده‌آور می‌باشد.

من‌خون و ترشحات داخلی وترشح رحم را ترش می‌کنم. مادرانی که آرزوی داشتن دختردارند، ازاین خاصیت من می‌توانند استفاده‌کنند.

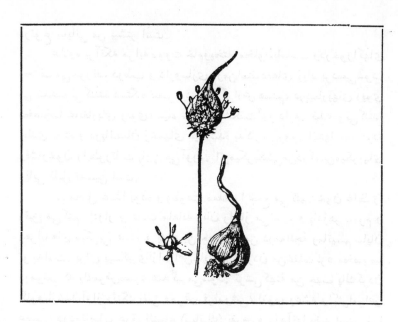

اسم من «سیر» است!

اسمم سیر است، ترکان به‌من «صارامساق» و«صارمیساق» واعراب به من «ثوم» گویند. همان ثومی که قوم یهودآن رابرمائدهٔآسمانی ترجیح داده وازحضرت موسی مطالبه کردند.

من دارای انواع واقسام می‌باشم. دونوع من بستانی وپرورش یافته بوده، یك نوع آن در گیلان ومازندران و نوع دیگردرمرکز ایران می‌روید ویك نوع سیر بیابانی‌هم وجود داردکه «مریم نخودی» وحشی‌است و به آن «ثوم‌الحیه، ثوم‌الکلب» می گویند ودرکتابهای داروسازی سنتی ایران تحت نام «اسقوردیون» یاد شده است. خانوادهٔ مادربین گیاهان دارویی مقامی بس والا دارند. گلهای یك نوع بستانی من سفید و گلهای نوع کوچك من گلی رنگ می‌باشد، من دارای ویتامینهای ب و ث بوده و مقدار ویتامین «ث»

درنوع بیابانی من بیشتر است.

علاوه برآنکه مرا به‌صورت خام‌وپخته مخلوط‌باماست ودرخوراکهای مختلف می‌خورند، درطب و داروسازی ازمن‌استفاده‌های زیاد برده‌می‌شود. من ضدعفونی‌کنندهٔ دستگاه تنفس ودستگاه گوارش هستم، دربیماریهای ریوی مخصوصاً غانغاریای ریوی، سیاه سرفه اثرشگفت‌آور دارم. ضدعفونی‌کنندهٔ جلدی بوده و درپانسمان زخمهای سیاه شده به‌کار می‌روم. اشتها آور بوده وفشارخون رابطورثابت پایین می‌آورم. اثرمیکربکشی‌من‌درکشتن‌میکربهای وبایی قابل تحسین است.

من محلل غـذا بوده و رطوبت معده را جمع می‌کنم. خون غلیظ را رقیق می‌کنم، ادرار و عادت ماهانهٔ زنان را باز می‌نمایم و پادزهر سموم و زهرابه‌های میکربی هستم و به همین جهت اثرمن درمعالجهٔ رماتیسم شایان توجه‌است. برای پیشگیری‌ازامراض‌نباید درخوردن من‌غفلت‌کرد. مخصوصاً درموقعی‌که یك‌مرض‌مسری‌همه‌گیرمی‌شود. ترشی‌کهنهٔ من جهت پاك‌کردن گلووبازشدن‌آواز وتنگ نفس ومرض فراموشی، لقوه، رعشه واکثرامراض عصبی، دردمفاصل، عرق النساء (سیاتیك) نقرس و دردآنها مفید است. مرا جهت ازبین بردن اخلاط غلیظ ودفع باد پهلو وقولنج وهمچنین برای‌از بین بردن زالویی‌که درگلومانده باشد و انداختن انواع‌کرم معده وکرم‌کـدو و کرمك به‌کارمی‌برند. برای درمـان تبهای کهنه و زخمهای قدیمی‌که باهیچ دارویی معالجه نمی‌شوند به سراغ من بیایید تا به شما ثابت شود خوراکیها تاچه حد در درمان امراض مؤثر می‌باشند.

من رنگ‌رخساره را بازمی‌کنم وچنانچه زن آبستن در مواقع بارداری به مقدارکم ازمن استفاده‌کند، نوزاد اوخوش‌آب ورنگ خواهد شد ویکی از عجایب من این است‌که چنانچه زن‌آبستن سه روزقبل اززایمان مرا بخورد، دهن نوزاد او به هنگام تولد بوی سیرخواهد داد.

خوردن من با غذاهای سنگین سبب سبك شـدن و سهل‌الهضم شدن آنهاست. اثرمن‌درفروبردن ورمهاوخردکردن سنگ‌کلیه قطعی‌است. مداومت در خوردن من باعث ریختن موی سفید و درآمدن موی سیاه است، مشروط براینکه به‌حدکافی منگنزداشته باشم، ورروی همین‌است‌که اگر«بلادر» را در خاك دفن‌کنند وبگذارند بپوسدوبعدروی‌آن سیربکارند، خوردن‌آن سیرموی سفید را سیاه مـی‌کند. و چنانچه مقداری خـاك معدنی مغل کـه تـرکیب منگنز است بعنوان کود به‌گیاه من بدهند وهمین خاصیت را خواهد داشت. حافظ اشخاص پیر وسرد مزاج می‌باشم و خوردن من برای آنها بسیار مفید

است. من حافظه را تقویت می‌کنم و عضلات قلب را تقویت می‌نمایم. برای معالجهٔ گال و کچلی و همچنین برای از بین بردن زگیل مرا پخته و روی آنها بگذارید و این عمل را چندین بار تکرار کنید تا بهبودی به دست آورید.

اگر مرا در انبار اغذیه بگذارید، از هجوم شپشک به انبار جلوگیری می‌کنم و حبوبات را از این آفت حفظ می‌نمایم.

زیاده روی در خوردن من برای خون، چشم، بواسیر و زنان حامله چندان خوب نیست و تولید صفرا می‌نماید.

برای انداختن و بیرون کردن زالویی که در بیخ گلو مانده است، می‌توانید مرا در سرکه خیس کرده و آن را غرغره کنید تا این حیوان خون‌خوار بیفتد. مالیدن من با عسل جهت زخم و جوشهای جلدی نافع است و همچنین سیاهی زیر چشم را از بین می‌برم و برای جلوگیری از ریزش مو مفید می‌باشم. اگر مرا در روغن سرخ کنید و زیادی روغن آن را بگیرید، مالیدن آن ترکی را که در اثر سرما در دست و پا ایجاد شده است درمان می‌کند و مالیدن آن با عسل خالهای سیاه پوست را از بین می‌برد و برای معالجهٔ برص و طاسی نیز بی‌فایده نیست. نشستن در آب جوشاندهٔ برگ و ساقه‌های بوتهٔ من جهت باز شدن ادرار و باز شدن حیض نافع است، اگر مرا با نشادر و عسل مخلوط کنید، برای برص و سیاهی پوست نافع‌تر خواهم بود. اگر مرا همراه زفت کرده و روی ناخن ترکیده و زبر و کج بگذارید آن را اصلاح خواهم کرد. آب جوشاندهٔ من کشندهٔ شپش و حشرات است، جویدن برگ من بوی تند و زنندهٔ مرا از بین می‌برد، مخصوصاً اگر بعد از آن با نبیذ ریحانی مضمضه نمایید. خوردن من برای اشخاص مفلوج مفید است، مخصوصاً اگر تا چهل روز، روز اول یک دانه، روز دوم دو دانه... و روز چهلم چهل دانه خورده بعد روزی یک دانه کم کنید تا به یک دانه برسد. پیاز من در معالجهٔ امراض هر چه تازه‌تر باشد مفید است و برعکس ترشی من هر چه کهنه‌تر شود مرغوب‌تر خواهد شد. اثر من در پیشگیری امراض غیر قابل تردید بوده و بدون شک از پیدایش سرطان جلوگیری می‌نمایم. برای ضد عفونی مجاری ادرار دارویی بهتر از من نیست. سیر بیابانی خود را همراه با مریم نخودی معرفی خواهد کرد.

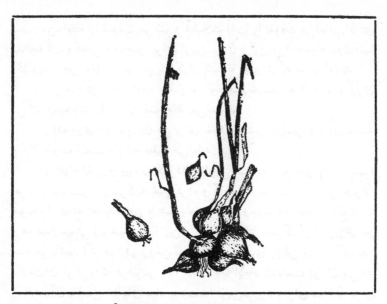

من «موسیر» هستم!

فشارخون‌را پایین می‌آورم. اگر می‌خواهید سرطان به‌سراغ شما نیاید مرا میل کنید. پادزهرخوبی برای سموم مختلف هستم. اشتهاآور بوده، خواب را زیاد می‌کنم. قوای روحی را تقویت کرده، درمان‌کنندهٔ تصلب شرائین‌می‌باشم. اگر ازدرد معده رنج‌می‌برید، به‌سراغ من بیایید!

فارسی من موسیراست، به من سیرکوهی هم‌می‌گویند. عربی من‌ثوم‌الجبال، بصل‌الذئب وبصل‌الزیز است ودربعضی ازکتابهای قدیم اشقردیون یاد شده است. من دارای بیش ازچهل گونه می‌باشم‌که یك نوع آن درکتب دارویی سنتی ایران به‌نام بلبوس‌آمده است.

تقویت قوای جسمانی وروحی، کشتن کرمها ومیکربهای درمان‌تصلب شرایین، پائین‌آوردن فشارخون، تمیزکردن دستگاه تنفس، خونسازی انساج بدن و بالاخره جلوگیری از پیدایش سرطان ازخو اص‌ذاتی خانوادهٔ سیروپیاز است، ولی چون خوردن‌آنها مخصوصاً سیرایجاد بوی زننده می‌کند و باعث

ناراحتی اطرافیان می‌شود، ازاین روعده‌ای‌ازخوردن‌آن خودداری می‌کنند، ولی من با این که کم و بیش دارای این‌خواص هستم نه تنهابوی زننده‌ندارم، بلکه دهان راخوشبو کرده وبوی بدآن را ازبین‌می‌برم. بهترین نوع مصرف من مخلوط باماست است که شما آن را ماست موسیر می‌نامید و بعد ازاین ترشی، ونمك پروردهٔ‌من می‌باشد. برای استفادهٔ من معمولا مرا چند روز در آب خیس می‌کنند وپس ازآن‌که چندین بارآب آن را عوض کردند، درماست یا سرکه می‌اندازند. ولی به شما توصیه می‌کنم‌که کاری نکنید‌که مواد مفید من درآب حل شده و دور ریخته شود، مرا فقط درمقدارکمی آب خیس‌کنید که‌آن را به‌خودگرفته ومتورم شوم وبعد به‌کاربرید.

من به هضم غذاکمك می‌کنم، ادرار و حیض را باز می‌کنم و پادزهر سموم می‌باشم، بطوری‌که عـده‌ای اثرضد سم‌مرا بیشتر از سیرمی‌دانند. من انقباضات‌دردناك‌معده‌وروده‌هارا ازبین‌می‌برم ـ اشتهاآوروخواب‌آورمی‌باشم.

بلبوس ـ من نوعی موسیرهستم‌که فارسی‌من‌تلخه پیازاست وترکان به‌من داغ سوغانی می گویند واهالی لرستان مرا طرم می‌نامند

شهوت را تحریك می‌کنم و خون را به سوی جلد جذب می‌نمایم، ضماد من به تنهایی یا با عسل جهت درمان پیچ خوردگی عصب وکوفتگی اعضا و سستی عضلات نافع است، خوردن من همراه با فلفل مقـوی معده بوده، به‌هضم غذاکمك می‌کند وضماد من با زردهٔ تخم مرغ برای پاك‌کردن سیاهی زیرچشم ولکه‌های جای زخم مفیداست.

سیرك ـ فارسی‌من‌سیرك، سیرچه،سیرج‌وعلف‌سیراست. جزوسبزیهای صحرایی‌هستم واعراب‌به‌من حشیشةالثوم‌گویند واین اسامی بیشتر به‌علت‌آن است‌که سبزی‌وریشهٔ من بوی‌سیرمی‌دهند، درحالی‌که‌درخانوادهٔ شب‌بوقرار گرفته‌وباخانوادهٔ سیروپیازنسبتی ندارم. بذرگیاه من‌که درکتب دارویی‌سنتی ایران‌به‌نام‌ثومون‌آمده‌است، دارای‌طعمی‌تندشبیه خردل‌است.من درشمیران، افجه، میگون، لوشان‌واهربه‌عمل می‌آیم. من نیروبخش بوده، عرق رازیاد می‌کنم وعادت ماهانهٔ زنان‌را باز می‌نمایم، وبرای‌حبس‌البول نافع می‌باشم. گیاه مرا باید تازه مصرف کنید، زیرا خشك من چندان خاصیت ندارد. شیرهٔ تازهٔ برگ من بطورضماد برای معالجهٔ زخمهای چرکی وغانغاریا مفیداست. دانه‌های من‌پوست بدن را همانند خردل قرمزمی‌کند وبه‌همین جهت به‌جای خردل به‌کار می‌روم. به بذر من درفارسی تخم زرداب وبه‌ترکی صفرااوتی می‌گویند.

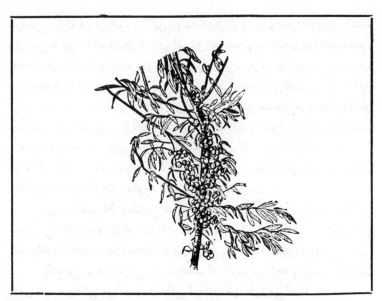

اسم من «سنجد» است!

بوییدن گل من برای اشخاص فلج نافع است. من مسکن قی وصفرا هستم. میوهٔ من، نرمی استخوان را ازبین می‌برد. برگ من دملهای چرکین را التیام می‌دهد. درمیوه‌ام خاصیت تقویت قلب وجود دارد...

درفارسی به من سنجد و در عراق «غبیده بادام» گویند و چون رنگ پشت برگ من سفید ونقره‌ای بوده غبارگرفته به نظرمی‌رسد. اعراب به‌من «غبیرا» گویند. میوهٔ من بااینکه کمی گس است، معذلك عده‌ای به خوردن‌آن علاقه دارند و باآرد آن حلوای غبیده بادام و قاووت درست می کنند. برگ درخت ومیوه خشك من شکم ودهان راجمع می کند. گلهای من بسیارمعطر بوده وبه‌شعاع بیش از پنجاه‌متر منتشرمی‌شود و چون شهوت زنان را زیاد می‌کند، بوییدن‌آن برای دختران وزنان جوان بی‌شوهر جایزنیست وعده‌ای هم نسبت به بوی‌آن حساسیت داشته ناراحت می‌شوند.

درصنعت داروسازی‌ازگلهای‌من‌جهت‌معطرکردن‌بعضی‌ازشربتها استفاده

می‌شود واثر تب بر دارد.

بوییدن گل من برای اشخاص فالج ولقوه‌ای مفید است. میوهٔ من مقوی معده بوده، و آن را جمع می‌نماید. مسکن قی وصفرابوده و مخصوصاً برای اطفال خیلی مفیداست. میوهٔ من بادشکن ومقوی دماغ وقلب است ونیزضد یرقان واستسقا می‌باشد. چون برگ درخت مرا برروی دمل بگذارند، باعث رسیدن آن شده وچرك آن راازبین می‌برد و زخم آن را التیام می‌دهد بطوری که احتیاج به دارویی دیگرنیست، واگر برگ تازهٔ من نباشد از برگ خشك من هم می‌توان استفاده کرد وچنانچه برگ مرا در روغن زیتون بجوشانید تا له شود، مالیدن این روغن جهت درد و ورم مفاصل و اعضای بی‌حس شده نافع است وچون این روغن را برسر بمالند باعث بلندی موی آن خواهد شد.

مقدار خوراك گل من یك مثقال و میوهٔ من تا پنجاه دانه می‌باشد.

میوهٔ من سرشارازویتامینهای «آ» و«ب» بوده وکمی ویتامین«کا» دارد. به‌این جهت ضداسهال خونی وبواسیر است وهمچنین ازنظراملاح غنی بوده، کلیه‌ها را گرم و معده را دباغی کرده، وادرار را زیاد می‌کند و نرمی استخوان را مانع می‌شود. اگر مبتلابه‌سلسله بول هستید یعنی ادرار زیاد می‌کنید، برای درمان آن دارویی بهتر ازسنجد نیست.

سنجد صحرایی

فارسی من «کام»است وبعضیها «کهام» گویند. دراطراف تهران به‌من سنجد صحرایی گویند و عربی من «شوك القصار» است و چون باریشهٔ من می‌توان همانند چوبك جامه شست عده‌ای از اعراب به من غاسول رومی لقب داده‌اند (غاسول به معنی چوبك است) ولی درکتب دارویی قدیم از من به نام «ابوقانس» یاد شده‌است. میوهٔ من گرد به‌رنگ زرد نارنجی است و طعم آن ترش می‌باشد. این‌میوه سرشار ازویتامین «ث» بوده، و اکنون آن‌را جهت استخراج این ویتامین، بیشتر می‌کارند. دراروپا ازمیوهٔ من مارمالاد می‌سازند. درختچهٔ من درایران در دامنهٔ البرز، مخصوصاً اطراف تهران، ونك، شهرستانك، سپهسالار، میگون، کرج و گچسر بطورخود روبه‌عمل می‌آید. دردامپزشکی از میوه و پوست درخت من برای معالجهٔ امراض جلدی استفاده می‌نمایند.

ریشهٔ درخت مرا چون قطع کنند، شیرهٔ زیادی ازآن خارج می‌شودکه برای شستشوی جامه و بدن به کاررفته وآن را خوشبو می‌نماید. این شیره برای معالجهٔ امراض کبدی مخصوصاً تشمع آن به کاررفته، ومی گویند همانگونه که جامه را پاك می‌کند، کبد رانیزشستشوداده وپاك می‌نماید. عده‌ای میوهٔ

درخت مرا ضدکرم هم می‌دانند ولی بهترین اثر آن دفع کمبود ویتامین «ث» در بدن بوده، و خوردن آن انسان را از ابتلا به‌امراض عفونی حفظ می‌نماید.

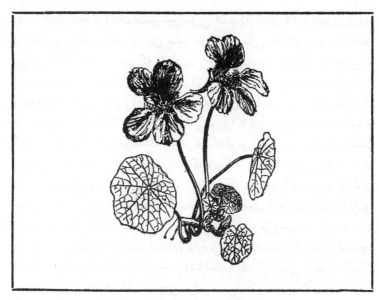

من «گل لادن» هستم!

با عفونت معده مبارزه می کنم. برای برنشیت مزمن نافعم و اخلاط سینه‌را پاك می کنم. برگ و گل من ضدرقیق شدن خون است‌وآن‌را تصفیه می کند. اگر ازگیاه تازهٔ من ضماد بسازند وبرسربنهند، پیاز مو را تقویت می کند. به مسلولین توصیه می کنم که از من استفاده کنند.

درکتابهای لغت وادبیات فارسی از «لاد» و «لادن» زیاد توصیف شده واشعار نغزی سروده‌اند.

ازعبیرو عنبو از مشك ولاد و داربوی
درسرابستان ما اندر خزان میداربوی

هـرلالـه که از دامن کهسار بر آمـد
از لطف تو بود ارنه زخارا ندمد لاد

نـریـزد از درخت ارس‌کافـور
نـخیـزد از میـان لاد لادن

اینها همه در وصف صمغ خوشبویی است که نامش لادن عنبری بوده، و از خارج می‌آورده‌اند. به این صمغ در زبان فرنگی «لادانوم» و «لابدانم» می‌گویند و از شکاف درختی که نام لاتینی‌اش «سیستوس» بوده و به عربی به آن «قسطوس» گویند خارج می‌شود. این صمغ خوشبو بوده و قاعده‌آور است و چون آن را زیر دامن زنی که عادت ماهانه‌اش بند آمده است دود کنند، باز خواهد شد. داروسازان سنتی ایران طاسی سررا با این صمغ معالجه می‌کردند که شرح آن بعداً داده خواهد شد این درخت که نوعی کاج است، در ایران نیست ولی در صفحات شمال ایران، یعنی جنگلهای کنار بحر خزر نوعی عشقه به نام «داردوست» می‌روید که بیش از چهار سال عمر می‌کند و در زمان کهولت از تنهٔ آن صمغی بیرون می‌آید که به آن لادن گویند و مانند لادن عنبری عادت ماهانهٔ زنان را باز می‌کند. این عشقه سابقاً در طب زیاد به مصرف می‌رسیــد، ولی به علت مسمومیت شدیدی که داشت استفادهٔ دارویی از آن منسوخ گردید و اما آنچه امروزه در نزد ما به گل لادن معــروف است، یک گل زینتی است که زادگاه اولیهٔ آن «پرو» در امریکای جنوبی بوده، و پس از کشف امریکا آن را به اروپا آورده، و کم کم کاشتن آن در ایران معمول شده است و حالا اجازه فرمایید این گل خود را به شما معرفی نماید.

اسم من گل لادن است. اعراب به من ابوخنجر و طرطور می‌گویند و هیچگونه نسبت و شباهت با صمغ لادن که شعرا آن را توصیف کرده‌اند ندارم. شما مرا در باغچه و گلدان می‌کارید و هیچگونه استفاده از من نمی‌کنید، در صورتی که گلبرگها و ساقه‌های نازک من اگر در سالاد ریخته شوند، آن را خوش طعم کرده، و خوردن آن عفونت معده و روده‌ها را از بین می‌برد. برگ و گل من ضد رقت خون و تصفیه کنندهٔ آن می‌باشد. شیرهٔ گیاه تازهٔ من در رفع بیماریهای سینه و سل مفید است، مخصوصاً عرق شبانهٔ مسلولین را کم می‌کنم. و برای نزله، برنشیت مزمن و افلاطونی سینه مفید می‌باشم. ضماد له شدهٔ گیاه تازهٔ من بر سر، پیاز مورا تقویت کرده و از ریزش آن جلو گیری می‌کند.

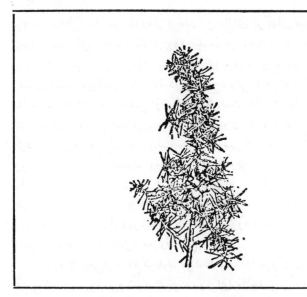

اسم من «سرو» است!

برگ درخت من، قطع کنندهٔ خونریزی است. میوهٔ من را به آنان که زخم معده دارند توصیه کنید. برای تقویت موی سروسیاه شدن آن از برگ من استفاده برید. اگر از برگ من مربا درست کنید، می‌توانید از آن برای درمان سرفهٔ کهنه استفاده برید...

میوهٔ سروخنک داد بهمن دوش طبیب
تا که بسیاری قندت نـدهد آزارم

در ایران به انواع درخت عرعر، پیرو، اورس، ابهل و چندین نوع گیاه زینتی سرو گویند و اکنون اجازه دهید چند نوع از آن در اینجا خودشان را به شما معرفی کنند.

سروسهی

درخت من بلندقامت و موزون است، ارتفاع من ممکن است به ۲۰ تا

۲۵ متر وقطر بدنهٔ من تادومتر برسد. من دارای برگهای سوزنی و دایمی بوده و بـه‌شکل مخروط بالا می‌روم. چوب من سفید و در بعضی از انواع زردرنگ یاکمی‌مایل به‌قرمزی است. دارای بوی مطبوع بوده وبسیارمحکم وقیمتی است. میوهٔ‌من‌شبیه میوهٔ درخت کاج، ولی خیلی کوچکتر ازآن، یعنی به‌اندازهٔ یك فندق ودربعضی ازانواع ممکن‌است به‌اندازهٔ یك گردوی پوست کنده شود. میوهٔ من صنوبری‌بوده، دارای بوی تند ونامطبوع است وبه‌آن گردوی سروهم می گویند. درخت من‌خزان نمی کند. من‌درنواحی کوهستانی وجنگلهای شمال، مخصوصاً رودباربین راه قزوین و رشت، پل‌زنگوله، درهٔ چالوس، زرین گل نزدیك علی‌آبـاد و کوههای رامیان به‌عمل می‌آیم. در گرگان، علی‌آباد، درهٔ چالوس به‌من «سور» گویند. در گیلان و رودباربه‌آن زرین درخت، درکتول وپل‌زغال، ورامیان «سور» و «سر» در آمو «سوزش» و درشیراز به«درخت‌اهل» معروف می‌باشم.

سروناز یکی‌ازانواع کوتاه‌قد من‌است که‌به‌آن سروکاشی وسروشیرازی هم‌می‌گویند. میوهٔ سرو نازخنك بوده، وبرای‌معالجهٔ‌مرض قندبه‌کارمی‌رود.

قسمت مورد استفادهٔ من «سروسهی» چوب، برگ ومیوهٔ من است که دارای دانه‌های زاویه‌دارمی‌باشد. میوهٔ مراموقعی باید بچینیدکه هنوز رنگ زردآن ازبین نرفته ودارای فلسهای گوشتدار باشد. میوهٔ من دارای یك تا دودرصد اسانس، مقداری تانن وترکیبی شبیه کافور است.

چوب درخت من به‌علت‌داشتن تانن قابض است، پیشاب‌وعرق‌را زیاد می‌کند. میوهٔ‌من‌نیزقابض‌بوده، برای‌درمان‌اسهال‌واسهال‌خونی‌تجویزمی‌شود. پماد جوشاندهٔ‌آن برای معالجهٔ بواسیر به کار می‌رود. برگ درخت من قابض و محلل است، خونریزی را قطع می کند، عفونت را ازبین می برد وسیاهی‌جلد را پاك می کند. نوشیدن جوشاندهٔ برگ من برای معالجهٔ سختی ادرار مفید است. مضمضهٔ آن لثه را محکم می‌کند و خونریزی آن را از بین می‌برد، وغرغرهٔ آن برای دردگلو نافع است. مربای برگ من با عسل جهت درمان سرفهٔ‌کهنه مؤثراست، عده‌ای برگ مراکمی‌مخدرمی‌دانند. چون دانه‌های میوهٔ مرا ساییده در روی فتق ضماد نمایند، و آن‌را ببندند، باعث تحلیل‌آن می‌شود. خاك‌ارهٔ چوب من جهت جلوگیری از سیلان خون سودمند می‌باشد. ضماد برگ من‌جهت سوختگی‌آتش وجلوگیری ازجراحات چرکی پوستی وپختهٔ‌آن درسرکه جهت ازبین بردن لکه‌های جلدی و سفیدك ناخن وهمچنین جهت معالجهٔ فتق والتیام جراحات و تقویت اعضای بیحس

شده وجلوگیری از خونریزی و پانسمان زخم و فروکش ورم و زخمهای کهنه تجویز می‌شود، کشیدن محلول صمغ من در بینی جهت جلوگیری از آبریزش آن و خوردن ومکیدن آن جهت ازبین بردن سیلان آب دهان مفید می‌باشد وچون میوهٔ مرا با «آمله» درآب و سرکه بپزند تا له شود، و بعد با روغن کنجد بجوشانند و بگذارند تفالهٔ آن ته‌نشین شود، و بعد تفاله را برروی موی سرضمادنمایند و روغن آن‌را بمالند، جهت سیاه‌شدن ودرازشدن مو مفید می‌باشد وچون برگ درخت مرا بکوبند وبعدباحنا وسرکه مخلوط نمایند و برروی موی‌سرضماد نمایند، آن‌را سیاه وقوی می‌سازد.

چون برگ وشاخهٔ مرا دراتاق نگاه‌دارند، پشه به آن نزدیک نمی‌شود واگر بشود آن‌را می‌کشد. دود شاخه وبرگ من‌هم همین اثررا دارد.

انواع پیرو

پیروکه اکنون خود را معرفی می‌کند، نام چندنوع سروکوهی است که درجنگلهای شمال ایران می‌روید.

به‌نوعی ازمن درگرگان پیرو، در شیرکوه و درفک اریس واریز در دیلمان «ابرسک» درنورو کجور «دیس» و در رودسر «ارس» گویند.

درخت عرعر

فارسی من سروکوهی است و درشیراز به‌من «اهل» گویند. من دونوع دارم یکی‌بزرگ که‌ازسرو کوتاهتر و کوچکتر است ومیوهٔ آن به‌قدرفندق بوده، کمی شیرین است. نوع کوچک من ازنوع اول کوتاهتر وکوچکتر است، و به‌میوهٔ آن درطب قدیم «ابهل» می‌گفتند. برگ من قابض و پادزهـر سموم است. ادرار وحیض را باز می‌کند. خوردن سه گرم آن جهت بازشدن سینه، سرفه، دردسینه وطحال وضعف‌معده مفیداست. بادشکن بوده، برای دل‌پیچه و درد رحم و سختی سینه‌نافع است، مقدارخوراک برگ من پنج گرم است.

ابهل. من میوهٔ یکی از گونه‌های سرو کوهی هستم که‌در جنگلهای شمال ایران‌می‌روید. ارتفاع درخت‌من یک‌تا دومتراست، چون دراثرپرورش و انتقال درخت من به‌جاهای دیگر تغییراتی در شکل برگها و حتی دستگاه تولید مثل ظاهر می‌شود، ازاین جهت شکل ظاهری مـن در کتب مختلف یکسان نوشته نشده‌است. میوهٔ من به‌اندازهٔ یک فندق وآبدار می‌باشم که در روی دمگل قرار می‌گیرم و رنگ من آبی تیره است. درپشت برگهای من

غدد ترشحی وجود دارد وآن بوی‌نامطبوع وطعمی تلخ‌می‌دهد. به‌من‌مای ـ مرز ـ ریس ـ براتوا و براتون‌هم می‌گویند. من محلل غذا بوده، وقابض نیز می‌باشم. جهت بی‌حسی اعضا، سرسام «مننژیت»، فلج، سنگینی گوش وپیورهٔ دندان ـ تنگ نفس ـ استسقا و بواسیر و بازشدن عادت ماهانهٔ زنان واز بین بردن عفونت زخمهای پلید وچرکی وداءالثعلب ـ سختی اعضا و رفع آثار جلدی مراتجویزمی‌کنند. ضماد برگ درخت من برسر جهت سرسام وخوردن میوهٔ من جهت فلج وبی‌حسی نافع است. اگر میوهٔ مـرا در روغن کنجد در ظرف آهنی بجوشانید تاسیاه شود وآن را در گوش بچکانید، سنگینی آن را از بین می‌برد. مضمضهٔ جوشاندهٔ میوهٔ من ومالیدن کـوبیدهٔ‌آن با عسل جهت پیوره وچرک لثه و رفع تعفن آن مفید بـوده، باعث گوشت نـوآوردن آن می‌شود. مخلوط ۱۵ گرم میوهٔ من باهشت گرم روغن گاو، وهشت گرم‌عسل جهت تنگ‌نفس نافع است. نوشیدن آب‌جوشاندهٔ میوهٔ من جهت از بین‌بردن نفخ معده واستسقامفید بوده، قاعدهٔ زنان‌را بازمی‌کند، ولی خوردن‌آن‌جهت زنان‌آبستن خوب نیست، چون باعث سقوط جنین می‌شود. حمول‌آن باعسل نیز باعث سقط جنین است. خوردن پنج گرم میوهٔ من تمام کرمهای معده را می‌کشد، اگر ۱۵ گرم میوهٔ مرا با روغن گاو بپزند تا روغن را جذب کند و بعدآن را بسایندوبا۱۵ گرم قند مخلوط‌کرده وصبح ۱۵ گرم‌آن‌را با آب گرم بخورند درد زیرشکم و کرم معده را ازبین می‌برد، پاشیدن گردکوبیدهٔ میوهٔ من جهت زخمهای چرکی وآبدار و خوره‌ای وپانسمان زخمهای متعفن مفید است. ضماد آن باعسل از زیاد شدن زخمهای چرکی جلوگیری کرده و مانع سیاه شدن جای آنها می‌شود، وهمچنین ضماد میوه و ضماد برگ درخت من جهت ورمهای گرم و سیاهی پوست و سرخی جـای زخم سودمند می‌باشد. مالیدن آن با سرکه جهت درمان داءالثعلب (گری) به‌تجربه رسیده است. مقدار خوراک میوهٔ من پنج گرم است.

شربین

در داروسازی سنتی ایران‌ازگیاهی به‌نام شربین نام برده‌شده وعده‌ای آن را ازخانوادهٔ سرو، عده‌ای از خانوادهٔ کاج دانسته‌اند، که چندان صحیح نیست. این گیاه را دراصفهان «فوش» گویند و به‌موقع خودرا در جای‌دیگر خودرا معرفی خواهدکرد.

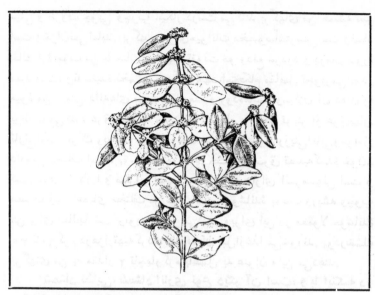

اسم من «شمشاد» است!

پوست و چوب من، خون را تصفیه می کنند. تب بـر هستم وبرگم اثـر مسهلی دارد. جوشاندهٔ پـوست و ریشه‌ام را برای معالجهٔ تب ونـوبه به‌کاربرید. عرق شکوفهٔ من دل‌را تقویت می کند. خاکارهٔ چوبم اگر باحنا به‌سرمالیده شود، باعث‌تقویت مو می گردد.

فارسی من شمشاد است. درگیلان و طـوالش بـه من‌کیش، در آستارا شومشاد، در رامسر و رودسر و شهسوارشوشاروششار درمازندان ونورشار وآشر، درآمل‌وکجور مرا شهرمی‌نامند. درکتب قدیمی به من بقس، شجرة- الیس ـ عتق ـ کتم تنتم و نقش می گفتند، به‌شاخه‌های نازك من‌که باطراوت بـوده و از غایت نازکی به سوی زمین میل می‌کند و شعرا آن را به زلف خوبان تشبیه‌می کنند، شمشاداناری‌می گویند. گیاه‌من به‌مقدارزیاد درجنگلهای شمال ایران می‌روید، درختچهٔ من به ارتفاع ۱٫۵ تا۷ مترقامت دارد وبیش ازهفتصد سال عمرمی‌کند. چوب درخت من سخت وسفید است و چون خشك شود رنگ‌آن‌کمی‌زرد می‌شود ودرگیلان‌معمولاً باآن ـشانه ـتاشق ـعصاـ

سینی و ظروف چوبی وچوب سیگار درست می‌کنند برگهای من همیشه سبز است وخزان‌نمی‌نماید. برگ من برای‌حیوانات مخصوصاً‌شترسمی‌است وضماد خاك ارهٔ چوب من با حنا برسرجهت تقویت مو ودفع سردرد و درمان شوره مفید است، وبا سفیدهٔ تخم مرغ وآرد جهت‌استحکام مفاصل تجویزمی‌شود. میوهٔ من، یعنی دانه‌های من قابض معده و روده‌هاست وسیلان آن دهان را برطرف می‌کند، عرق شكوفهٔ من درتقویت دل و دماغ قویتر از عرق‌بهار ـ نارنج‌است. برگ وپوست ریشهٔ درخت من دارای مواد رزینی لعابی‌وعوامل دارویی مختلف است، پوست و چوب درخت من‌معـرق تصفیه‌کنندهٔ خون ـ تب‌بر ـ ضد مالاریا و صفرابر است. برگهای من دارای اثـرمسهلی است و مصرف زیاد اعضای مختلف من سمی است. جوشاندهٔ پوست وریشه وچوب من برای معالجهٔ تب ونوبه تجویز می‌شود وبرای این کار معمولا جوشاندهٔ ۳۰ تا ۶۰ گرم درهزارتهیه کرده، یك فنجان قبل‌ازغذا می‌خورند. پودرخشك برگهای من به مقدار ۲ تاچهارگرم باعسل به عنوان ملین می‌دهند.

شمشاد نعنایی، شمشاد اناری نوع دیگر آن است، و با اینکه در جنگلهای شمال ازقدیم به عمل‌آمده معذلك بعضیها به‌آن شمشاد ژاپنی هم می‌گویند.

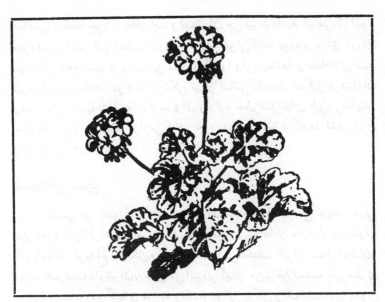

من «شمعدانی عطری» هستم !

فارسی من شمعدانی عطری است وبه برگ عطر، برگ مشك، گل عطر نیز معروف میباشم. عربی من ـ غرنوقی، جرانیون، غرانیون است. گل من عطر چندانی ندارد، ولی برگ من معطر می باشد. مخصوصاً وقتیکه آن را دستمالی کرده وبین دوانگشت بفشارید. اسانس برگ من برحسب نوع ومحل پرورش گیاه فرق می کند. چنانکه در محیط مرطوب به عمل آیم، اسانس برگ من زیاد تر است وچون محیط خشك باشد، اسانس من کمتر، ولی مطبوعتر است. زادگاه اولیهٔ انواع ما افریقای جنوبی است، ولی امروزه دربسیاری از نقاط جهان مانند الجزیره، ماداگاسکار، کرس، اسپانیا و فرانسه ما را به مقدار زیاد می کارند. در ایران نیزیك نوع ما را پرورش می دهند، ولی هیچگاه در ایران به طور خودرو و وحشی دیده نشده ایم. ازانواع ما درصنعت داروسازی

اسانسی باکمك جریان بخار آب و تقطیرآن می گیرندکه به اسانس ژرانیوم معروف‌می‌باشد. این اسانس دارای اثرضد عفونی‌کننده بوده و برای درمان سوختگی نافع است و برای این منظور آن را وارد پمادها و ضمادهای ضد سوختگی می‌نمایند. در دندانپزشکی نیزاز اسانس ماجهت تسکین درددندان وضدعفونی‌کردن لثه‌استفاده‌کرده وآن راوارد خمیردندانهای طبی‌می‌نمایند. حشرات‌ازبوی برگ ما فرارمی‌کنند. خوردن جوشاندهٔ برگ ما فشار خون راپایین می‌آورد.

شعمدانی بدبو

فارسی من بدبو است، به من «سوزن نخ نصارا» نیز می گویند. عربی من عطرو«ابرةالراهب» است. من بطورخودرو دراماکن سایه‌دار ومرطوب آذربایجان، قره‌داغ، جنگل‌حسن‌بگلو، نواحی‌مختلف البرز، شمال لوشان‌و دراطراف‌رشت‌ومازندران به‌عمل می‌آیم، برگهای من برخلاف‌شمعدانی‌عطری بوی ناپسند دارد، گلهای من به رنگ‌ارغوانی یاگلی رنگ‌است، من مقوی معده وپیشاب‌آوربوده، به‌عنوان‌رفع‌خونریزی‌ودرمان‌بیماری‌قندبه کارمی‌رود. خوردن من باعث‌کاهش مقدارقند درنزد مبتلایان است، وبه‌علت داشتن تانن درمعالجهٔ اسهال اثرقاطع دارم، غرغرهٔ جوشاندهٔ من در واقع گلو درد، ورم مخاط دهان، گلو و لوزتین مؤثراست، ضمادگرم برگ من برای تسکین باد سرخ ودرمان خنازیر،کوفتگی‌وبازشدن پستان تجویزمی‌شود. مقدارخوراك من سه فنجان در روز از دمکردهٔ ۵۰ تا صدگرم درلیتراست وشیرهٔ برگهای تازه وله شدهٔ من درالتیام بریدگیهای‌سطحی‌بدن و زخمهای ساده مؤثراست. دراستعمال خارجی ازجوشاندهٔ غلیظ من به نسبت بیست درصدجهت شستشو استفاده می کنند.

سوزن نخ پیرزن

من هم‌ازخانوادهٔ شمغدانی هستم وچون میوهٔ من دارای منقاری شبیه سوزن نخ است، پس از رسیدن میوه به خود پیچیده و شکل فنرپیدا می کند. به فارسی به آن سوزن نخ پیرزن، و به عربی غزیل و ابرةالعجوزه گویند. گلهای من به‌رنگ گلی روشن یا ارغوانی است. من بطور خودرو در دامنهٔ کوه البرز، اطراف تهران وکرج،بین‌رودبار و رشت، درناحیه‌کوشك شمال، لوشان، بی‌ورزن، عمارلو،کبوترچاك، سواحل دریای مازندران از رامسرتا

بندرگز، سنقر، همدان،کرمانشاه، اطـراف اصفهان، خـراسان، آذربایجان، بوشهر، جزیرهٔ خارك، جزیرهٔ ابوموسی، بلوچستان مسجد سلیمان و آبادان به عمل می‌آیم. برگ من قابض‌بوده وبرای بندآوردن خون تجویزمی‌شود.

نوع بزرگ من‌که درجنوب‌ایران، بوشهر وجنوب غربی بین‌شوشتر و دزفول و اطراف دیلمان به عمل می‌آید، فارسی و عربی به آن مسیکه گویند. ضدتشنج، پیشاب‌آور والتیام دهندهٔ زخمها می‌باشم.

شعمدانی معمولی و دهن‌اژدر

گلهای من به رنگ صورتی، قرمز، سفید و ارغوانی‌است، وبه‌عنوان یك‌گیاه زینتی در اکثر باغچه‌ها و گلدانهاکاشته می‌شوم. برای ازدیاد من از قلمه استفاده می‌کنند. عربی من الغرنوقی والعثر می‌باشد. من جزو گیاهان بومی ایران نبوده، و داروسازان سنتی و داروسازان جدید از نظـر دارویی روی من مطالعه نکـرده‌اند. به نوع پیچ من دهن‌اژدر هم می‌گویند، و در هیچیك ازکتب قدیمی نامی ازگل شمعدانی و دهن‌اژدر نیست.

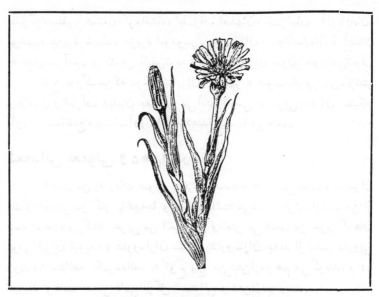

اسم من «شنگ» است!

برگهای‌من ازخونریزی‌معده جلوگیری می‌کند. اگر مسموم شدید از ریشه‌ام استفاده‌کنید. برای رماتیسم مفیدم وآب ریشهٔ خام من زگیل را از بین می‌برد. برای مسلولین نفع بسیار دارم. گل من را برروی محل سوختگی قرار دهید تاازقدرت آن در التیام سوختگی پی‌ببرید!

فارسی من شنگ است، در شیراز و اصفهان به من آلاله شنگ و در خراسان‌ریش‌بزخالدارخطاب‌می‌کنند. به‌من گیاه قندرون، سنسفیل،تسلسفیل، اسپلنج واسفلنج هم‌می گویند. عربی نوع چمنی‌من‌که برگهای‌آن باریك‌تراز من‌می‌باشد، لحیةالتیس وزنب‌الخیل‌است، ولی‌درعراق‌وشامات‌به‌آن اذناب‌الخیل می گویند. من درچمنزارهای نمناك شمال ایران، عمارلو، بین‌کبوتر چای وزردچین، ایسپیلی ییلاق دامنهٔ‌البرز، مخصوصاً افجه و نارون می‌رویم ونوع‌چمنی‌من‌درمغرب ایران، تفرش، اراك،کوه‌شاهوو کردستان زیاد است، و دراروپا به‌علت زیبایی گل من گیاه مراپرورش می‌دهند. گیاه شناسان قدیم

نوع حقیقی مرا نر و نوع چمنی را ماده می‌دانستند، و در زبان فرانسه به من‌یارب‌دوشوو، یعنی‌ریش‌بزمی گویند. گل من که دارای زبانه‌هایی زردرنگ وقشنگ‌است، درفاصلهٔ اردیبهشت تاتیرماه‌ظاهرمی‌شود. ریشهٔ گیاه من دارای لعاب بوده وکمی تلخ است و خوردن آن اشتها را فوق‌العاده زیاد می کند. ریشهٔ من خلط‌آور ونرم‌کنندهٔ سینه و التیام دهندهٔ زخمهاست. ازبرگهای من در سالاد استفاده می‌کنند و ایرانیان آن را مانند کاهو و کاسنی با سرکه وبدون‌آن می‌خورند، چون‌بسیارخنك می‌باشم. خوردن برگهای من اسهال وخونریزی معدی را بند می‌آورد و از خونریزی سینه جلوگیری می‌کند و برای مسلولین نافع است.

ریشهٔ من برای جلوگیری‌ازاسهال‌وخونریزی، ازبرگ من قویتراست و خوردن خیساندهٔ آن درشراب برای جلوگیری از خونریزی رحم تجویز می‌شود. پاشیدن برگ وگل‌خشك شدهٔمن در روی زخمهای چرکی ومتعفن سودمند می‌باشد و ضماد آنرا برای التیام عصب قطع شده مفید دانسته‌اند، ضمادگل من باموم جهت سوختگی آتش مفید است. حکیم محمدبن زکریای رازی خوردن ریشهٔ گیاه مرا پادزهر سموم می‌دانست. عصارهٔ گیاه من‌که‌در طب سنتی ایران طرثوث خوانده شده است، پادزهر قوی است و در ساختن تریاق فارون‌به‌کارمی‌رود. برای‌معالجهٔ‌نزلهٔ ریوی،نقرس،رماتیسم وامراض جلدی‌جوشاندهٔ شصت‌گرم ریشهٔ مراتجویزکرده‌اند. اگرمرا پختید هرگزآب آن را دورنریزید بلکه آن را بنوشید، زیرا منافع من در آب جوشانده جمع می‌شود. عصارهٔمن جهت درمان‌کچلی وزخمهای جلدی مفیداست.آب ریشهٔ خام من زگیل را ازبین می‌برد.

قندرون

چنانچه گیاه شنگ چمنی را قطع‌کنید، ازآن یك مادهٔکائوچوکی ترشح می‌شود، که به آن‌قندرون و قندران می‌گویند. این ماده دربرابر هوا سفت می‌شودوایرانیان‌آن رامانند سقز می‌جوندوچنانچه‌کمی حرارت به‌آن بدهید، به‌صورت‌کش درمی‌آید وبا آن بهترین لاستیك رامی‌توان ساخت، ولی چون مقدار آن‌کم است ساختن لاستیك با آن به صرفه نیست. قندرون از دوستان کبد بوده و سریع الهضم است و از احتقان خون جلـوگیری‌کرده، جویدن آن هضم غذا راآسان مـی‌کند،اشتها را زیاد می‌نماید. برای پاك شدن سینه ازاخلاط نافع است. برای شش وقلب نیز مفید می‌باشد. خوردن مقدارکمی ازآن، شب موقع خواب برای تسکین سرفه تجویز شده است، ضماد آن با

سندروس یا زردهٔ تخم‌مرغ نیم برشته برروی زخم جهت التیام و رویانـدن گوشت سودمند می‌بـاشد. ضماد گداختهٔ آن با پیه بزجهت رفع کجی ناخن و درد عضلات و ترك پوست و شقاق مزمن مخصوصاً با کمی شنجرف نافع می‌باشد، و با روغن زیتون جهت تحلیل ورمها و شکاف کشالهٔ ران وتقویت اعصاب وخارش نافع می‌باشد. مقدارخوراك آن یك مثقال است.

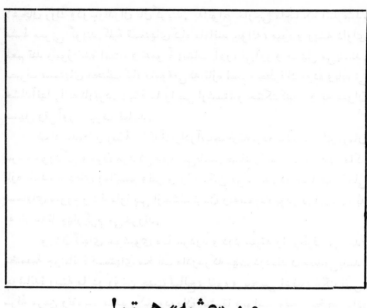

من «عشبه» هستم!

با اینکه پیشینیان بهترین نـوع عشبه را عشبهٔ چینی و عشبهٔ مغربی می‌دانستند، طبق آزمایشهایی که به‌عمل آمده‌است، انواع ایرانی عشبه‌مزایای زیادی دارند.

ما عشبه‌ها عموماً درخانوادهٔ مارچوبه قرار داریم. و درایران نوعی ازما درسواحل بحرخزرمی‌روید. به‌آن درلاهیجان وشهسوازملك وازملکی، درآستارا شنگیله، در گرگان کفله‌بور، در بندرپهلوی والی گیلی، در اطراف رشت‌تیمس کامپوره، درآمل سکلیم، دربهشهرلم، درساری ملاش، درچالوس تلی، در میان دره ورك‌لام، در دیلم شات دانــه و در بعضی از نقاط گیـلان گلگادانه می گویند، ویك نوع دیگرما که بالارونده بوده، وبر گهای نوك‌تیز شفاف شبیه قلب دارد، به آن در گیلان تیمس، درکردستان بمبلی بـوز و در

لاهیجان رزك ودرمازندران تال گویند. به‌انواع خارجی ماچنانکه اشاره‌شد، عشبهٔ مغربی گویند. کلیهٔ قسمتهای گیاه ماماننند جوانه، میوه و ریشه دارای طعم تند وسوزاننده است، و عموماً پیشاب آور، قی‌آور و مسهل می‌باشند. مصرف قسمتهای مختلف گیاه ماموقعی که تازه است، خطرناك بوده وبایستی خشك‌آنها را به‌کاربرد. ریشهٔ ما را پس ازشستشو خشك‌کنید، و به عنوان مسهل وقی‌آور مصرف نمایید.

ضماد غده‌های ریشهٔ ماکه‌آن‌رادرآب‌جوش‌له‌کرده باشند، برای‌درمان ضرب خوردگی وخون مردگی مفید می‌باشد. ضماد رنده شدهٔ غده‌های ماکه تازه باشد، دردهای رماتیسم ونقرس را تسکین می‌دهد. در مصارف داخلی قسمتهای متورم ریشهٔ مارا پس ازخشك‌کردن وبه‌صورت پودر درآوردن، به مقدار سه‌تا چهارگرم می‌خورند.

بوییدن گلهای خوشبوی ما سردرد و درد شقیقه را برطرف می‌کند، مضمضهٔ جوشاندهٔ قسمتهای مختلف مادرسرکه‌جهت دردندان مفیدمی‌باشد، جوشاندهٔ ریشهٔ ما در روغن جهت فالج، لقوه و بیحسی اعضا، تنگ نفس، سرفهٔ مزمن وتقویت معده وکبد ودرمان استسقا وبواسیر مفید تشخیص داده شده است. خوردن جوشاندهٔ من‌هرروز به مقدار یك مثقال بانبات تا یك هفته جهت درد مفاصل مزمن، وضماد آن باگلاب جهت فالج و تسکین درد مفاصل وسیاتیك تجویزشده است. حمول غده‌های آن، ادرار را بازمی‌کند و برای‌زنان‌آبستن خوب نیست، زیرا ممکن‌است باعث سقط جنین شود. ضماد من جهت جذام نیزتوصیه شده است. برای معالجهٔ برص، سیاتیك وگری ریشهٔ مرا درسرکه‌له‌کرده، روی پوست آنقدر بمالید تاخون‌آلودگردد وبعد پانسمان نمایید. می‌گویند عشبهٔ مغربی محصول‌اروپا وعشبهٔ چینی محصول خاور دور می‌باشند. به عشبهٔ چینی اشتباهاً چوب چینی هم می‌گویند.

فرنگی‌ها به‌من سالسیاره می‌گویند.

۲

اسم من «زیتون» است!

اشتهاآور هستم. اگرمی‌خواهیدلاغر شوید، ازشورمن استفاده‌کنید. برگ من فشارخون را پایین می‌آورد. اگرجوشاندهٔبرگ مرا دردهان بگردانید درد دندان را تسکین می‌دهم. جوشاندهٔریشه وبرگ‌من سردرد را ازبین می‌برد. درتقویت ذهن اثری‌نیکودارم...

چون طوفان نوح آرام شد، کبوتری سفید شاخه‌ای ازدرخت مرا به عنوان هدیه برای حضرت نوح برد وآن حضرت دانست‌که درجهان‌آرامش برقرارشده است، و ازآن تاریخ کبوتر سفید وشاخهٔ من علامت صلح و صفا شناخته شد، و درخت مرا درخت عقل ودانش شناختند و در یونان معتقد بودندکه مرا رب‌النوع عقل کاشته است. درقرآن مجید خدای بزرگ به‌من سوگند یادکرده... میوهٔ من دارای فسفر، پتاس، گوگرد، منیزی، کلسیم، آهن، مس ومنگنز است.

من دربلوچستان، رودبارمنجیل، حاجی‌لربه‌عمل می‌آیم و درشاه‌پسند گرگان به‌درخت من چوب سید گویند. چوب درخت من قابل جلاوتعلیم

است و باآن می‌توان بهترین عصارا ساخت. پیشینیان در دست گرفتن عصای مرا علامت تشخص مـی‌دانستند. درخت من بعدازچهل‌سال میوه می‌دهد و نزدیك به‌دوهزارسال عمر می‌کند. میوهٔ رسیده‌ویاقوتی رنگ‌من، مقوی‌معده و زهکش دستگاه گوارش است، اشتها را زیاد می‌کند وشکم را بند می‌آورد. شهوت را زیاد می‌کند وزیاده‌روی درخوردن میوهٔ پروردهٔ من درآب نمك، باعث لاغری و بی‌خوابی است. ضماد گوشت میوهٔ رسیدهٔ من از پوسته‌پوسته شدن و شورهٔسر جلوگیری می‌کند. ضماد میوهٔ نارس من‌جهت سوختگی آتش و مالیدن‌آن باپیه وآرد گندم جهت رفع‌سفیدی ناخن و بخور میوهٔمن باهسته جهت تنگ‌نفس وامراض ریوی سودمند می‌باشد.

برگ من به‌صورت جوشانده وعصاره ومحلول درالکل به‌عنوان‌تب‌بر وپـایین‌آورندهٔ فشارخـون به‌کار می‌رود. ضمادبرگ‌من جهت‌جوش چشم و ورمهای گرم‌نافع‌است، جویدن‌برگ من‌جهت معالجهٔ جوش دهان وضمادپختهٔ برگ من‌باآبغوره بحدی‌که به‌قوام‌آمده و عسلی‌شود، جهت دندان کرم خورده مفیداست. حمول عصارهٔآن جهت‌جلوگیری‌ازترشحات رحم وخونریزی‌آن، و ضمادخام‌آن‌جهت برآمدگی‌حدقه مؤثراست، وچون‌مغزهستهٔ مرا باپیه وآرد مخلوط کرده، وبرروی سفیدك ناخن‌بگذارید، آن‌راازبین می‌برد و چنانچه ریشهٔ درخت مرا باقدری برگ من بجوشانیدو باآن‌مضمضه کنید، سردردرا تسکین می‌دهد وکشیدن‌آب‌آن دربینی جهت معالجهٔ زکام و آبریزش دماغ سودمند می‌باشد وچون شاخه‌های باریك برگ مرا درظرف سوفالی ریخته ودرکوره بگذارید تا ذغال شود، بهترین سرمه بوده ودرگذشته به‌عنوان توتیا به‌کار برده می‌شد. آبیکه ازساقه‌های‌من هنگام سوختن بیرون می‌آید جهت‌معالجهٔ جرب و شورهٔسر وزخمهای سر نافع است. کشیدن‌جوشاندهٔ تمام اعضای من جهت درد شقیقه وسرگیجه و پاشیدن‌آن درجهت گریزاندن حشرات توصیه شده است. آب‌میوهٔ من‌جهت (داءالثعلب) وداءالحیه (فلس‌فلس شدن‌پوست) نتیجهٔ نیکو دارد. مضمضه باآب نمکی‌که میوهٔ مـرا درآن خیسانده باشند جهت استحکام دندان ولثه مفیداست.

ازتنهٔ درخت مسن من یك‌مادهٔ قندی به‌خارج ترشح می‌شود که به‌آن صمغ درخت زیتون یا انگبین زیتون گویند، این ترشح که بطورنادر به‌دست می‌آید، یك مادهٔ غذایی بسیار عالی است، درتقویت‌ذهن قویترازکندراست، جهت درمان سرفهٔ‌کهنهٔ‌خشك واخراج بلغم مفیداست، مرهم صمغ درخت‌من جهت رویاندن‌گوشت مفید می‌باشد. صمغ درخت‌نوع وحشی من، قوی‌تراز بستانی‌است، بازکنندهٔ ادراروحیض‌بوده، وحمول‌آن‌جهت‌زخم‌رحم مفیداست.

روغن زیتون

روغن میوهٔ من به‌عنوان نرم کنندهٔ شکم و درموارد سنگهای صفراوی وقولنجهای کبدی و کلیوی و رفع یبوست وهمچنین برای کارگرانی که باسرب کار می‌کنند اثرمفید دارد.

مقدار خوراك آن به‌عنوان ملین ۳۰تا۶۰ گرم، برای معالجهٔ قولنجهای کبدی وسنگ کیسهٔ صفرا ۱۰۰ تا ۴۰۰ گرم است. در قولنجهای کبدی و سنگهای صفراوی بهتراست دویست تاچهارصد گرم آن‌را تنقیه کنند و برای این کار بهتراست آن را بایك لیترآب ویك زردهٔ تخم مرغ بزنند تا به‌صورت نیم محلول درآمده و به‌صورت تنقیه به کار برند.

خوردن چهارده مثقال روغن من باآب گرم وبا جوشاندن جومسهلی عالی است و جهت درد عضلات وسیاتیك و با آب گرم جهت رفع قولنج و دل‌پیچه واخراج کرم معده و ریختن سنگریزه‌های کلیه ومثانه ودرد مفاصل به کار می‌رود. روغن‌مالی با روغن من جهت تسکین درد عضلات و یا مرهمهای من جهت‌التیام زخمهای چرکی مفید است.

پیشینیان جهت روغن زیتون کهنه که هفت سال ازعمرآن گذشته باشد خواص زیادی قائل بودند و رویهمرفته، جهت استعمال خارجی روغن کهنه بهتر ازتازه است.

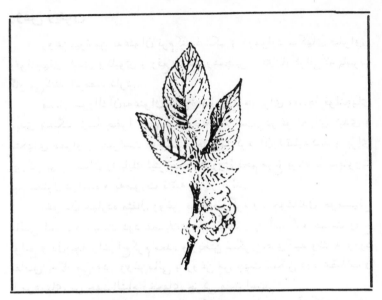

من «نارون» هستم!

فارسی من نارون است، به من سایه خوش، دردار، سده، پشه دار، پشه غال، نازین، پشه خانه، ناروان هم می گویند. عربی من شجرالبق است (بق، به عربی پشه های بزرگ می باشد).

من دارای انواع و اقسام و بیش از پانزده گونه هستم که به دو دستهٔ «اوجا» و «ملج» تقسیم می شوند.

نوع پیوندی من چتری و زیبا است، اگر پیوندی مرا با غیر پیوندی مقایسه کنید، متوجه خواهید شد که ما درختان هم مانند انسانهای باذوق دارای احساسات و عواطف می باشیم و روی همین اصل است که پس از پیوند، به آرایش خود پرداخته، شاداب و قشنگ می شویم.

اوجا

به من درشیراز ورك، در اصفهان وشك و درگیلان و شهسوار اوجا گویند. درکتب قدیم از ما به‌نام غـرب بروزن عرب یاد شده است. من در قسمتهای کم ارتفاع جنگلهای‌شمال ایران می‌رویم‌ودرآنجا به‌من اوجه‌وجه‌لی ولوهم می گویند.

ملج

اسم من‌ملج است، به‌من‌ملیج ، شلدار، لورث، نارون‌کوهی، قره‌آغاج وپشه‌خوار می گویند، در دهات خراسان به‌من گرز، گرزم و گریزمی گویند.
ما نارونها به‌هراسم و رسم که باشیم دارای خـواص مشترك هستیم. قسمت مورد استفادهٔ ما گل، برگ وعصارهٔ گل وبرگ ماست.
چنانچه برگ وریشهٔ مارا کوبیده وباروغن بجوشانید وآن‌را درگوش بچکانید، دردآن‌را ساکت می‌کنیم و چنانچـه برگ و ریشهٔ مرا همراه بـا پوست‌اناربجوشانید، اثرآن‌درتسکین دردگوش‌وبندآمدن چرك‌آن‌بیشتراست.
شستشوی سرباجوشاندهٔ پوست‌تازهٔ درخت‌من‌سبب تقویت‌مومی‌شود.
سرمهٔ عصارهٔ گل وبرگ و صمغ درخت من جهت جلای چشم و رفع سفیدی‌آن تجویز شده است. غرغره با جـوشاندهٔ پوست من جهت اخـراج زالویی که درگلو چسبیده باشد سودمند می‌باشد.
خوردن میوه و پوست مـن از خونریزی معدی و سینه جـلوگیری می‌کند. خوردن برگ کوبیدهٔ مـن بـا فلفل جهت درمان دل‌پیچه و قولنج امعاء و بازشدن گرفتگی‌کبد توصیه شده است. خوردن برگ من به‌تنهایی باآب مانع‌آبستنی‌است، ومالیدن پختهٔ برگ من‌دردمفاصل راتسکین‌می‌دهد، وبرای نقرس‌نیزمفید می‌باشد.
ضماد پوست و برگ تازهٔ من، برروی‌اعضای قطع شده و زخمی‌منافع زیاد داشته، ازچرك کردن آنها جلوگیری می‌نماید، گل مرا چنانچه داخل مرهمهانمایید ضدعفونی‌کننده بوده وعفونت زخمها را ازبین می‌برم،پاشیدن برگ کـوبیدهٔ مـن برروی زخمها نیز جهت رفع عفونت آنها مفید است. پاشیدن خاکستر چوب من‌هم همین خاصیت را دارد. مالیدن خاکستر برگ‌و یا چوب درخت من باسرکه، جهت افتادن انواع‌زگیل، مخصوصاً زگیلهایی که شبیه سرمیخ‌بوده، ودر طب قدیم به‌آن مسماریه می گفتند نافع می‌باشد. برای‌سیاهی‌وتقویت مومی‌توانیدپوست ریشهٔ‌درخت‌مرا داخل خضاب‌نمایید.

اسم من «گلپر» است!

از نفخ معده جلــوگیری مــی‌کنم. بهترین دارو برای
معالجهٔ هیستری هستم. تحریك كنندهٔ اشتها بــوده و
دستگاه هاضمه‌را تقویت می‌کنم. در ریشهٔ من خواص
بیشماری نهفته، اگر از تشنج و ناراحتیهای عصبی رنج
می‌برید از من استفاده کنید...

فارسی من «انگدان» است ولی عده‌ای آن را معرب کــرده «انجدان»
نامیده‌اند. من دو نوع دارم، یکی خوشبو که به‌آن گلپر، کوله‌پر و کولاپر و
به ترکی «بالدرغان»می‌گویند و اعراب به‌ریشهٔ‌آن «محروث» نام گذاشته‌اند.
در کتب مختلف از آن به‌نامهای انجدان ابیض، انگدان سفید، انجدان
طیب، انگدان خوشبو، گیاه حلتیت طیب، گیاه حلتیت سفید و اسفندلیون
یاد شده است (حلتیت صمغ انجدان است که در آخر خــود را معرفی خواهد
کرد). نوع دوم من انجدان بد بــواست که به‌آن گیاه انغوزه، گیاه انگژد،

گیاه انگشت گنده، گیاه حلتیت منتن(منتن درلغت عربی به‌معنی بدبواست) گیاه حلتیت سیاه می‌گویند. نوع خوشبوی من در همهٔ کوهستانهای ایران خصوصاً دامنهٔ البرز و قسمتهای شمالی شمیران، گچسر، رودبار قصران، **جادهٔ شمشك ومغرب ایران به‌عمل می‌آید ونوع بدبوی من درجنوب شرقی** ایران، استان فارس وکوه‌های خراساس بطور خودرو به‌عمل‌آمده ازصمغ آن‌که انغوزه وانگژد خوانده می‌شود، جهت صادرات استفاده می‌کنند، ولی به‌صمغ نوع خوشبوی من‌که مفیدتراست، درحال حاضر توجهی نمی‌شود. بهترین‌نوع من درنقاط‌کوهستانی ایران به‌عمل می‌آید و انواع دیگر ازمن در بعضی ازکشورهای آسیایی وافریقایی دیده می‌شود ویك نوع سوم‌به‌نام انجدان رومی است که خواص زیادی داشته و در ایران دیده نشده است. میوهٔ نوع معطرمن پس از رسیدن به‌شکل پولك نازکی درمی‌آید که آن‌را کوبیده، با انار، یاسیب‌زمینی پخته و یا باقلای پخته می‌خورند تا از ایجاد نفخ آنها جلوگیری نماید.

با ساقه و برگ آن ترشی گلپر درست می‌کنند.من بادشکن بوده، نفخ و ناراحتیهای دستگاه هاضمه را از بین‌می‌برم. من‌ضد عفونی‌کننده بوده وپادزهر سموم هستم. ضد تشنج، ضدکرم‌و ضد حشرات می‌باشم.

مرا به‌جهت معالجهٔ هیستری (صرع) عفونتهای عصبی و عفونتهای دستگاه تنفس تجویز می‌کنند. ضماد نوع بدبوی من باخطمی وآرد برسر، گرفتگیهای دماغ را بازمی‌کند.خوردن من ذهن رابازوحافظه رازیادونسیان را کم می‌کند وابلهی وحماقت‌را ازبین می‌برد. برای فلج، لقوه و بی‌حسی اعضا مفیداست. من‌بهترین‌چاشنی برای غذای این‌دسته از بیماران‌می‌باشم. من غذارا نرم می‌کنم و بوی دهان را برمی‌گردانم، مقوی معده بوده بلغم را ازبین می‌برم. اشتها را برمی‌انگیزم ومقوی هاضمه می‌باشم، من ازضرر غذاهای سنگین وداروهای سمی می‌کاهم وبرای بیمارانی‌که مبتلا به‌یرقان، استسقا، سکسکه وسختی‌ادرار هستند، مفید می‌باشم. پیشاب‌آور وقاعده‌آور بوده، شیررا هم زیاد می‌کنم. دراستان فارس گوسفند را با گیاه بدبوی من می‌چرانند تافربه شده وشیرآن زیاد شود، ولی‌متأسفانه گوشت‌این گوسفندان کمی بدبو می‌شود. من مقوی‌کلیه، محرك شهوت وازبین برندهٔ بلغم‌هستم. برای درد سینه، سرفه، عرق‌النساء، مفاصل، حتی بوییدن من‌هم مفیداست.

ضماد من باموم وروغن جهت خنازیر، سیاتیك و امثال آنها با روغن زیتون جهت ازبین بردن سیاهی زیرچشم و مالیدن مطبوخ من با سرکه و پوست انار جهت بواسیر نافع است. پاشیدن‌گرد من روی زخمهای‌خوره‌ای

و جذام سودمند می‌باشد. مقدار خوراك من ده کرم می‌باشد. ترشی‌ای که با برگ وساقهٔ نوع خوشبوی من درست می‌شود، ضدعفونی کنندهٔ معده بوده برای معالجهٔ کم‌اشتهایی‌و ازبین بردن اخلاط غلیظ معده به‌کارمی‌رود.

ریشهٔ من قوی‌تر ازسایراعضای من بوده، مالیدن‌آن روی ورمهامفید است واز بزرگ‌شدن خنازیرجلو گیری می‌کند. مقدار خوراك من نیم‌مثقال است. شیخ داودصاحب‌کتاب جامع انطاکی می‌نویسدکه چون بانویی‌پس‌از پاك‌شدن ازعادت ماهانه یك هفته روزی ۱/۵ گـرم انجدان بخورد، آبستن نمی‌شود. ولی معین نکرده است‌که مقصود او انجدان خوشبو یا انجدان‌بد بو است (طبق مطالعات نویسندهٔ زبان خوراکیها درانجدان خواه سیاه‌خواه سفید، هورمونهای ضد تخمك وجود داردکه حتی قادرند رگل را باز ونطفهٔ تازه منعقد شده را ازبین ببرند). ریشهٔ من‌قوی‌تر ازسایراعضای من‌می‌باشد.

صمغ انجدان

به‌من صمغ انجدان وانگژد گویند (ژد به‌معنی صمغ است) عربی من «حلتیت» است (درکلیهٔمآخذ فارسی عربی صمغ انجدان را حلتیت و درمآخذ اروپایی فارسی آن‌را حلتیت نوشته‌اند. پس ازبررسی معلوم شده مآخذفارسی صحیح است. من‌هم مانند انجدان خوشبو وبدبو هستم. رنگ خوشبوی من سفید و رنگ بدبوی من سیاه می‌باشد، به‌نوع بدبـوی من انغوزه، انگشت گنده، حلتیت منتن‌هم می گویند. برای به‌دست‌آوردن من ساقهٔ انجدان را از گردنه که برروی ریشه قرارگرفته است قطع کرده، پایین آن‌را کمی گـود می‌نمایند تاصمغ‌که به‌صورت مایع است درآن‌گودی جمع شده وبسته‌شودو آخر روز محصول‌آن‌راکه‌به‌صورت یك‌گردوی‌کوچك است‌جمع‌آوری‌می کنند وبه‌همین جهت‌به‌آن‌گردوی انجدان‌هم می گویند. رنگ انغوزه زردقهوه‌ای وخاکستری بوده، طعم آن گس زننده وتلخ است وبوی آن شبیه بوی سیر خیلی تند می‌باشد. من‌هم مانند انجدان، ضد تشنج، ضدکرم، ضد حشرات و بادشکن‌بوده وتمام خواص‌انجدان درمن‌بحد اعلی‌وجود دارد. دردامپزشکی از انغوزه زیاد استفاده می‌شود. درداروسازی جدید به‌صورت چسب وتنقیه بیشتر مصرف‌دارد. چون مرا درآب‌حل‌کنند به‌صورت‌مایعی شیری‌درمی‌آیم که خوردن‌آن برای امراض سرد دماغی مانند فلج، رعشه، صرع، بی‌حسی اعضا واستسقا تجویز می‌شود. با فلفل وسداب جهت درمان‌کزاز و با سکبینه جهت فلج وبی‌حسی‌نافع است.(سکبینه‌یك نوع صمغ ایرانی است‌که در قریهٔ «ماه» از توابع اصفهان به‌دست می‌آید).

سرمهٔ من باعسل جهت تقویت‌بینایی وجلوگیری ازآبریزش چشم و لکه‌های‌سفید سودمند می‌باشد. چکاندن جوشاندهٔ‌من‌در گوش جهت‌درد گوش وسنگینی‌آن توصیه شده‌است، ومخصوصاً برای رفع صداکردن گوش تجویز می‌شود. جوشاندهٔ من بازاج جهت پلیپ‌بینی نافع است.

گذاشتن کمی ازمن درحفرهٔ دندان‌کرم‌خورده مسکن‌دردآن بوده و از پیشرفت‌آن جلوگیری می‌کند و برای این‌کار«صمغ خوشبو»مؤثرتر از«صمغ بدبو» است. مضمضهٔ جوشاندهٔ من با انجیر و زوفاجهت تسکین درد دندان کرم‌خورده‌زیاد توصیه شده است. غرغرهٔ من باعسل‌جهت ورم‌گلو وباسرکه جهت اخراج زالو که درگلو چسبیده باشد و بازردهٔ تخم مرغ جهت سرفهٔ خشك و درد پهلو سودمند می‌باشد. نوشیدن محلول من درآب جهت باز شدن‌آواز ونرمی‌گلو مفید می‌باشد. اگر شیر پستان زنی‌کم شده یاخشك‌شده باشد، مقداری‌ازمرا درسکنجبین حل‌کرده وبه‌او بدهید تابنوشد. خوردن‌من با داروهای قابض جهت اسهال رطوبی و با ادویهٔ مناسب جهت دل‌پیچه و قولنج و ازبین بردن نفخ شکم واخراج انواع کرم معده و باز شدن خون بواسیر وسردی معده، جگروسپرز واستسقا، سستی بدن مفیداست. اگرچند روزپی‌درپی نیم‌گرم مرا درجوف خمیر گذاشته ومبتلایان به‌استسقاآن‌را بلع نمایند، جهت تحلیل استسقا مخصوصاً استسقای طبلی مفید است. ضماد من با بارهنگ جهت ازبین بردن دمل نافع‌است وخوردن‌آن جهت بازشدن‌قاعدهٔ زنان و محلول آن جهت اخراج جنین مرده سودمند می‌باشد. گذاشتن من روی دملها بعدازشکافتن آنها جهت بیرون‌آوردن چرك وخون و التیام‌زخم آنها مفید است.

ضماد من با انجیر خشك وسرکه جهت جوشهای عصبی و باموم و روغن جهت زگیل وداءالثعلب وباآب خاکستر وآب دریا جهت شکاف بیخ ران مؤثراست. اگرمرا درآب‌حل‌کرده، به‌بدن بمالید حشرات به‌شما نزدیك نخواهند شد. درقدیم برای‌رفع زیان‌پیکان زهرداراز‌ضمادمن استفاده‌می‌کردند وهمچنین مرا در روغن زیتون حل کرده، روی نیش عقرب می‌گذاشتند، خوردن من با غذا باعث بازشدن ونیکویی رنگ رخسار است، چنانچه مرا درپارچه‌گذاشته، درعمق‌آب بگذارید ازکرم‌گذاشتن‌آب جلوگیری می‌کنم. گذاشتن من در مزارع‌باعث ازبین‌رفتن آفات نباتی است. من بهترین وسیله برای‌کشتن‌کرم خاردارپنبه می‌باشم وبرای این‌کار کافی‌است‌که‌کمی ازمرادر موقع آبیاری به‌آن اضافه نمایند. چنانچه مقداری ازمرا در ریشهٔ درختی‌که کندن‌آن مقدور نباشد، بگذارید، باعث پوسیده شدن‌آن می‌شوم وچنانچه‌یك

دفعه کافی نباشد، می‌توان آن را تکرار کرد. مطبوخ ریشهٔ انجدان که عربی آن «محروث» است می‌تواند در همه حال جانشین و بدل من باشد. عـده‌ای ریشهٔ اشترغار را ریشهٔ انجدان می‌دانند و این اشتباه است، باهم شبیه بوده و چندین خواص مشترک داریم ولی اشترغار معرب اشترخار که خارشتر است می‌باشد.

من «چنار» هستم!

فارسی من چنار است، به‌من چنال‌وارس‌هم می گویند. معرب من‌صنار است ولی درکتب قدیم به‌نام «دلپ» ازمن یاد شده است.

این که‌می گویندمن میوه نمی‌دهم‌صحیح نیست، میوهٔ من گرد، خاردار وچوبی‌است ولی قابل خوردن‌نمی‌باشد. میوهٔ من‌بسیار سرد وخشک است و خاصیت ضد عفونی‌کننده دارد. ضماد برگ تازهٔ من برای درمان ورم زانو مفید است و مضمضهٔ جوشاندهٔآن درسرکه جهت درد دندان سودمند است. پاشیدن‌کوبیدهٔ برگ خشک من جهت بهبود زخم سوختگی‌آتش نافع است.

عرق چنارکه ازپوست وبرگ و میوهٔ من گرفته شود، جهت معالجهٔ تنگ‌نفس اثری اعجازانگیز داردوبرای تهیهٔآن بهتراست دوشبانه‌روزپوست،

برگ ومیوهٔ مرا درآب خیسانده و سپس تقطیر نمایند و همچنین عرق ریشهٔ درخت من که ازچهار کیلوی آن یك کیلو عرق گرفته باشند، جهت تقویت معده وچاق شدن اشخاص لاغر ومبتلایان به امراض عصبی ودل درد واستسقا و همچنین رعشه سودمند می‌باشد. برای تهیهٔ عرق ریشه نیز بایستی آن را دوشبانه روز درآب خیس نمایند وبعد تقطیر کنند و عرق آن را یك ماه نگاه دارند و بعد روزی یك فنجان قهوه خوری، چند روز متوالی بنوشند و از خوردن ترشی همراه آن پرهیز نمایند.

اسم من «نارگیل» است!

اسم من نارگیل است، به‌من نارجیل، جوز هندی، بادنج و رادنج هم می‌گویند. قامت درخت من به‌چهل متر می‌رسد و در تمام ایام سال دارای میوه هستم، زادگاه من بنادر وسواحل دریای هند می‌باشد وهرچه درخت من به‌دریا نزدیکتر باشد وازآب شور آبیاری شود، میوهٔ من شیرین‌تر، شادابتر وچرب‌ترمی‌شود. درخت من پس ازهفت سال بارمی‌دهد وبیش‌ازصدسال عمر می‌کند.

میوهٔمن سبزرنگ وپرازآب است. آب آن شیرین و گوارا است، ولی اگر۲۴ ساعت بماندمانند شراب تخمیرمی‌شود وپس ازچندروز بدل به‌سرکه می‌گردد. میوهٔ من پس از رسیدن سه‌پوست دارد. پوست اول قهوه‌ای‌رنگ بوده ودارای‌ریشه است. معمولا این‌پوست‌رادرآب خیس‌کرده وبعدمی‌کوبند

تاریشه‌های‌آن جدا شود. بااین ریشه‌ها معمولا طناب درست می‌کنندکه باآن لنگرکشتیها را می‌بندند. این طناب در آب شور دریا مقاومت زیاد داشته و پوسیده نمی‌شود وسالها می‌ماند. پوست دوم‌آن سخت وچوبی است و با آن کوزهٔ قلیان درست می‌کنند و به‌آن نارگیله یا نارجیله می‌گویند و به‌همین مناسبت یکی‌ازنامهای‌کوزهٔ قلیان نارجیله‌است. پوست‌سوم‌آن چسبیده به‌مغز است. میوهٔ من پس‌از رسیدن ابتدا دارای شیراست، ولی‌پس ازچندی این‌شیر غلیظ شده وروی مغز به‌صورت یك‌جدار چرب رسوب می‌کند. مغز میوهٔ من سفیدرنگ، شیرین، لذیذ وچرب است. خوردن مغز میوهٔ من حرارت‌غریزی وجنسی را زیاد می‌کند، ونیروی جنسی‌را تقویت می‌نماید، بدن را چاق و فربه می‌نماید، مواد سودایی وبلغمی را ازبین می‌برد وبه‌همین‌جهت برای بی‌حسی اعضا، فلج،جنون، مالیخولیا و امثال اینها نافع است. میوهٔ من کبد را تقویت می‌کند. برای زخم معده، بواسیر وتقویت‌کلیه و زیادشدن ادرار و رفع سردی مثانه ودردآن مفید می‌باشد. مغزمیوهٔ من باشکر مولد خون‌تمیز است ومغز کهنهٔ من ایجاد مسمومیت‌کرده، تولید قی‌وغش می‌نماید وضدسم آن‌پس‌از شستشوی معده،خوردن میوه‌های ترش است. ازمغز میوهٔ‌من‌روغنی به‌دست می‌آیدکه درصورت‌تصفیه‌شدن، همانندروغن گاو می‌باشد ودرایران غالباً آن‌را باروغن حیوانی بطورتقلبی مخلوط‌کرده، می‌فروشند. سوهان‌قم رابیشترباروغن نارگیل‌درست می‌کنند. درصنعت صابون‌سازی وشامپوسازی، روغن مغز من بهترین روغن می‌باشد. سرکهٔ من جهت اخراج کرم معده و کرم‌کدومفیداست وچون مقداری‌مغزنارگیل را در دیگ آبگوشت بیندازیم، سبب زودپزشدن آن‌شده وآن‌را به‌خوبی‌مهرا می‌کند.مالیدن خاکسترپوست میوهٔ من به‌دندان، آن راسفید می‌کند و مالیدن‌آن به‌صورت، کك‌مك را از بین می‌برد و برای جرب و خارش مفید است. رنگ رخسار را باز می‌کند، مخلوط خاکستر میوهٔ من باحنا مورا تقویت کرده و از ریزش آن جلوگیری می‌کند، خوردن میوهٔ من جهت تقویت حافظه و فهم مفید بوده درد کلیه و مثانه را تسکین می‌دهد و بادشکن می‌باشد. چنانچه بعد ازخوردن داروهای ضد کرم مقداری روغن نارگیل خورده شود، در افتادن کرم مؤثر است. مالیدن روغن کهنهٔ من دردکمر و زانو و بواسیر را تسکین می‌دهد برای معالجهٔ بواسیر بهتراست روغن‌کهنهٔ مرا باروغن هستهٔ زردآلوی تلخ‌مخلوط کرده وبکار برید.

نارگیل دریایی

اسم من نارگیل دریایی‌است، به‌من نارجیل‌بحری هم می‌گویند، زادگاه من جزایر استوایی می‌باشد و قبل از ساختن کشتیهای اقیانوس‌پیما، کسی از درخت و محل رشد من آگاه نبود و میوهٔ من به‌دریا ریخته می‌شد و مردم آن را از آب می‌گرفتند و هر کس به نوعی آن‌را تعبیر می‌کرد. در هر حال، من نوعی نارگیل‌هستم که میوهٔ من ممکن‌است به دوازده کیلوهم برسد. میوهٔ من دارای دو قسمت متقارن است که شبیه به دودانه خربزه می‌باشد که از طرف ناف مانند دولپهٔ لوبیا به‌هم چسبیده‌اند. میوهٔ من پس از خشک شدن بسیار سخت شده و چون هر قسمت آن بیضی‌شکل است، پس از قطع دو قسمت و خالی کردن درون آن به‌صورت دو کشکول درمی‌آید و شما بارها آن را در دست درویشان دیده‌اید، ولی گمان نمی‌کنم پی‌به‌ماهیت آن برده و بدانید آن‌ها را باچه می‌سازند. مغز میوهٔ من مانند مغز نارگیل سفیداست، ولی در اثر ماندن، کم کم زرد، سرخ و تیره می‌شود و طعم شیرین آن تلخ می‌گردد. مغز میوهٔ تازهٔ من پادزهر سموم مخصوصاً تریاک است و مواد سمی را از اعماق بدن کشیده و جذب می‌نماید و چون آن را به‌تریاک خورده بدهند، سم را به‌خود گرفته و تولید قی می‌کند و چون مادهٔ سمی تمام شود، قی بند می‌آید و به‌همین جهت آن را کم کم به مسموم می‌خورانند، تا استفراق تمام شود. عده‌ای از این خاصیت من استفاده کرده، برای تشخیص مسمومیت به کارمی برند. گذاشتن مغز میوهٔ من بر محل نیش حشرات از قبیل مار، عقرب و زنبور نیز مفید بوده، سم را به خود کشیده و درد آن را تسکین می‌دهد.

دراویش خوردن آب‌را در کشکولی که از نارگیل دریایی درست شده باشد، سودمند دانسته و آن‌را دافع سموم بدن می‌دانند.

من «گل گندم» هستم!

فارسی من گل گندم است، ولی هیچگونه نسبت و شباهت با گندم ندارم.
علت این نامگذاری این است که همزمان با رسیدن گندم در مزارع غلات،
روییده و گل میدهم، به من گل نان روغنی، گل عنبر، حسن یك اوتی، حسن ـ
یك اودی، اجیله و «گال منگ» هم می گویند.

عدهای از لغت نویسان عربی مرا قنطوریون و ترنشان نوشته اند، ولی
چون خواص من با قنطوریـون صغیر و کبیر مغایـرت دارد، نویسندۀ زبان
خـوراکیها با آنها هم عقیده نیست. فارسی قنطـوریون کبیر چنانچه کتاب
مخزن الادویه نوشته است، «او بر زولوفا» و فارسی قنطوریون صغیر «کریون» است
و کتاب برهان قاطع عربی قنطوریون کبیر را عریزالکبیر و صغیر را عریزالصغیر
ضبط کرده است.

گلهای زیبای من برنـگ زیبای آبی آسمانی است و فرنگیها بـه‌من «پلوئه» یعنی آبی گویند. درصورتی که‌رنگ گل‌قنطوریون‌لاجوردی سیراست. گلهای گیاه من بین‌اردیبهشت تامرداد بازمی‌شود و دارای مواد صمغی‌مومی ومازویی است، وبعضی‌ازانواع من گلهای گلی‌رنگ دارد. گلهای من دارای املاح‌پتاسیم، فسفور، منیزی و مقدار منگنزاست و یك مادهٔ تب‌برنیزدارد. گلهای من پیشاب‌آور بوده، و برای معالجهٔ نسوج‌آب آورده واستسقا به‌کارمی‌رود. درمان‌سرماخوردگی، سینه‌درد وسرفه‌می‌باشد. شستشوی چشم، با دمکردهٔ آن التهاب پلك رااز‌بین می‌برد. دانه‌های من به‌رنگ سفید بوده، واثر مسهلی دارد. برگ ساقه و ریشه نیزاثر تب برداشته، و برای معالجهٔ بیماریهای‌کبدی ـ یرقان و بیماریهای پوست تجویز می‌شود. مقدار خوراك من یك فنجان دمکردهٔ چهل‌درهزار است. مالیدن من برسر، از ریزش مو و سفید شدن آن جلوگیری می‌کند.

قنطوریون

همانطورکه گل‌گندم‌درمعرفی‌خود اظهارداشت،خواص‌آن باقنطوریون کبیر وقنطوریون صغیریکسان نیست. دراینجانیز بایدتذکردهیم که‌قنطوریون کبیر که آن را قنطوریون غلیظ هم می‌گویند، با قنطوریون صغیر که آن‌را قنطوریون رقیق می‌گویند، متفاوت بوده ودو گیاه مختلف‌از دوخانوادهٔ‌جدا می‌باشند و بطورکلی می‌توانیم بگوییم‌که به سه‌گیاه مختلف‌که رنگ گلشان آبی‌ولاجوردی‌است، قنطوریون گفته‌اندکه یکی‌ازآنهاقنطوریون معمولی گل گندم‌است که‌هیچگونه‌ارتباطی‌با انواع کبیروصغیرندارد.ازجمله‌قنطوریون‌کبیر قاعده‌آوربوده، جنین‌مرده را ساقط‌کرده وجنین زنده را فاسد می‌کند، وروی این‌اصل‌مامعرفی‌قنطوریون را بجای دیگرموکول می‌کنیم.

اسم من «گل گاوزبان» است!

یکی ازعجایب سلسله کوه‌های البرزکه قلهٔ عظیمی چون دماوند دارد، پرورش چندین نوع گیاه دارویی است که اثر درمانی زیاد داشته و منحصراً در دامنه‌های این کوه به‌عمل‌آمده ودر کوه‌های دیگراثری‌ازآنهانیست. چندی پیش جراید ایران ازیکی از این گیاهان سخن گفته و اثرات سحرآمیز آن را بیان داشتند ونوشتندکه کارشناسان خارجی بذراین گیاه را به‌کشورهای دیگر برده و باکوشش فراوان نتوانسته‌اندآن‌را به‌عمل‌آورند، زیرا این گیاه جزدر زادگاه اولیهٔ خود، درجاهای دیگر سبزنمی‌شود. درهمان موقع ما به‌اطلاع خوانندگان رساندیم‌که ایران عزیزما از این مواهب وگیاهان‌ارزنده و مفید انحصاری زیاد دارد وبه تدریج،خودرادرزبان خوراکیهامعرفی خواهندکرد.

اسم من گل گاوزبان است ولی لسان‌الثور نیستم. هرچند درکتب قدیم

به‌این نام آمده‌ام. اسم فرانسوی، انگلیسی، آلمانی، ترکی وغیره هم ندارم، چون درهیچ نقطه‌ای اززمین جزدامنهٔ کوه‌های البرزبه عمل نمی‌آیم وباگیاه دیگری که در آذربایجان وشهرهای دیگر ایران و کشورهای دیگر می‌روید وبه‌غلط به گاوزبان مشهور شده است، نسبتی ندارم و ازشما می‌خواهم که مراگل گاوزبان واوراگیاه گاوزبان صداکنید، تااین اشتباهی که‌پیش‌آمده ودر حدود چندقرن است که پزشکان و دارو سازان را گمراه کرده‌است از بین برود. ما دو گیاه متفاوت هستیم که تنها گلهایمان کمی به‌هم شبیه است، وهیچگونه خواص مشترك نداریم وازنظرمنافع طبی باهم متضاد می‌باشیم و گلهای من درشت‌تر از گلهای اوست.

من‌درایران، ورقیب من دراروپا وامریکا شهرت زیاد داریم‌وپزشکان سنتی ایران درمعالجهٔ بسیاری از امراض ازمن استفاده می‌کردند و نتیجه می‌گرفتند. پزشکان جدیدهم خواص رقیب مرا می‌دانستند و برای دسته‌ای دیگر ازامراض تجویز می‌نمودند وچون عطاران فرقی بین من و رقیب من قایل نبودند، ما را به‌جای‌هم می‌دادند، و به‌همین‌جهت معالجهٔ آنها نتیجه نمی‌داد ومحققین ازاینکه خواص ومنافع ماازبین‌رفته است درتعجب بودند.

یکی از مترجمین، تمام فواید رقیب مرا ترجمه کرده و به‌من نسبت داده، سپس بر سبیل سئوال می‌نویسد: چرا ایرانیان فقط از گل گاوزبان استفاده می‌کنند؟... به‌برگ و سرشاخه‌های آن توجهی ندارند، در جواب ایشان باید بگوییم که گل گاوزبان، فقط‌گلش فواید طبی دارد، زیراگیاهی که فرنگیها به‌او «بوراش» می‌گویند گل گاوزبان نیست.

باری، اکنون دربرابرشمادوگیاه مختلف به‌یك‌اسم قرار دارند. این‌دو می‌خواهند در صحنهٔ زبان خوراکیها خودرا معرفی‌کنند وفواید و مضارخود را شرح داده وازشما بخواهندکه به‌موقع ازهردوی آنها بهره‌مند شوید.

صاحب‌کتاب «تحفه» درشرح گاوزبان چنین می‌نویسد: گل گاوزبان لاجوردی وشبیه گل اناربوده وتخم‌آن مستدیر و لعابی است و در کوه‌های دارالمرز (البرز) کثیر الوجود است وگیاه دیگری‌که در اصفهان و بعضی از بلاد، گاوزبان‌می‌دانند «مرماخوز» است‌که گل‌آن لاجوردی وکوچك ومدور است. توضیح ـ «مر» نام قبیله‌ای ازساکنان شمال افریقاست‌که بذر چندگیاه دارویی راکه یکی ازآنهاگیاه‌گاوزبان است به‌اسپانیا برده و درآنجا پرورش داده واستعمال آنها را درطب معمول داشته‌اند. این گیاهان به‌اسامی‌مختلف مرماتوس، مرماهوس، مرمازا ومرماخوز در کتب طبی قدیم وارد شده و خواص‌آنها تحقیق گردیده است. بعدازجنگهای صلیبی گیاه گاوزبان را از

اسپانیا به‌اروپا آوردند و درآنجا کاشتند و چون درکتاب قانون ابو علی‌سینا از گل‌گاوزبان زیاد تعریف شده بود و ایـن کتاب نیز مورد قبول واستناد استادان پـزشکی اروپا بود، به‌همین جهت مورد توجه واقع گردید، ولی متأسفانه گیاه‌گاوزبان هیچیك از خواص گل‌گاوزبان اصلی را نداشته و در عوض منافع دیگری داشت که‌کم‌کم محققین اروپایی‌به‌آن پی‌بردند. ازجمله معلوم شدکه سرشاخه، گل‌وبرگ این گیاه دارای مقداری شوره بوده، عرق وادرار را زیادمی‌کند. درصورتی‌که‌درکتب‌طبی ایرانیان‌که در دانشگاههای اروپا تدریس‌می‌شد، چنین خواصی را به‌اونسبت نداده بودند.

حال اجازه فرمایید این‌دو گیاه، هریك جداگانه خود را معرفی‌کرده و منافع خودرا شرح دهند:

گل‌گاوزبان اصلی

من بطورخودرو، منحصراً در دامنه‌ی کوه‌های البرز به‌عمل‌می‌آیم و تاکنون اهلی نشده وقابل کشت نیستم. من مقوی روح واعضای رئیسهٔ‌بدن بوده، حواس پنجگانـه یـا بهتر بگـویم، حواس هجده‌گانهٔ آدمی را تقویت می‌کنم ـ شکم‌را نرم وکیسهٔ صفرا را باز می‌کنم واخلاط سوختهٔ سوداوی‌را ازمعده خارج می‌نمایم و عوارض آن‌را ازبین می‌برم. جوشاندهٔ من همراه‌با داروهای دیگر جهت سرسام (منثیت) برسام (ورم‌حجاب حاجز) مالیخولیا، جنون و رفع حواس‌پرتی مفید می‌باشد. جوشاندهٔ من نشاط‌آور بوده، رنگ رخسار را باز می‌کند. سینه وقصبة‌الریه را نرم می‌کند، تنگ‌نفس و دردگلو را شفا می‌دهد، دلهره ووحشت را ازبین می‌برد و غم‌وغصه راکم می‌کند و برای‌کسانی‌که باخود حرف می‌زنند سودمند می‌باشد.

جوشاندهٔ من باعسل جهت تنگ‌نفس تجویز شده است، جویدن برگ تازهٔ من جهت درمان‌جوشهای چرکی دهان اطفال و برفك وسستی بیخ‌دندان و رفع حرارت دهان نافع است. مقدار خوراك گل من دومثقال تاپنج مثقال می‌باشد.

عـرق‌گل گاوزبـان جهت امراض سوداوی، وسواس و خفقان مفید است. من‌دارای‌شوره نیستم،عرق وادرار را زیادنمی‌کنم، ولی دارای‌منیزیم بوده و ترمز سرطان می‌باشم.

گیاه گاوزبان

من اسم فارسی ندارم ومعلوم نیست ازکی به‌ایران آمده و دراطراف

تبریز مرا کاشته‌اند. در زبان فرانسوی به من بوراش می گویند و ابن‌بیطار گیاه‌شناس معروف قدیم که دراصل اندلسی بوده و بعدبه‌آسیای صغیرآمده و دوکتاب بزرگ به‌نامهای الجامع والمغنی به‌زبان عربی دارد مرا نوعی «مرماخوز» دانسته و به‌اسامی: لسان‌الثور، ابوالعرق، کحیلا۔کحلا، حمحم و بوغلص یادکرده است.

گل، سرشاخه و برگ من دارای شوره، مواد لعابی و یك مادهٔ تلخ است‌و به‌همین جهت عرق وادرار را زیاد می‌کنم، وسنگهای کلیه ومثانه را خردکرده واز بین می‌برم. تجویزمن برای مبتلایان به سرسام و برسام جایز نیست. ضمادبرگهای‌تازه‌وله‌شدهٔ‌من‌دمل رابازمی‌کندوبرای معالجهٔ‌سوختگی، آتش وآفتاب‌زدگی مفید است.

درطب‌سنتی ایران «مرماخوز» راجهت معالجهٔ‌استسقا مفید دانسته‌اند و برای این کار، مبتلایان به‌استسقا بایستی مدت زیادی برگ و بذر مرا روزانه ۱۵ تا۲۰ گرم ناشتا میل نمایند.

من «شنبلیله» هستم!

فارسی من شنبلیله است، درشیراز به من شنبلیز گویند. گیلانیها مرا خلبه می‌خوانند و اعراب خلبه را معرب کرده حلبه می گویند. در بعضی از کتب به من فریقه لقب داده‌اند. برگ من یك سبزی خورشی و دانه‌های روغنی من یك بذرداروییی می‌باشد. از برگ تازه و خشك من درتهیهٔ خورش وخوراکهای دیگر استفاده می کنند و بابرگ خشك شدهٔ من سوپی تهیه می کنند که به اشکنه معروف است. زادگاه اولیهٔ من ایران و آسیای صغیر است، ولی اکنون در اکثر نقاط جهان به منظور استفاده از دانه‌های من، مرا کاشته‌اند. برگ من کمی ملین بوده اشتها را زیاد می کند ودرضمن پیشاب‌آور است و عادت ماهانهٔ زنان را باز می کند. ضمادبرگ من برای تقویت مو بسیار نافع است وچنانچه زن آبستن هنگام بارداری از برگ من زیاد بخورد بچه‌اش دارای موی زیاد

خواهد شد. جوشاندهٔ برگ و دانه‌های مـن زایمان را آسان می کند. اخیراً عده‌ای از دانشمندان در روی‌دانه‌های من‌مطالعه‌کرده وآنهارا موردآزمایش قرار داده، ودر آن مواد صمغی، مواد مازویی، یك روغن، مواد سفیده‌ای، املاح معدنی و چند عامل دارویی پیداکرده‌اند. ولی خواص این عوامل‌را داروسازان سنتی ایران قبلا در دانه‌های من پیدا کـرده و درکتابهای قدیم نوشته‌اند. دانه‌های من ملین بوده وبه‌هضم غذا کمك می کند. محرك‌شهوت و بازکنندهٔ عادت ماهانهٔ بانوان‌است. مقوی ریه بوده وهمراه با عسل، سینه را باز وخالی می کند. روغن دانه‌هـای من به‌علت داشتن ویتامینهای «آ» و «د» همانند روغن‌ماهی است. ضد شبکوری ودرمان نرمی استخوان‌می‌باشد، خوردن برگ وبذر من برای‌کسانی‌که درجاهای مرطوب وکم‌آفتاب‌زندگانی می‌کنند، غذای بسیار مفیدی است. اگر دانه‌های مرا با تمرهندی وهم‌وزن آن مویز وانجیر جوشانده وپس ازصاف کردن‌آب‌آن‌را به‌قوام آورند، جهت تنگ‌نفس وتصفیهٔ‌آواز و بازشدن سینه‌های‌خسته ودرمان زخم سینه و دردآن مفید است؛ حتی اگرمزمن‌شده باشد. مطبوخ دانه‌های من با پرسیاوشان‌نیز جهت‌موارد بالا نافع‌است. پختهٔ برگ ودانه‌های من زایمان را آسان‌می‌کند وخوردن‌آن بطور مرتب برای‌چاق شدن‌اشخاص لاغر وضعیف‌البنیه‌سودمند است. برای رفع بدبویی مدفوع، خوردن برگ و دانه‌های من توصیه شده است. ضماد برگ‌وبذرمن جهت ورمهای جلدی و درمان سوختگی‌آتش‌به‌کار می‌رود. برای رفع تـرکیدن و کجی ناخن به‌علت داشتن ویتامین (د) مفید می‌باشد و نیز برای تقویت وجلوگیری از ریزش مو می‌توان از ایـن ضماد بهره‌مند شد. ضماد بذر من با انجیر جهت بـازشدن دمل تجویز شده است. شستشوی چشم باآب برگ و دانه‌های من جهت درمان تـراخم، آبریزش، رفع قرمزی چشم و ورم پلك مفیداست.

نشستن در آب مطبوخ برگ و دانه‌های من جهت تسهیل زایمان و اخراج مشیمه، اثرقطعی دارد. شستشوی سربا آب مطبوخ برگ ودانه‌های من جهت اصلاح موهای‌وزکرده، برطرف‌کردن شوره سر ومعالجهٔ زخمهای آبدار سرمفید می‌باشد. پختن برگ من بابرگ اسفناج، برگ خرفه وزردك در قدیم معمول بوده ویـکی از غـذاهای مفید شناخته شده بود. از روغن دانه‌های من‌که همانند روغن ماهی است می‌توانید برای درمان سخت شدن پوست‌بدن ورفع‌زبری‌وپوسته‌پوسته‌شدن‌آن استفاده‌کرده.آن‌را جهت‌نرم‌کردن مو وجوشهای صورت به‌کار برید. روغن دانه‌های من مخلوط با موم جهت درمان ترکیدن پوست و بـا ادویهٔ مناسب جهت پاك کردن ككمك‌ونیكو

شدن رنگ رخسار توصیه می‌شود. خوردن یک قاشق مرباخوری از دانه‌های من محرك اشتها بوده، نیروهای جسمی و روحی را زیاد می‌کند. کوبیدهٔ آن جهت معالجهٔ نقرس، مرض قند، نرمی استخوان، کم‌خونی و همچنین برای جلوگیری از لاغرشدن مبتلایان به‌سل و مرض قند تجویـز می‌شود. پودر کوبیدهٔ من اگر مدتی بماند بدبو می‌شود، وحتی ادرار وعرق بدن را هم بدبو می‌کند، ولی تازهٔ آن این عیب را ندارد. در اروپا برای جلوگیری از بوی نامطبوع، پودر دانه‌های من، آن را با شربت انگور فرنگی مخلوط کرده و میل می‌نمایند ویا آن را قبل از غذا همراه با کمپوت ومربا می‌خورند. خلاصه من به‌علت داشتن موادآهنی مقدار زیادی فسفر و هورمونهای گیاهی در ردیف یکی از مفیدترین سبزیها می‌باشم.

اسم من «کاج» است!

از ساقه‌های گلدار من بـرای مبارزه بـا اختلالات عصبی استفاده برید. همین ساقه‌ها برای از بین‌بردن برنشیت، تنگ‌نفس، گلودرد وناراحتیهای کلیه ومثانه مفید است. دودبرگ من‌برای ضعف‌بینایی‌نافع‌است. میوهٔ من‌را برای زخم ریه و درد کلیه‌بکار برید...

درزبان فارسی به‌انواع گیاهان‌تیرهٔ‌مخروطیان به‌استیثنای‌انواع‌سرو کاج ودر زبان عربی صنوبر گویند. ولی امروزه در ایران به‌آن دسته‌که دارای برگهای سوزنی‌بلند است‌کاج وبه‌آن دسته‌که دارای سوزنهای‌کوتاه وضخیم می‌باشند صنوبر می گویند. دربعضی ازشهرهای ایران‌مثل کاشان، به‌تبریزی وسپیدارهم صنوبر می گویند و این اشتباه است. به‌من در زبان فارسی‌ناژو، ناجو و سروسیاه‌هم می گویند. من دارای هشتاد گونه هستم، چوبهای ما از چوبهای مرغوب صنعتی‌است‌که باآن دروپنجره و مبل می‌سازند و از چوب انواع صنوبر درمنبت کاری استفاده می کنند. موریـانه وسایرحشراتی که به خوردن چوب علاقه دارند، به‌سراغ ما نمی‌آیند. درخت ما ممکن است تا

پنجاه مترقد بکشد. برگهای ما سوزنی‌شکل‌بوده‌وخزان نمی‌کنند. به‌عقیدهٔ نویسندهٔ زبان خوراکیها، درختانی‌که خزان نمی‌کنند، دارای ماده‌ای هستند که مقاومت انسان را زیاد می‌کند. گلهای‌ما مخروطی بوده و نروماده دردو پایهٔ جداگانه قرار دارند، گلهای نر درفصل بهارتولید گرده‌کرده، مانندخاك زرد رنگ نرمی روی زمین می‌نشینند، که عده‌ای به‌آن باران گوگرد لقب داده‌اند. گلهای ماده درشتتر بوده، دارای‌فلسهای محکمی‌است‌که پس‌ازعمل لقاح تبدیل بـه‌میوه می‌شود، وایـن میوه درسال دوم می‌رسد. از بعضی انواع ما صمغی خارج می‌شودکه درفارسی به‌آن زنگباری واعراب قلقونیاو «راتیانج رومی» گویند، ولی امروزه در داروخانه‌ها بنام فرنگی آن تربانتین مشهور می‌باشدوازآن اسانس تربانتین گرفته، به‌باقیماندهٔ‌آن کلوفان می گویند واین همان صمغی‌است‌که روی آرشهٔ‌ویلون می کشند تاصدای آن‌صاف شود. میوهٔ‌کاج ،مخروطی‌وشبیه‌قلب گوسفنداست وپس‌ازرسیدن، فلسهای آن خشك شده و ازهم باز می گردد و به‌تدریج روی زمین می‌افتد و در وسطآن بادام کوچکی قرار داردکه معمولاً بچه‌هاآن‌را پس‌ازشکستن جداکرده ومی‌خورند وبه‌این بادام‌وفلسهای‌آن، طوطی‌علاقهٔ زیاد دارد. میوهٔ‌آن‌دسته،که درایران به‌صنوبر معروف است باریکترو درازتر از انواع کاج است، این میوه‌ها از درخت بطورکامل جدا نمی‌شوندو درباغات وجنگلهای صنوبر،هیچوقت شما میوهٔ‌آن‌را روی زمین نمی‌بینید.بلکه فلسهای‌آن به‌تدریج جدا شده و به‌کمك بادپراکنده‌می گردد.درکتب‌قدیم‌به‌این دسته،تنوب‌شجرالراتنج‌وبنطس گویند.

کاج‌شرقی‌صمغ‌زیاددارد‌وبه‌آن‌کاج‌کوچك ودرخت نوئل‌هم‌می گویند.

کاج کانادایی صمغی معطر دارد. صنوبـر کوهی در سردسیر به‌عمل می‌آید، ومیوهٔ‌آن خوراکی نیست. چوب‌آن چرب بوده و در گذشته آن را مانند مشعل به‌جـای شمع روشن می‌کردند و از آن قطران رقیقی خـارج می‌شد. نوع دیگری ازکاج وجود داردکه به‌آن بیشتر تنوب‌گویند و میوهٔ آن به «قضم‌قریش» معروف است، ولی در شیراز بـه‌آن بندق و مسدق‌هـم می گویند واین حب صنوبراست.

چلغوزه

اخیراً آجیل‌فروشها، سوژا راکه لوبیای روغنی بوده وبرای روغن‌کشی آن را درایران می‌کارند، بو داده وبه‌نام چلغوزه می‌فروشند، ولی در فارسی این اسم مخصوص نوعی صنوبر است‌که در شیروان زیاد است و در شیراز واراك آن را بوداده می‌خورند. این میوه بقدردانهٔ خرماست‌که‌چون

آن را بودهند، آواز داده دهانهٔ‌آن باز می‌شود، و دانهٔ چلغوزه ازآن بیرون می‌آید. درخت آن‌را صنوبر بزرگ می گویند و در گیلان به درخت آن‌هم درخت چلغوزه گویند.

صنوبر کوچك

صمغ من بیشتر ازسایر انواع کاج است و به‌میوهٔ مـن «قضم قریش» گویندکه مصرف طبی داردو دراینجا به‌نام‌حب صنوبر به‌شمامعرفی‌می‌شود. قسمت مورد استفادهٔ‌کاج وصنوبر، شاخه‌های شکوفه‌دار، برگ میوه وصمغ آنهاست.

جوشاندهٔ ساقه‌های گلدارمن خاصیت ضد عفونی‌کننده دارد و نوشیدن آن‌برای مبتلایان به‌تنگ‌نفس، برنشیت، گلودرد، ناراحتیهای‌کلیه ومثانه و اختلالات عصبی مفید است. کمپرس‌آن برای تسکین درد اعصاب،رماتیسم و امراض‌پوستی‌نافع است. نوشیدن‌جوشاندهٔ برگ‌وپوست من برای گلودرد، جراحات‌ریه، خونریزی سینه وخون‌دماغ تجویزشده است.خوردن یك‌مثقال از برگ من باعسل جهت امراض کبد و ورم آن سودمند می‌باشد. خوردن برگ خشك من‌باآب سرد،شکم را بند می‌آورد.

ضماد برگ من در مواضع آسیب‌دیده و مالیدن برگ من مخلوط با «مردابسنك» جهت کچلی وچرك بدن وعفونت عرق نافع است. نشستن در آب جوشاندهٔ من جهت امراض نشستنگاه سودمند می‌بـاشد. مضمضهٔ پختهٔ برگ من در سرکه جهت تسکین درد دندان مفید است. بخوربرگ من‌جهت اخراج مشیمه و بازشدن ادرار و حیض مؤثر می‌باشد. دود برگ من جهت جلوگیری از ریزش مژه وابرو و آبـریزش چشم و ضعف بینایی وتراخم و جرب نافع است، ضماد برگ تازهٔ کوبیدهٔ من جهت جلوگیری ازخونریزی جراحات تازه مفید است، وچون چوب مرا ریزریز کرده با سرکه بجوشانند ومضمضه‌نمایند، درد دندان را تسکین می‌دهد و برای این‌کار جویدن برگ تازهٔ من‌هم بی‌اثر نیست. پوست ریشهٔ من قابض بوده، و دومثقال آن‌اسهال را بند می‌آورد و چنانچه روزی سه‌مثقال آن را به اشخاص فلج و رعشه‌ای بخورانند، ممکن است اثربسیار داشته‌باشد، پاشیدن گردکوبیدهٔ پوست ریشهٔ من روی محل سوختگی مفید است.

میوهٔ صنوبر- قضم قریش

میوهٔ من که به‌حب‌الصنوبر معروف است. اشتها به‌طعام و شهوت را

زیاد می‌کند. مقوی اعصاب و بادشکن بوده، برای فلج ـ لقوه و بی‌حسی اعضا مفید است، برای زخم ریه، درد مفاصل وامراض جگر، یرقان‌استسقا و دردکلیه ومثانه نافع است، مخلوط آن باعسل همه‌روزه به‌مقدار ۱۵ گرم جهت‌فلج ورعشه، امتحان خوبی داده است، و نیز برای سرفه و ازبین‌بردن خلط سینه نافع است. زخم‌کلیه و مثانه را درمان می‌کند و با عصارهٔ خرفه جهت تسکین دردمعده و تقویت بدنهای ضعیف سودمند می‌باشد. اگر آن‌را کوبیده و باآب انگور مخلوط‌کرده باشید داروی خوبی جهت سرفه و نزله است وبرای اسهال‌خونی‌واستسقا تجویزمی‌شود. حب‌الصنوبر بطیءالهضم بوده و زیاد خوردن آن خوب نیست وعمل آن برای تقویت غرایز جنسی باکنجد وعسل بهتر است.

راتیانج

فارسی من‌زنگباری است واعراب‌به‌من قلمونیا گویند. درکتب‌مختلف قدیم به‌من راتیانج، راتیج و راطیانا گفته‌اند و این اسامی یونانی بوده وبا کلمهٔ رزین هم‌ریشه است. من صمغ درخت کاج کوچك هستم کـه در اطراف سمنان و کرمانشاه زیاد است. فرنگیها به‌من تربانتین می گویند وازتقطیرمن اسانس‌تربانتین به‌دست می‌آید. درطب جدید برای ایجاد دمل مصنوعـی، کمی‌از اسانس مرا زیرپوست تزریق می‌کنند و به‌این ترتیب جریان خون را متوجه‌آن موضع می‌نمایند. پس ازتقطیرباقیماندهٔ خشك من، کلوفان به‌دست می‌آید. خوردن ۲/۵ گرم من بازردهٔ تخم‌مرغ وهمچنین باسوپ‌سبوس گندم، جهت سرفهٔ مزمن وتنگ‌نفس ومعالجهٔ سل وجراحات ریه مفید است.مکیدن من جهت ازبین بردن خلط سینه و جذب فضولات‌بینی سودمند است. اگـر مقداری ازمن را درسرقلیان یاچپق گذاشته، ودودآن‌را بکشید. جهت‌تنگ‌ـ نفس وجراحات سینه نتایج عالی دارد و برای این‌کار بهتراست که روز اول، یك‌مرتبه، روز دوم دومرتبه، روزسوم سه‌مرتبه آن‌را بکشید. چون خرفه را بامن مخلوط کرده و در آفتاب خشك کنید، برای زکام، ومعالجهٔ‌تب راجعه سودمند می‌باشم. ضماد من جهت التیام جراحات وازبین‌بردن خارش، جرب، سختی پوست، فتق وبواسیر و گل‌مژه مفید است.

وچون مـرا با روغن‌کتان مخلوط کـرده روی زگیل گوشتی و پینه بگذاریدوآن‌را ازبین می‌برم ومالیدن این روغن در روی شقاق وبواسیرمفید می‌باشد وبرای معالجهٔ‌کجی ناخن تجویز می‌شود.

چون یك‌قسمت مراروی‌آتش ذوب‌کرده وهم‌وزن‌آن تخم‌کتان ونصف

آن سفیداب قلع در آن انداخته ومخلوط کـرده واز روی آتش بردارید جهت التیام جراحات بهترین مرهم است وچون مرا ذوب کرده بافلفل ذوب نمایید، مرهم خوبی بـرای بواسیر می‌باشد. تربانتین واسانس آن و همچنین کلوفان در دامپزشکی مصرف زیاد دارند. اسانس تربانتین را در امـریکا و بلژیك رقیق کرده و بـرای پانسمان زخمهای غانغاریا «کانگرن» و زخمهای سیاه شده و خوره‌ای به کار می‌برند. اسانس من به مقدار کم، مراکز عصبی را تحریك و به مقدار زیاد، آن را فلج می‌کند. کپسول آن که دارای ۲۵٪ گرم است، بـرای درمان عفونت سینه، نزله وبرنشیت حاد وغانغاریای سینه وغیره مفیداست، بـرای از بین بردن سنگهای صفراوی و معالجهٔ سوزاك و ورم مثانه و ضعف اعصاب تجویز می‌شود. ضدكرم معده مخصوصاً كرم کـدو می‌باشد، و بـرای درمان رماتیسم و سیاتیك به کار می‌رود، بـرای نقرس و یبوست معتادان به تریاك مفیداست. به عنوان حلال كائوچو به کار می‌رود. در صنعت چرم‌سازی، گونی‌سازی، واكس‌سازی ورنگ‌سازی زیاد مصرف می‌شود. بـرای جلوگیری از خطر انفجار کمی از آن را به هیدروژن مایع مخلوط می‌نمایند.

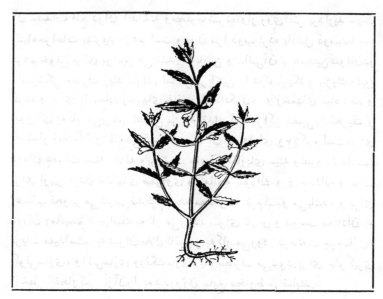

من «اسطوخودوس» هستم!

پزشگان و داروسازان سنتی ایران به‌من اسطو خودوس و استوقدوس گفته‌اند و این اسامی معرب نام یونانی من‌است که به‌معنی حافظ‌الارواح و آنس‌الارواح است. اعراب مکه به‌من ضرم (باضم‌ضاد) خطاب می‌کنند. فارسی من شاه اسپرم رومی است و در شهسوار به‌من تروم گویند. در زبان فرانسه به‌انواع ماکه متجاوزازسی گونه هستیم لاواند گفته می‌شودوسه‌نوع آن معروف است.

لاواند اصل یالاواند حقیقی

فارسی من «خیری دشتی» است. درشیراز به‌من اروانه گویند، عربی من خزامی وخزاما است و در تحفهٔ حکیم مؤمن «خراما» نوشته شده است.

من خوشبوترین گلهای صحرایی بوده و عطرم شهرت جهانی دارد و علاوه بر بوی خوش، میکربکشی قوی است وعمل آن شباهت زیاد به پنی سیلین دارد. بوییدن گل من دماغ را باز می کند وترشحات زکامی را ازبین می برد ودافع سردرد است. اگر ۳ تا ۵ گرم گل مرا دم کرده وسه تاچهار فنجان بین دوغذا بخورید، تخمیر معده را ازبین برده ونفخ را معالجه می کند. دمکردهٔ ۱۵ در هزارمن را اگر باسرنگ داخل مجرای زنانه کنید، ترشحات آن را ازبین برده و رحم را تقویت وپاك می نماید. بخور وکمپرس باجوشاندهٔ سرشاخه‌های من بهترین درمان سرماخوردگی است، من مقوی معده بوده، اشتهارا زیادمی کنم. صفرا برهستم. دراختلالات کبدی و طحال مفید می باشم وازهجوم خون به‌سر جلوگیری می نمایم. برای ضعف عمومی، اغما، صرع، میگرن، ضعف اعصاب، تپش قلب، حساسیت، تنگ نفس، لنفاتیسم ولارنژیت مرا تجویز می کنند.

ضماد من، رماتیسم، نقرس، کوفتگی و دررفتگی را درمان می نماید. در صنعت عطرسازی و صابونسازی ازمن زیاد استفاده می شود، و بعلاوه گیاه من به‌عنوان یك گل زینتی کاشته می شود. در ایران نیز دربعضی از باغات دیده می شود. بوی گل من برحسب نوع زمین وآب وهواکم وزیادمی شود.

لاواندسفید یا لاواند بزرگ

من نوع بدلی لاواند حقیقی هستم، و بوی من کمی کافوری است و درهمه احوال جانشین نوع اصلی بوده و به‌جای آن مرا می فروشند.

اسطوخودوس

من نـوع طبی لاواند می باشم و از مکه وشبه قارهٔ هند مرا به‌ایران می آورند. از انواع من که درایران می رویند تـا کنون استفاده نشده است. به‌خوانندگان محقق خودپیشنهاد می نمایم که روی «اروانه شیراز» و«تروم شهسوار» مطالعه وتحقیق نمایند. اسانس من بااینکه عطرش کمتر از لاواند حقیقی است، خاصیت میکربکشی آن بیشتر از سایر انواع لاواند می باشد و بـه‌همین جهت، از رقیق شدهٔ آن در پانسمان جـراحـات استفاده می کنند. شیخ الرئیس ابوعلی سینا، عطر مرا سالمترین مواد مخدر وخواب آورتشخیص داده است.

من مقوی دماغ وقلب وجمیع قوای ظاهری و باطنی هستم. اخلاط را از بـدن، مخصوصاً از دماغ، سینه و دستگاه تنفسی بیرون می نمایم و برای امراض کبدی وطحال داروی بسیارمفیدی هستم. خوردن ۱/۵ گرم من

به‌تنهایی جهت رعشه‌وسر گیجه مفیداست. خوردن من باعسل ذهن‌راتقویت می‌کند و مداومت در خوردن من صرع، مالیخولیا، جنون، فراموشی، وسواس، تشنج، بی‌حسی وآبریزش بینی را ازبین می‌برد. غم واندوه رانیز زایل می‌نمایم. برای مداوای امراض مذکور می‌توانید مربایی از گل من با عسل یاشکر ترتیب دهید وهرشب به‌قدری ازآن بخوریدکه یك‌گرم گل در آن باشد. عده‌ای از پزشکان قدیم به‌من «جاروب‌دماغ» لقب داده‌اند، چون به‌خوبی آن‌را زهکشی می‌کنم. من دارای یك مادهٔ ضد میکرب قوی هستم. برای‌معالجهٔ‌تنگ‌نفس ازدمکردهٔ‌من‌استفاده‌کنید. برای‌معالجهٔ‌آنژین وگلودرد از مربای‌گل من میل نمایید. برای معالجهٔ سرفه‌های شدید و سیاه‌سرفه از دمکردهٔ‌گل من نوش‌جان نمایید. دمکردهٔ بیست تاچهل‌گرم گل من، برای معالجهٔ سرماخوردگی‌کافی است. برای ازبین‌بردن ترشحات زنانه وپاك‌شدن رحم ازمیکربهای عفونی می‌توانید جوشاندهٔ‌یازده‌گرم‌گل مرا درلیتر، پس‌از صاف‌کردن، وارد رحم‌کنید و یاروزی دوبار خودرا باآن شستشو دهید. در مواقع شیوع زکام ازبخورگل یا عطرمن درخانه غافل نشوید. اگرمبتلابه سردرد هستید، شب موقع خواب مقداری از گل یا عطر مرا درشب‌کلاه یا روسری خود بریزید. و باآن بخوابید و روزبعد نتیجه‌آن‌را ببینید.

من مظهر سبزی و خرمی، «مورد» هستم!

فارسی من مورداست، به من مورت هم می گویند. در کتب قدیم از من به نامهای آس، اسمار، زند، عمر، قنتوس، مرسین، میرسین، حمیلاس، قوقام یاد شده است.

بیش از هفتاد نوع دارم که مهمترین آنها مورد بیابانی است که در فارسی به آن «مورداسفرم» و به عربی «ریحان القبور» و در گیلان به آن جیر می گویند. درخت من سبزی قشنگی دارد که هرگز خزان نمی نماید و به همین جهت از قدیم مرا مظهر سبزی دانسته اند.

درخت من در جنگلهای شمال ایران و جنگلهای نواحی «بحرالروم» زیاد است و بیشتر در نقاطی به عمل می آیم که برای کاشتن درخت زیتون مناسب است. در ایران مرا در اطراف منجیل، رودبار، شیراز، خرم آباد، شهبازان و

بین اصفهان ویزدمی‌بینید. درخت‌من سنبل جوانی، زیبایی و بکارت‌می‌باشد، سابقاً برای نوعروسان تاجی از شاخه‌های من درست کرده و برسر آنها می‌گذاشتند. قسمت مورد استفادهٔمن، برگ، میوه وبرجستگیهای روی‌ساقهٔ من است. ازچوب درخت‌من درمنبت کاری نیز استفاده می‌شود. برگهای من علاوه برآنکه همیشه سبز ومعطر است، مصرف درمانی داشته و به‌عنوان یکی ازداروهای ضدعفونی کننده ازقدیم به کاررفته است. چوب درخت‌من‌هم معطر می‌باشد.

برگ ومیوهٔمن که «آس‌دانه» نام دارد وهمچنین برجستگیهای روی ساقهٔمن که به «بنک‌آلاس» معروف است دارای جوهر مازو، یك مادهٔ تلخ و اسانس فراوان است. در برجستگیهای روی ساقهٔمن جوهرمازو زیادتراست‌و خواص درمانی‌آن بیشتر ازسایرقسمتهای من می‌باشد.

اثرضدعفونی کنندهٔ من بیشترمربوط به‌اسانسی‌است‌که دراعضای‌مختلف من، مخصوصاً دربرگ من وجوددارد. اسانس من دارای اثرضد عفونی‌کننده و ضدکرم است.

میوه‌وبرجستگیهای‌روی‌ساقهٔ‌من‌مقوی‌معده‌بوده‌وبه‌علت‌داشتن جوهر مازوقابض‌وضدخونریزی‌است. چکاندن‌آب برگ من درچشم‌جهت تسکین‌درد و برآمدن‌حدقه‌ودرمان تراخم‌وآبریزش‌چشم‌مفید است. چکاندن‌آب‌برگ من‌در گوش جهت تسکین درد وازبین بردن چرك آن مفید می‌باشد. مضمضهٔ آب جوشاندهٔ من مسکن درد دندان بوده و برای بی‌حسی لثه و زبان و زخم دهان و پیوره نافع است. بوییدن برگ من مقوی قلب ودافع خفقان است. خوردن میوهٔ من وربآن جهت جلوگیری ازسرفه وخونریزی ریوی و درد ریه مفیداست. خوردن دانه‌های من‌مقوی معده‌است مخصوصاً اگربه‌صورت قاووت مصرف شود. این قاووت اسهال‌را بندمی‌آورد و چون دویست گرم آب برگ مرا باروغن زیتون بنوشند، مسهل‌خوبی جهت بلغم خواهدبود. بخور دانه‌های میوهٔ من‌دانه‌های بواسیر راساقط می‌کند. خوردن دانه‌های من حرارت ادرار و زخم مثانه وزیادی خون ماهانهٔ زنان را از بین می‌برد. عصارهٔ دانه‌های من بازکنندهٔ بول وحیض است. جوشاندهٔ میوهٔ من ترشحات بی‌رنگ زنانه را ازبین می‌برد وضماد برگ‌آن بواسیر و ورم بیضه‌رامعالجه می‌کند. شستن باآب جوشاندهٔ برگ‌من ورمهای گرم و امراض جلدی و زخمهایی‌که درکف دست وپا باشد از بین می‌برد. جوشاندهٔ ریشه، برگ و دانهٔ من در روغن برای تقویت مو وجلوگیری از ریزش‌آن سودمندمی‌باشد واز سفیدشدن موجلوگیری می‌کند. مالیدن جوشاندهٔ دانه‌های من‌درروغن،

به‌زیر بغل و کشالهٔ ران مانع عرق‌کردن و دافع‌بوی بدآن است، مخصوصاً اگرسوزانده و در روغن بجوشانند. خاکستر دانه‌های من لکه‌های جلدی را ازبین می‌برد وچون میوهٔ مراباآب و برگ چغندر بپزند وبرسر بمالند شوره را ازبین می‌برد وموخوره را نابود می‌کند وچون دانه‌های مراکوبیده وبا آب باقلا خمیر کنند، و برلکه‌های صورت بمالندآنهارا زایل می‌کند. خوردن ومالیدن دانه‌های من جهت‌درمان گزیدگی عقرب نافع است. مقدارخوراك دانه‌های من یك‌مثقال و زیاده‌روی در بوییدن من سبب بی‌خوابی است. از میوه و برجستگیهای روی ساقهٔ من جهت معالجهٔ زخم معده استفاده کنید.
برای ضدعفونی کردن دستگاه تنفس، دارویی بهتراز بخور برگ من پیدا نخواهیدکرد ولی دربرنشیت حاد ونزله‌های خشك نباید ازآن استفاده‌کنید، بلکه باید تأمل نمایید تب‌قطع شود وخلط درسینه پیدا شود وبعدبرای ضدعفونی‌کردن ازاین بخور استفاده نمایید. اگرمبتلا به‌سرفهٔ خلطی هستید،این بخورابتدا سرفه راکم می‌کند وبعد بکلی ازبین می‌برد. غرغرهٔ جوشاندهٔمن برای ضدعفونی‌کردن‌گلو ودهان سودمندمی‌باشد. برای تقویت معده وضدعفونی‌کردن دستگاه گوارش بهتراست ازدمکردهٔ ۲۵درهزار برگ‌من‌استفاده کرده و روزی دوفنجان‌نوش‌جان نمایید. آب مقطر برگ وگل من قابض‌بوده وبرای معده مفیداست.

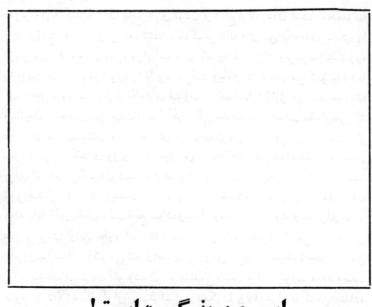

اسم من «نرگس» است!

بـوییدن گل من سردرد را تسکین می‌دهـد. اگـر می‌خواهید درزمستان از زکام درامان باشید، مرتب گل‌مرا ببویید. گرد پیاز مرا برروی زخم بپاشید تا آن‌را خشك کرده، ضد عفونی‌نماید. برای پاك‌کردن كك‌مك ازمن طبق دستور استفاده نمایید.

از فـریب نـرگس مخمور ولعل می‌پرست
حافظ خلوت‌نشین را در شراب انداختی

اسم من‌نرگس است. اعراب به‌من نرجس، فرنگیها نارسیس ویونانیان نرگیس گویند. تمام این‌اسامی ازفارسی ریشه‌گـرفته است. چون از گلهای خوشبو وقشنگ هستم، همه‌گل وپیاز مرا می‌شناسند وشعرای خـوش‌ذوق ایرانی، چشمان‌قشنگ‌وشهلا را به‌من‌تشبیه می کنند. من‌انواع واقسام پرپر وکم‌پر زرد وسفید دارم. به‌نوع کم‌پرمن «قدحی» گویند، چون مانند پیاله است وبه‌نوع پرپرمن مضاعف‌گویند واهالی شیراز به‌من «نرگس‌هفت‌زرده»

لقب داده‌اند. دروسط نوع سفیدرنگ من‌یك حلقهٔ زردرنگ قراردارد که بر زیبایی من افزوده است. «نرگس ژزوفین» و «نرگس یعقوبی» ازانواع دیگر من است. اگر در وسط پیاز نرگس نوع کم‌پرمن چهارقاش به‌شکل صلیب داده وآن‌را بکارید تبدیل به‌نوع پرپر می‌شوم. پیاز من قاعده‌آور بوده و خوردن‌آن ایجاد قی می‌کند. گل‌من ضدعفونی کننده‌ای قوی است. بوییدن آن سردرد را ساکت و گرفتگی دماغ را باز می‌کند و درمان زکام است. «جبرئیل بختیشوع» که از پزشکان واستادان دانشگاه قدیم جندی‌شاهپور بود، عقیده داشت که هرکس بخواهد در زمستان مبتلا به‌زکام نشود، بایستی بطور مداوم گل مرا بونماید.

ضماد پیاز من باعسل برای ناخنه و ورم پلك چشم تجویز می‌شود و برای رفع تشنج پلك‌چشم اثر بسیارخوبی دارد. اگر پیاز پختهٔ مرا با عسل بخورند، هرچه درمعده جمع شده باشد به‌صورت قی بیرون می‌آید. خوردن پیاز من زهکش رحم بوده وباعث افتادن جنین مرده است. خوردن شش گرم آن باعسل انواع کرم معده را از بین می‌برد ودرد رحم ومثانه را تسکین می‌دهد. برای تقویت شهوت ومعالجهٔ عنین بهتر است پیاز مرا سه‌روز در شیر گاومیش خیس کرده و بعد خشك نموده وسپس‌آن‌را ساییده وزیر شکم‌و اسافل ضماد نمایند. پاشیدن‌گرد ساییدهٔ پیازمن در روی زخمهای چرکی و آبکی آن‌را خشك و ضد عفونی کرده و دهانهٔ زخم‌را التیام می‌دهد و خون جراحات را بند می‌آورد. ضماد پیازمن باسرکه و عسل برای دمل و کورك بهترین مرهم می‌باشد. ضماد پیاز من باعسل جهت دردمزمن اعصاب و مفاصل ونقرس بهترین مسکن است وبرای رفع‌شکستگی پی‌ها و بندها به‌کار می‌رود. ضمادپیازمن‌برای معالجهٔسوختگی تجویز می‌شود. برای‌معالجهٔ گری (داءالثعلب) و پاك‌کردن ككمك وآثار جلدی نیز می‌توان ازضماد من با سرکه استفاده کرد. گل من دارای تمام خواص پیازمن بوده ومقدارخوراك آن ۷/۵ گرم است. خوردن یك‌گرم بذرمن باشیرمحرك شهوت و ضماد آن باسرکه پاك‌کنندهٔ ككمك است.

سوسن‌آزاد

نام فارسی‌من سوسن‌آزاد است و بااینکه دارای پیازبوده و باگل‌زنبق که دارای‌ریشهٔ زیرزمینی نشاسته‌دار است نسبتی ندارم، معذالك عده‌ای به من زنبق رشتی‌هم گفته‌اند. عده‌ای هم به‌من فیلگوش لقب داده‌اند و این نام در زبان فارسی به‌چندگیاه‌مختلف اطلاق می‌شود. درکتب مختلف‌انواع

سوسنها را بازنبقها مخلوط‌کرده و اخیراً هم چندین نوع سوسن را از ژاپـن به‌ایران آورده و پرورش داده‌اند. به‌هرحال مـن‌غیرازسوسن سفید و غیراز یاسمین هستم. پیازمن شبیه پیازنرگس بوده و دارای تمام خواص آن‌می‌باشد و عده‌ای از پزشکان و داروسازان قدیم پیازمرا در خواص، قوی‌تر ازپیاز نرگس می‌دانند.

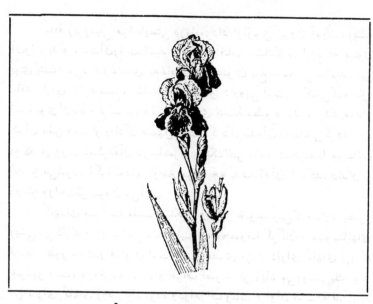

من «زنبق» هستم!

فارسی من زنبك است ومعرب آن زنبق می‌باشد. در شهرهای مختلف ایران انواع مرا باسوسن، یاسمن ویاسمین اشتباه می کنند.

انواع من دارای یك ساقهٔ زیرزمینی نشاسته‌دار و برگهای شمشیری و گلهای رنگی معطر است. ساقهٔ من ساده بوده و کم منشعب می‌شود. گلهای من به‌رنگ آبی، بنفش و دربعضی از انواع زرد است. میوهٔ من کپسولی و سه‌خانه است. من دارای انواع واقسام می‌باشم که تاکنون سه‌نوع آن‌وارد کتب طبی ودارو شده‌است و هرسه دارای خواص یکسان می‌باشند. قسمت مورد استفادهٔ من برگ، ساقهٔ زیرزمینی است که به‌فارسی به‌آن بیخ زنبق گویند. مقدار ویتامین «ث» در برگ من به‌قدری زیاد است که بعضی از کارخانه‌های داروسازی آن‌را از برگ من استخراج می کنند.

ساقهٔ زیرزمینی مرا بایستی درماه‌مرداد از زمین بیرون آورده، ریشهٔ آن‌را برید وپوست‌آن‌را تراشید و بعد درآفتاب خشك‌كرد. این‌ساقه چون بوی بنفشه می‌دهد، عده‌ای به‌غلط‌آن رابه‌عنوان بیخ‌بنفشه می‌شناسند. این ساقه دارای تانن، صمغ، نشاسته وچندعامل دارویی است. هنگامی‌که تازه است بوی‌آن‌مطبوع‌نیست، ولی‌بعداً بوی بنفشهٔ مطبوع پیدا می‌کند.مقدار کم‌آن ملین ومقدار زیادآن مسهل است. گردکوبیدهٔآن درساختن گرددندان به‌کار می‌رود. دمکردهٔآن درسیاه‌سرفه وتنگ‌نفس بطور دمکرده یا جوشانده تجویز می‌شود. اگرقطعه‌ای ازبیخ مرابه‌بچه بدهیدکه‌آن‌را بمکد، دندان‌او زودتر وراحت‌تر بیرون می‌آید.

گلهای مرا به‌علت قشنگی وعطر خوشبویی‌که دارد بطور زینتی می‌کارند و در نواحی شمال ایران مخصوصاً گرگان و موستانهای قزوین بطور خودرو فراوان است. نوع عطری من‌که دارای گلهای بزرگ خوشبو است، درمغرب ایران واطراف قصرشیرین زیاد می‌روید. یك نوع من دارای گلهای زرد رنگ بوده ودراطراف رشت فراوان است‌که قدآن به پنجاه‌سانت تایك‌متر می‌رسد.

مقدار خوراك‌گردکوبیدهٔ من‌پنجاه‌سانتی تایك گرم است.

گل اسبك

من‌نوعی زنبق‌هستم‌که در دامنهٔ‌البرز، شمیران، بین‌اصفهان وشیراز، نزدیك بوشهر، اطراف اهواز و آذربایجان ـ بین، اشتران کوه لرستان، قلعهٔ رستم و درهٔ سیلوانی ودربند ونیزاطراف مشهد و تربت جام می‌روییم و درگروس‌وتهران به‌من«گل اسبك» می‌گویند. من‌دارای گلهای گلی‌رنگ و دانهٔ‌کروی هستم وبیخ‌من مقوی و قاعده‌آور است.

اسم من «نیشکر» است!

من دارای انواع و اقسام هستم. اثر ضد سم دارم. برای مبارزه باضعف، ازمن استفاده ببرید. خوردن مغز نوع خیزران من، پیشرفت سرطان را متوقف می‌کند. ضماد سوختهٔ نوعی دیگراز من برای باد سرخ مفیداست. و اگر برگ نورستهٔ آن را در آب خیسانده بنوشید، از خونریزی سینه جلوگیری می‌کند....

فارسی من نیشکر و عربی آن «قصب‌السکر» است ودر دنیای گیاهان، نباتات قنددار مثل انگور وخرمازیاد است، ولی هیچکدام مقام من وچغندر را درتهیهٔ قند ندارند. من‌تاقرن نوزدهم‌که استخراج قند ازچغندر کشف‌شد، یگانه منبع تهیهٔ قند وشکر بودم. من انواع واقسام سفید وسرخ دارم. برای استخراج‌قند ازمن، معمولاً ساقه‌ی مرا ازنقطهٔ مجاور زمین قطع کرده وآن‌را تکه‌تکه نموده تحت فشار، شیرهٔ آن‌را گرفته وپس ازتصفیه‌آن‌را غلیظ کرده می‌گذارندتاشکر آن متبلور شود.ازپساب‌آن‌که درحقیقت ملاس من‌می‌باشد،

پس ازتخمیر مشروباتی به‌نام «رم»و «تافیا» درست می کنند. عده‌ای گیاه‌مرا بخیل و خودخواه دانسته و معتقدند من درهرکجاکاشته شوم، تمام اراضی مجاور را تصرف‌کرده وبه‌هیچ گیاهی اجازهٔ رشد ونمودرجوار خودنمی‌دهم، در نتیجه کشاورزان و ساکنان محل دچارکمبود مـوادغذایی شده از بین می‌روند. این‌اتهام روزی به‌من زده می‌شدکه سودجویان به‌کشت‌من‌مبادرت کرده و بـرای بدست آوردن محصول بیشتر، از کشت غـلات و سبزیجات، جلوگیری‌کرده وتمام اراضی را به‌کشت من اختصاص داده بودند.

نی من برخلاف نیهای دیگر توپر بوده وبعضی از انواع من نرم و شیرین و لطیف بوده وجرم‌کمتر داشته وقابل خوردن است.

باشکر وشیرهٔ من علاوه برساختن انواع شیرینی وشیرین‌کردن غذاها و نوشابه‌ها، داروهارا نیز شیرین‌کرده و درمداوای بیماران از شکر و قند استفاده می‌شود ومخصوصاً شربتها و پاستیلهایی که‌برای درمان انواع‌سینه‌درد و ضد سرفه ساخته می‌شوند، به‌آنها شکر فراوانی می‌زنند.

شکر ضدسم‌نیز بوده و پادزهر املاح سرب ومس می‌باشد وچنانچه‌با ترکیبات سیانور مخلوط شود، اثر این سم مهلك را خنثی می کند و به‌همین دلیل بودکه وقتی سیانور را به‌شیرینی زده وبه‌راسپوتین خوراندند، سم در بدن اواثر نکرد وعده‌ای آن‌را به‌معجزه و کـرامت اونسبت دادند. شکر، معده‌را نرم می کند و رطوبات‌آنها را ازبین می‌برد. زود جذب بدن شده و باعث تقویت سریع می گردد. بادشکن‌بوده ومقوی شهوت است. درمواقع ضعف مفرط هیچ‌دارویی چون شکراثرآنی ندارد. مکیدن نبات و آب‌نبات، جهت تسکین سرفه وازبین بردن سختی سینه سودمند بوده وباآب‌گرم‌جهت گرفتگی صداکه دراثر سرماخوردگی باشد مفید است.

نوشیدن‌آب تازهٔ‌نیشکر، سینه، گلوومعده را نرم می‌کند وبعدازهضم غذا باعث نرمی شکم شده، ثقل را ازبین می‌برد. ولی بلافاصله بعداز غذا نوشیدن آن خوب نبوده، تولید بلغم ونفخ وقراقر می‌کند.

علاوه برشکر در روی نی‌من، یـك مادهٔ مومی وجود دارد کـه در کارخانه‌هاآن‌را استخراج‌کرده وبه‌جای موم‌مصرف‌می کنند. سرمه‌کردن‌این موم جهت‌جلای چشم مفیداست.

انواع نی

فارسی ما (نی) است. به‌ما نای‌هم می گویند. عربی ماقصب و غاب بوده وترکی ماقمیش است. ما انواع واقسام‌توپر، توخالی، ضخیم، باریك،

کوتاه و بلند داریم و باانواع ما فرش حصیری، حصیر پرده‌ای، سبد و نی‌لبک می‌سازند. نوع مرغوب ما خیزران است که با آن صندلی و مبل‌هم می‌سازند. بعضی‌ازانواع ما دارای موادقندی نشاسته‌ای می‌باشند، ولی‌تاکنون فقط از انواع نیشکر قنداستخراج شده و ازانواع دیگر قند گرفته‌نمی‌شود. معروفترین انواع ماکه درایران می‌رویند عبارتند از:

۱- نی‌باتلاقی

که ساقهٔ بلند آن به‌مصرف علوفهٔ حیوانات می‌رسد ودر غالب اماکن مرطوب و سواحل رودخانه‌ها به‌عمل می‌آید.

۲- نی‌بوریا

بیش از صد نوع دارد و در اراضی مرطوب شنی به‌عمل می‌آید. از ساقهٔ آن فرشهای مخصوصی به‌نام حصیر یا بوریا می‌بافند و به‌آن سازوخونك، سمارالحصر کربه و کرته هم می‌گویند. فرش حصیر گرما را به‌خود نمی‌گیرد و همیشه خنك و سرد به نظرمی‌رسد، خواباندن بیماران تبدار روی حصیر درپایین‌آوردن تب‌آنها مؤثراست.

۳- نی‌خیزران

قامت من به ۲۰ تا۲۵متر می‌رسد. در ساقهٔ من مقدار زیادی سیلیس وجود دارد و همین امر باعث شده است‌که استقامت زیادی پیداکرده وبا آن صندلی و مبل‌هم می‌سازند. در مغز خیزران املاح منیزی نیز بـه‌حد وفور وجود دارد و به همین جهت به‌آن طباشیر هندی و«طباشیرقلم» می گویند. خوردن مغزخیزران سرطان را ترمزمی‌کند.

۴- نی رومی

در اطراف تهران، دوشان تپه و نواحـی البرز، در کوههای اطراف کرج، دربعضی از نقاط شمال، شهبازان و همچنین در اطراف مسجد سلیمان و بلوچستان زیـاد می‌روید. به آن غاب رومی و غاب‌بلدی و نی‌دوناکس هم می‌گویند. قسمت مورد استفادهٔ آن ساقه‌های زیرزمینی است‌که نوشیدن جوشاندهٔ‌بیست درهزارآن شیر رادرپستان خشك می‌کند، وبا آن داروهایی به‌همین منظور می‌سازند.

۵- نی نهاوندی

من از خانوادهٔ نی نمی‌باشم، بلکه از خانوادهٔ جنتیانا هستم. ریشهٔ من مقوی بوده و خاصیت تب‌بردارد. به‌من جـراتـه هم می‌گویند.عربی مـن «قصب‌الذریره» است. گیاه من باریك و بلندبوده، و گل مـن شبیه گل بنفشه است. در جـوف من چیزی شبیه پنبه و تـارعنكبوت بوده و لعابدار است و طعم آن گس می‌باشد. رنگ ظاهر ساقه‌های من سرخ مایل به زردی است، و دونوع کوچك و بزرگ دارم و درفارس و كهكیلویه زیاد می‌رویم. عرق من بازکنندهٔ گرفتگیها و مقوی دل و جگر می‌باشد. درمـان خفقان واستسقا و دردسینه و کبد ورحماست. سختی وقطره‌قطره آمدن‌ادرار را‌معالجه می‌کند، ورمها را ازبین می‌برد و شكاف بیخران را التیام می‌دهد. جوشاندهٔ آن با تخم کرفس جهت درمان جنون‌وامراض کلیه ورفع سرفهٔ کهنه و دردکبد تجویز می‌شود. نشستن‌درجوشاندهٔ آن جهت درد رحم مؤثراست، استنشاق دود آن جهت سرفهٔ خلطدار سودمند است. پاشیدن‌گردكوبیدهٔ آن جهت خوشبوکردن زیربغل و خشك‌کردن عرق آن نافع است، سرمهٔ آن جهت جلای چشم و تقویت بینایی مفیداست.

٦- نی قلم

به‌من نی کلك هم می‌گویند. بهترین نوع من در قریهٔ واسطه از روستاهای شوشتربه‌عمل می‌آید. رنگ آن سرخ و تیره است. از من بهترین نوع قلم، برای خوش‌نویسی می‌سازند.

خواص دیگرنی‌هامالیدن‌سوختهٔ نی‌به‌دندان باعث سفیدشدن‌آن‌و مانع خونریزی لثه می‌شود. سرمهٔ‌آب‌برگ آن‌جهت از بین بردن لكه‌های سفیدی چشم تجویز شده است، خوردن ساییدهٔ برگ من باعسل جهت سرفه سودمند است و چون برگ نورستهٔ مرا در آب خیس‌کرده و پس از كـوبیدن صاف نمایند، نوشیدن‌آن ازخون‌ریزی سینه جلوگیری می‌کند. ضمادسوختهٔ نی جهت خارش ـ جرب وزخمهای چرک‌دار مفید است. ضماد برگ تازهٔ نی جهت بادسرخ و ورمهای گرم سود فراوان دارد.ضماد بیخ‌کوبیدهٔ من‌باسر که مسكن دردکمـر و اعصاب است، پاشیدن كوبیدهٔ نی‌نیم‌رس از خـونریزی جلوگیری می‌نماید. خضاب بیخ سوختهٔ من باحنا جهت رویاندن مو‌وبلندی آن مفید می‌باشد.

چنانچه گل‌نی در گوش رود، به‌علت چسبندگی که دارد باعث سنگینی آن خواهد شد.

تباشیر

همانطورکه خیزران درمعرفی خودگفت، به‌مغزنوعی ازآن‌که‌جسمی فوق‌العاده سفید است، تباشیرهندی یا تباشیرقلمی می گویند.

اعراب تباشیر راطباشیرمی‌نویسند وبه‌کنایه هرشیء سفید رادرادبیات تباشیرگویند. چنانکه سفیدی صبح‌را تباشیرگفته‌اند. تباشیر قلمی‌که ازجوف نوعی خیزران به دست می‌آید، ترکیبی از سیلیکات منیزی است. پیشینیان را عقیده برآن بودکه اگرمقدارکمی از آن را درکوزهٔ آب بریزند، آب آن بهتر رفع عطش می‌کند. مقوی قلب و مسرت آفرین بوده و خوردن آن با سکنجبین جهت ازبین بردن وحشت و غم و اندوه تجویز شده است، مسکن معده وجگربوده و مسکن التهاب عطش‌است، صفرابر ودرمان اسهال خونی است. ضماد آن با عسل ورمهای چشم را ازبین می‌برد و مکیدن آن جوش دهان اطفال را درمان می کند.

در داروسازی جدیدبه‌کربنات منیزی‌که شباهت به‌تباشیردارد، تباشیر فرنگی لقب داده‌اند. فلزمنیزی‌درسبزینهٔ گیاهان به‌جای آهن درخون انسان است. املاح‌منیزی مسهل بوده ومقدارکم‌آنهاملین‌است،کبدرا پاك ومجاری دفع سموم را لاروبی می کنند وبهترین نقش‌آنهاجلوگیری ازپیشرفت سرطان بوده وترمزسرطان لقب‌گرفته‌اند.

اسم من «تخم مرغ» است!

در من ۳۵ عنصر مختلف جمع آمده است. از زردهٔ من برای حفظ حافظهٔ خود استفاده برید. در رشد اطفال نقش مؤثری دارم. اگر از مرض قند رنج می برید به سراغ من بیایید. برای زخم معده مفیدم و قوای از دست رفته را جبران می کنم...

فارسی من تخم مرغ است. به من مرغانه هم می گویند. اعراب به من «بیض» و ترکان «یومورتا» گویند. من یکی از مواد غذایی انسان هستم که از ابتدای خلقت مورد استفاده قرار گرفته و روز بروز مصرف من در ایران و سایر کشورهای جهان زیادتر می شود. دسته ای از گیاهخواران با اینکه از خوردن گوشت پرهیز می نمایند خوردن مرا جایز دانسته و در حقیقت مرا نایب مناب گوشت کرده اند. من یکی از غذاهای مفید و کامل بوده و خوردن من برای حفظ تندرستی و درمان پیشگیری، اثری ارزنده دارد، زیرا من دارای مواد سفیده ای، مواد معدنی، ویتامینهای گوناگون، مواد آلی، مواد چربی و کمی قند بوده و در ساختمان من ۳۵ عنصر مختلف دیده شده است.

مـواد سفیده‌ای در سفیدهٔ من به‌صـورت محلول و در زرده به حالت ترکیب با مواد چربی است وتاکنون شانزده نوع مواد سفیده‌ای درمن کشف کرده‌اند که این شانزده نوع مواد سفیده‌ای، می‌توانند قسمت‌اعظم احتیاجات بدن انسان رابرای رشد ونموونوسازی عضلات تأمین نمایند. چربی‌موجود درزردهٔ من، ازعالیترین وسودمندترین انواع چربیها بوده وپرارزشترین‌آنها لیسیتین نام دارد که غذای اصلی شبکهٔ عصبی بدن انسان بوده و وجودش برای حفظ حافظه، قوای تفکرودستگاه توالد و تناسل‌لازم‌وضروری است.

یکی از اسراروجود من این است که با اینکه دارای کلسترل بوده و قاعدة بایستی چربی خون را زیادکنم، خوردن‌من سبب افزایش فشار خون نمی‌شود، زیرا نوعی‌چربی درمن وجود داردکه خاصیت‌آن پایین‌آوردن‌فشار خون است و به‌همین جهت است که خوردن من فشار خون را بالا نمی‌برد. زردهٔ من دارای فسفرزیاداست. من دارای‌کلسیم زیاد ومقداری منیزی، کلر، پتاسیم، سدیم، گوگرد وآهن می‌باشم.

من دارای ویتامینهای محلول در چربی مانند ویتامینهای «آـ دـ ای وکا» بوده و چنانچه در آفتاب قرارگیرم، مقدار ویتامین (د) در من‌دوبرابر می‌شود ونیزدارای ویتامین «ب۱، ب۲، پ، وب۱۴» هستم.

اسیدپانتونیك نیز در مـن زیاد بـوده و خوردن من مانع ریـزش مو می‌باشد. زردهٔ من دارای‌هورمونهای جنسی وهورمونی‌شبیه انسولین بوده وخوردن من برای‌مبتلایان به‌مرض قند سود فراوان دارد. من به‌رشداطفال کمك‌کرده و بلوغ را جلو می‌اندازم و شیر مادران را زیاد می‌کنم. خام من برای رشد، اثر بیشتری دارد. سفیدهٔ من به‌صورت خام قابل مصرف نیست، ولی پختهٔ‌آن مناسب ومفیداست. زردهٔ من چه‌به‌صورت خام و چه به‌صورت پخته درمعده توقف کوتاهی داشته وترشحات معدی را زیادمی‌کند وبه‌همین جهت است‌که خوردن آن قبل‌ازغذا اشتها را زیاد می‌کند.

من‌درحرارت ورطوبت زیاد فاسد می‌شوم وشستن من باعث می‌شود، که زودترفاسد شوم، ولی‌درهوایی که‌کمی‌مرطوب باشد دیرترفاسد می‌گردم. اگر مرا در مجاورت سبزیها مخصوصاً پیاز و سیب‌زمینی و میوه‌هایی مانند سیب ومرکبات قراردهید، پس‌ازچند روزآنها را فاسد و متعفن می‌کنم واین به‌علت گازگوگردی است‌که به‌تدریج از من صادر می‌شود، بنابراین توصیه شده است‌که مرا ازآنها دور نگه‌داشته و دریخچال نیز جای من ازمیوه‌ها و سبزیها مجزا شده است. پوست من دارای املاح کلسیم وفلزات دیگری‌است که‌قبلا به‌آن اشاره گردیده. در زردهٔ من بیشترودرسفیده، مقداری انزیمهای

مختلف ودیاستازهای مفید وجود دارد. زردهٔعسلی من غذاییت بسیار داشته وفضولات آن‌کم است. مقوی دماغ و بدن بوده، شهـوت را زیاد می‌کند. خلط را ازبین‌می‌برد وسینه را نرم‌کرده وازسرفه‌های خشك جلوگیری‌می‌کند ومانع خونریزی‌ازسینه ومعده می‌شود و برای زخم معده وکلیه ومثانه‌مفید است. برای‌کسانی‌که خون زیادی ازآنها رفته و دچارضعف شده‌اند، غذایی بهتراز زردهٔ تخم مرغ برای آنهانیست وچون به‌زردهٔ من‌کمی‌فلفل‌زده و آن را نیم برشته نمایند، برای زیاد شدن شهوت مؤثراست. خوردن زردهٔ خام، پادزهرخوبی است، وبلعیدن آن آواز را بازمی‌کند.

زیاده روی درخوردن من مضر معده بوده وباعث پیدا شدن سنگ در کلیه‌ومثانه وایجاد زخمها وضایعات جلدی ویکی‌ازعلل پیدایش گل‌مژه است. عسلی من برای اطفال می‌تواند جانشین شیرمادر شود، پختهٔ سفت شدهٔ من دیرهضم، مخصوصاً دراشخاص رطوبتی‌است. خوردن من باکندر جهت رفع سرفه وباتخم‌کتان جهت تنگ‌نفس وباکمی نمك همراه باکندروانزروت برای چاق شدن‌اشخاص‌لاغروباخون سیاوشان جهت اسهال وپیچش دل وباتباشیر۔ قلمی جهت بند آمدن خون، تجویز شده است. همچنین خوردن من همراه باسماق و مازوجهت اسهال نافع‌است. پختهٔ من باسرکه شکم راجمع‌می‌کند، وبرای معده مفید است. ضماد زرده و سفیدهٔ من همراه با برگ گل بابونه، جهت ورم‌چشم و ورم‌بیضه‌ونشستنگاه و باموم جهت نرم شدن جمیع ورمها ونرمی اعصاب مفید است. مالیدن پختهٔ من‌مخلوط باز عفران جهت تسکین درد و ورم بواسیر و باعسل جهت برطرف شدن کك‌مك وآثار سیاهی‌جلد وبه تنهایی‌جهت شقاق (ترك نشستنگاه) نافع است و چون چهارتا پنج عدد زرده را بازیرهٔ کرمانی وگل بابونه پس‌ازکوبیدن مخلوط‌کرده، برپارچهٔ‌آب ندیده بمالند و آنرا روی‌آتش‌ملایم گرم‌کرده، برکمرببندند دردآن راتسکین می‌دهد و چون زرده را گرم‌کرده روی دمل بگذارند و روی آن پارچه‌ای بچسبانند، باعث سرباز‌کردن‌آن شده و زخم آن را التیام می‌دهد.

مالیدن زرده وسفیده برصورت جهت درآمدن‌ریش وبرسرجهت‌تقویت مو مخصوصاً موهای خشك‌سودمند می‌باشد، سفیدهٔ من غذائیت زیاد داشته وکمی دیر هضم است وخوردن آن با آردجو برای جلوگیری از خونریزی معده وسینه مفیداست. ضمادآن جهت درد چشم‌وزخمهای بدخیم وسوختگی آتش وآب جوش مفید بوده،ازتاول زدن جلوگیری می‌کند. مالیدن‌آن مانع آفتابزدگی‌می‌شود. پوست سخت‌بیرون‌مرا اگرکوبیده برروی زخم بپاشید، آن‌را ضد عفونی می‌کند و اگر در سوراخ بینی بریزند، خون دماغ را بند

می‌آورد وپاشیدن آن جرب و خارش را درمان می‌نماید.

برای‌شناسایی تازگی وکهنگی من‌کافی است یک محلول دوازده در ـ
صدآب‌نمك را در یك لیوان ریخته و مرا در آن بیندازید، اگر در ته‌لیوان
عمودی ایستادم، تخم مرغ روزبوده وتازه می‌باشم، اگروسط محلول معلق
ماندم، دو تا سه روز از عمر من می‌گذرد و اگربالا آمده، در سطح محلول
غوطه‌ورشدم، بیش‌ازچهار روزازعمرمن می‌گذارد، واگر روی محلول افقی
افتادم، بسیارکهنه‌وفاسدمی‌باشم. این‌روزها تخم مرغ خشك‌كرده وتخم‌مرغ
منجمد شده هم وارد بازار شده و بدنیست بدانید كه خشك‌كردن تخم مرغ
درقدیم هم بین چینیها معمول بوده است.

من «آب معدنی حسنک» هستم!

من آب‌معدنی حسنک بوده، به‌من آب‌معدنی کچسرهم می گویند. زادگاه من بین کرج و کچسر، شش کیلومتر به کچسر مانده‌است ودرسمت راست رودخانهٔ کرج می‌باشد وبه رودخانهٔ کرج می‌ریزم ومانندصدها آب معدنی دیگرایران به‌هدر می‌روم. چشمهٔ من درته دره‌ای در شرق‌کوه اسفندك و هزاربند قرار گرفته است.

من جزوآبهای معدنی سرد و گازدار بوده و دارای املاح سدیم و کلسیم هستم‌وبه‌علت‌نداشتن املاح زیاد، گوارامی‌باشم.

نوشیدن من جهت‌کلیه ومثانه مفید بوده، ادرار را زیاد و سموم بدن را دفع می‌کند، به‌مقدار کم صفرابربوده و املاح صفراوی و سنگ کیسهٔ صفرا را به‌حرکت درمی‌آورم، نوشیدن من برای از بین بردن

سنگهای کلیه ومثانه وهمچنین برای مبتلایان به نقرس، درد مفاصل، حالات تشنجی، تورم کبد ورفع تشنج بسیار سودمند می‌باشد، خوردن من بعدازغذا به‌هضم آن کمک می‌کند. آشامیدن من برای مبتلایان به‌پروستات ومبتلایان به فشارخون منع شده است. مبتلایان به‌سنگ صفرا چنانچه دارای سنگهای بزرگ بوده و سنگ به‌حرکت درآمده باشد اگر مقداری ازمن بنوشند، ممکن‌است مبتلا به‌دردهای ناراحت‌کننده شوند. من‌همانندآب معدنی«اویان» درفرانسه بوده، ولی مردم ایران برخلاف فرنگیها قدرمرا ندانسته و ازمن استفاده نمی‌کنند.

۲۱۷

اسم من «کاهو» است!

از رقت خون جلوگیری می کنم. از سفید شدن مو و ریختن آن ممانعت می نمایم. محرک اشتهاهستم. رنگ چهره را باز می کنم و بهترین دارو برای امـراضی هستم که ریشۀ عصبی دارند. زیاده روی درمصرف من ایجاد مسمومیت می کند. برای بی خوابی مفیدم...

گر تورا خون رقیق است و کشی رنج و عذاب
هیـچ دارو اثرش بیشتر از کاهـو نیست

دعا کنید که هیچگاه سفرۀ شما خالی از کاهـو نباشد. فارسی من کاهو است، به من «کوك» هم می گویند. عربی من «خس» است و ترکان «خاس» گویند. من انـواع و اقسام بیابانی و بستانی دارم و در اثر تربیت و پرورش، نژادهای مختلفی از من بوجود آمده است. چندین نوع کاسنی و کلم را نیز به شکل من درآورده به صورت سالاد مصرف می نمایند. من دارای انواع پیچ، بهاره، تابستانه، پاییزه و زمستانی هستم، بطوری که در تمام فصول سال، بازار اروپا از انواع من خالی نیست و در ایران نیز نژادهای متعددی

ازمن به بازار می‌آید.

انواع من دارای ویتامینهای «آ» و «ب» بوده و سرشار از ویتامین «ث» می‌باشد و به‌همین جهت ضد رقت خون بوده و سازندهٔ خون صالح می‌باشم و این گفتهٔ امام هشتم (ع) دارای اهمیت است که به‌شیعیان خود توصیه فرمودندکه تامی‌توانیدکاهو بخورید... چه‌کاهو رقت خون را ازبین برده و بهتر از سایر سبزیها خون را تصفیه می‌نماید. این کلام امام ازآن جهت حائزاهمیت‌است‌که‌بیش‌ازهزارسال‌قبل‌ازکشف‌ویتامین«ث»بیان شده‌است.

انواع‌من‌سرشارازاملاح‌آهن، کلسیم، منیزیم،منگنز، ید، روی، سدیم و مس می‌باشد. و بعلت داشتن مس است که خوردن آن خارش دهانه‌های رحم را ازبین‌برده و ازترشحات بیرنگ زنانه‌جلوگیری می‌نماید.

به‌علت داشتن املاح فراوان مخصوصاً منگنز و روی، خوردن آن‌از سفید شدن موجلوگیری می‌نماید ومانع ریزش مومی گردد.

من اشتها ر اتحریك می‌کنم و چنانکه قبل از غذا مرا باکمی سرکه و ادویهٔ مناسب میل‌نمایید، غدد دستگاه گوارش راتحریك‌کرده و باعث ترشح عصیرمعدی شده و درنتیجه به‌هضم غذایی که بعداًخورده شودکمك فراوان می‌نمایم. مخصوصاًاگرمرا خوب جویده و باآب بذاق دهان مخلوط‌کرده و فروبرند. روی همین اصل است‌که غذا شناسان توصیه می‌کنندکه همیشه سالادکاهو را قبل ازغذا باید خورد و یا همراه غذا و در اینجا من به‌شما سفارش می‌کنم‌که هیچگاه بعد ازغذا سالادکاهومیل ننمایید، چه این یکی از بدترین روش مصرف غذایی است و ایجاد ناراحتیهای معدی می‌نماید.

من‌خنك بوده وتشنگی‌را تسکین‌می‌دهم. رنگ وقیافه را بازمی‌نمایم، یرقان را معالجه می‌کنم ومجرای طحال را باز می‌نمایم. من مسکن اعصاب بوده،اضطراب وتشویش ودلهره راازبین‌می‌برم، وبهترین دارو برای‌امراضی هستم‌که ریشهٔ عصبی دارند.

درتمام اعضای‌بدن من‌ازقبیل‌برگ، ساقه، و ریشه یك شیرابه جریان داردکه چون‌گیاه من به‌تخم بنشیند، این شیرابه زیادتر می‌شود و مقدار آن درانواع بیابانی من بیشترازانواع بستانی است. اگرساقهٔ مرا تیغ‌زده و یا آن‌را قطع نمایند و این شیرابه را گرفته در حرارت آفتاب خشك نمایند ماده‌ای به‌دست می‌آیدکه به‌افیون‌کاهو معروف است.

درداروسازی‌جدید به‌این‌افیون «لاکتوکاریم» می گویند. دارای‌چندین عامل دارویی،کمی کائوچو و قندی شبیه قند شیرخشت است و درآن مقدار قابل ملاحظه‌ای ویتامین «ای» ملاحظه می‌شود وبه‌همین جهت‌است‌که‌برای

مغزمفید بوده وشهوت رامتعادل‌می‌سازد وازاحتلام وشهوت زیاد جلوگیری می‌کند واین خاصیت‌کم وبیش درکاهو هم وجود دارد.

زیاده روی درخوردن‌آن‌ایجاد مسمومیت‌کرده و دردستگاه تنفس‌تولید ضعف می‌نماید و سرانجام باعث خفقان، سرگیجه، فلج قلب و احساس صدا درگوش می‌شود، برای جلوگیری از تحریکات عصبی و تسکین دردقاعدگی بهترین مسکن است. در بیماریهای اطفال مخصوصاً سرفه و برنشیت اطفال، سودمند می‌باشد.

این خواص درمن اززمان‌جالینوس‌شناخته‌شده وآن‌حکیم که‌خودمبتلا به بی‌خوابی بوده است باخوردن‌کاهو معالجه شده است.

من مسکن فشارخون و درمان یبوست صفراوی و سودایی و برطرف کنندهٔ التهابات و تشنگی و دافع خماری بوده و مانع مستی می‌شوم، کمی خواب‌آور وملین‌بوده وپیشاب‌آور می‌باشم. این خاصیت درنشستهٔ من بیش ازشستهٔ من‌است، ولی چون‌کاهو را بیشتر باکود حیوانی تقویت می‌کنند، خوردن‌نشستهٔ‌آن به‌هیچوجه‌صلاح نیست. خوردن برگ‌من‌جهت رفع‌خارش، جذام، جنون، یرقان، درد پستان و تبهای گرم وزخم مثانه و مجاری بول و برانگیختن اشتها سودمند می‌باشد. من درد معده را تسکین می‌دهم، من مواد قندی وچربی زیاد ندارم وخوردن من‌کسی را چاق نمی‌کند وپختهٔ من غذاییت بیشتری دارد. مرابرای معالجهٔ درد سینه وزیادشدن شیرتجویز کرده‌اند. زیاده روی درخوردن من شهوت راکم می‌کند وبرای مبتلایان به تنگ‌نفس خوب نیست. سوختهٔ من‌جهت‌التیام جراحات به‌کارمی‌رود، عصارهٔ برگ و ساقهٔ من‌که در داروسازی به‌نام «تریداس» معروف است، یکی از مواد خواب‌آور ومسکن بوده، وضررسایرمواد مخدر را ندارد و چنانکه از کاهوی بیابانی گرفته شود، خواص دارویی‌آن بیشتر بوده وتمام منافع‌کاهو را به‌حد زیاد دارد. مالیدن‌آن برسرمانع ریزش موبوده و گذاشتن‌آن برمحل نیش حشرات، پادزهرسموم‌آنها می‌باشد.

ضماد پختهٔ من با کمی روغن زیتون، برای معالجهٔ بادسرخ، دمل، کورك و ورم چشم نافع‌است. بذرمن به مقداریك قاشق‌قهوه خوری، برای معالجهٔ تنگ نفس وسینه پهلو ونزله مفید بوده، خواب‌آور ومسکن است و خوردن آن برای قطع‌احتلام وضعیف نمودن و متعادل ساختن شهوت به‌کار می‌رود. آب برگ من دارای همان خواص بذرمن می‌باشد.

کاهوی بیابانی

اسم من کاهوی بیابانی است. به من خس بری، کاهوی خرگوش، کاهوی خودرو هم می گویند.

زیاده روی درخوردن من اثرسمی دارد. من آرام کننده، ضدتشنج، ملین وخواب‌آور هستم، پیشاب را زیاد می کنم و بیشتر مراجهت رفع یرقان تجویز می نمایند.

کاهوی دریایی

من با اینکه جزو آلکهای دریایی هستم، به علت شباهت زیادی که به کاهو درشکل وطعم دارم، به من کاهوی دریایی می گویند و مانندکاهوخام وپخته خورده شده، ودرسالادازمن استفاده می شود. دارای انواع مختلف هستم که بعضی ازانواع من درآب شیرین و بعضی درآب شور به عمل می آیند، به علت سرشار بودن ازاملاح معدنی، مخصوصاً «ید» دررفع گرسنگیهای پنهانی املاح معدنی نقش مهمی داشته، ضدگواتر وضدسرطان می باشم، اینک چندسفارش دیگر برای شستن کاهو: بهتر است آنرا برگ برگ کرده درآبی که چند قطره سرکه به آن افزوده اند خیس کرده، و باآب تمیزآن را شسته وبگذارید درهوای آزادکمی بماند.

اگرلاغرهستید ومی خواهید چاق شوید، به جای سرکه، روی سالادکاهو سکنجبین بریزید وکاهوراهمیشه باآن میل نمایید واگرچاق بوده، می خواهید لاغرشوید، کاهو وسالادآن راباسرکه وکمی گلپر میل نمایید. برای رفع بوی بددهان، کافی است برگهای سبز کاهو را خوب بجوید. درکوکو وآشها و غذاهای مختلف سبزی دار می توانید ازبرگهای سبزمن استفاده کنید.

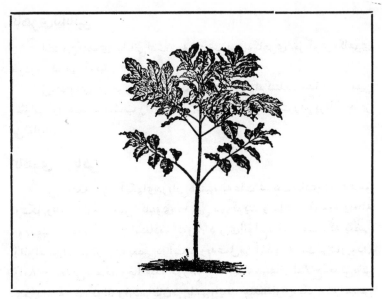

من «قهوه» هستم!

من مقوی قلب، کلیه ومثانـه هستم. نیروی قلب را افزایش می‌دهم. جــوشاندهٔ من ضعف قوا را از بین می‌برد. اثـر ضدعفونی دارم وسبزمــن سیاه‌سرفه و اسهال را رفع می‌کند...

ایرانیان به‌من قهوه و اعراب «بن» گویند، و این لغت به‌معنی شراب جامداست، زادگاه‌اولیهٔ من یمن وشمال افریقاست، بعد مرابه‌عربستان سعودی وازآنجابه هندوستان وسپس‌به‌امریکا برده‌اند واکنون‌بهترین نوع‌من‌محصول برزیل می‌باشد. درتاریخچهٔ کشف من نوشته‌اندکه شیخ‌ابوالحسن دریکی از کوهستانهای یمن صومعه‌ای داشت، مریدان او به‌سبب شب زنده‌داری‌زیاد وریاضت، خسته وکسل‌شده‌بودند وچون عده‌ای‌ازآنها‌ازمیوهٔ من خوردند، رفع‌کسالت وخستگی آنها شد واین‌راز رابه‌دیگران گفتند تا‌به‌گوش پیرآنها رسید. شیخ دستور دادکه میوهٔ مرا درآب جوش‌داده بیاشامند، تارفع ملال آنها شود و از آن تاریخ من در دنیا شناخته شده و از آنجا به بلاد دیگر

رفتم. من دارای انواع و اقسام می‌باشم وتاکنون ۳۳ نوع من‌شناخته‌شده است. قهوهٔ سبزکه دانهٔ بونداده‌ٔ من است، بویی ندارد وکمتراز آن استفاده می‌شود، ولی‌همین‌که دانه‌ٔمرا حرارت‌دهند، عطرمطبوع زیادی‌پیدامی‌نماید. درموقع بو دادن دانه‌های من، باید دقت زیاد شود تا مغزدانه‌برشته شده، روی‌آن نسوزد. بهترین حرارت برای بودادن دانه‌های من، حرارت ۱۸۵ درجه است و چنانچه درجهٔ حرارت از ۲۴۰ درجه تجاوزکند، طعم و بوی آن ناپسند خواهد شد. جوشاندهٔ من مقوی دستگاه مرکزی اعصاب بوده و نوشیدن آن سبب نشاط و سرعت انتقال دردرك مسائل مختلفه است و این خاصیت منحصراً مربوط به‌کافئین بوده وسایر ترکیبات دانه‌های من اثری در روی سلسلهٔ‌اعصاب ندارند. من مقوی قلب،کلیه و مثانه هستم. من درروی جریان خون اثرکرده، ضربان نبض و نیروی انقباضات ماهیچه‌های‌قلب‌را افزایش می‌دهم. زیاده‌روی درخوردن من‌باعث بی‌خوابی است، ولی‌کسانی‌که به‌خوردن من‌عادت دارند، نه تنها بی‌خواب نمی‌شوند، بلکه برای آنها خواب آور هستم. جوشاندهٔ من ضعف قوا را از بین می برد و به همین جهت است که پزشکان توصیه می کنندکه بیماران امراض عفونی در دوران‌نقاهت ازجوشاندهٔ من‌استفاده نمایند. من پادزهرسموم، مخصوصاً تریاك ومواد مخدر هستم. قهوهٔ سبزضد سیاه سرفه واسهال است. نوشیدن من پیشاب را زیاد می کند و اثر ضدعفونی دارد. محمد‌بن‌زکریای رازی‌طبیب‌مشهورایران مرا گرم و سوزاننده دانسته و خوردن مرا باعث عطش می‌داند ومعتقداست‌که اگر مرا با آویشن‌کوهی وروغن زیتون بخورند، این خاصیت من شدید می‌شود ومن معده را ازبلغم پاك می‌کنم واشتها را باز می‌نمایم. برای رفع عطش بایستی بعد از من‌کمی سرکه بنوشند. زیاده‌روی درنوشیدن قهوه خوب نیست وزیان بسیاردارد.

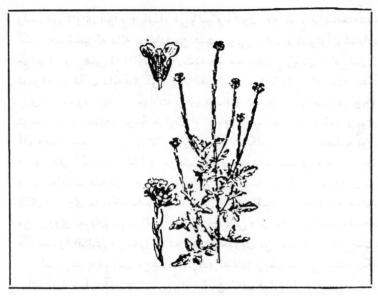

اسم من «خاکشیر» است!

دانه‌هایم ضدعفونی کننده است. پادزهر خوبی هستم و نقرس را نیز درمان می‌کنم. در درمان سرطان به نوعی می‌توان از من استفاده کرد. برای کسانی که مزاجشان سودایی است، اثری معجزه‌آسا دارم. تب بر هستم و برای تقویت معده بی‌رقیبم. اشتها را تحریک می‌کنم. اگر رنگ رخساره‌تان تیره است، برای بازشدن آن از من استفاده برید. .

فارسی من خاکشیر است، به من خاکشی، خاکشور و خاکژی هم می‌گویند. در اطراف شیراز مرا شقرک نامند. در تبریز به من سرون و در مازندران به گیاه من شلم گویند. عربی من حبه است، کسانی که عربی مرا «خم‌خم» دانسته‌اند اشتباه کرده‌اند، زیرا «خم‌خم» عربی تودری است که بعداً خودرا معرفی خواهد کرد.

من دارای دو نوع هستم، یکی تلخ که دانه‌های آن ریز ورنگ آنها مایل به‌سرخی است و گونهٔ دیگر شیرین که دانه‌های آن بزرگتر بوده و

رنگ آنها سرخ تیره است. هردونوع من در غالب نقاط ایـران مخصوصاً دامنه‌های جبال البرز در بیابانها بطور خودرو می‌رویند. از گیاه من برای التیام دادن زخمها و جراحات استفاده می‌کنند. جوشاندهٔ گیاه مـن در رفع اسهال روده وخونی وازبین بردن‌ترشحات زنانه وآب‌آوردن نسوج‌می‌توان استفاده‌کرد. دانه‌هـای مـن کمی ضدعفونی کننده، ضدکرم وتب‌بر هستند. داروسازان سنتی ایران مرا بـه‌عنوان ملین و خنک کننده بـاآب سرد مفید می‌دانستند، بذرمن شهوت را زیادمی‌کند، اشتهارا باز می‌نماید. مقوی‌معده و هاضمه بوده، جهت بازشدن آواز ونیکویی رنگ رخسار مفید می‌باشد. به عنوان خنک‌کننده درامراض حصبه، مطبقه و آبله تجویز شده است، چنانچه ده روز، روزی دومثقال دانه‌های مرا باچهارمثقال شکر کف‌لمه نمایندبرای صاحبان مزاج سودایی سودی فراوان دارد.

از دانه‌های من به‌عنوان پادزهر به‌طریق زیرمی‌تـوان استفاده کرد: پنج گرم دانهٔ مرا شسته و باگلاب یا آب خالص آنقدر بجوشانید تا شکفته شود، وبعدآن‌را نیم‌گرم‌به‌مسموم بخورانید. به‌این صورت‌قی‌آورده وایجاد تهوع می‌نماید، واین عمل را چند مرتبه تکرار کنید تاقی بندآید. ضماد من جهت زخم چشم، ورم بناگوش‌وپستان، نقرس و ورمهای سخت سرطان‌نافع می‌باشد، فرزجهٔ دانه‌های من زایمان را آسان می‌کند. مقدار خـوراك نوع شیرین من دومثقال می‌باشد.

تودری

فارسی من تودری است، درکرمان مار درخت ودر تبریز به‌آن درینه گویند وسه‌نوع‌می‌باشدکه خواص درمانی آنها یکسان است، و بهترین‌آنها قدومه نام داردکه منحصراً درایران و عراق به‌عمل می‌آید و بهترین‌انواع تودری است ولی از حیث شکل میوهٔ قدومه و تودری فـرق بسیار دارند. دانه‌های میوهٔ تودری درغلافی شبیه خورجین قرار دارندکه طول این‌غلاف سه‌برابر عرض آن می‌باشد. درصورتی‌که میوهٔ قدومه درغلافی‌کوچك چهار گوش‌که طول وعرض آن مساوی است قرارگرفته و محتوی دودانه است، به‌این نوع بیشترقدومهٔ‌شهری یا قدومهٔ شیرازی اطلاق می‌شود وبه‌دونوع دیگر تودری وقدومهٔ‌بدلی می گویند.

قدومهٔ بدلی چـون گلهای قشنگ دارد، به‌عنوان یـك‌گل زینتی در باغچه‌ها کاشته می‌شود. گیاه من دارای گلهای زرد کوچك بوده و معمولاً

درکنار جاده‌ها دیده می‌شود. اعراب به‌سه‌نوع ما بزرالخمخم، بزرالهوه و قصیصه گویند. خـواص هرسه نوع ما یکسان است، ولی قـدومهٔ شیرازی مفیدتر ومرغوب‌تر می‌باشد. تمام قسمتهای گیاه مادارای یك‌اسانس گوگردی است‌که درکوچك‌کـردن غدد سخت سرطانی اثر نیکو دارد. دانه‌های مـن بطور دمکرده یا جوشانده جهت درمان رقت وفساد خون تجویز شده است. برای معالجهٔ گرفتگی صدا و بیماریهای حنجره مفید می‌باشد. دانه‌های گیاه من اشتهاآور و مقوی قوای جنسی است، وجهت معالجهٔ سرفهٔ خونی مفید می‌باشد. پختهٔ دانه‌های من درسرکه جهت چاق شدن وبازشدن رنگ‌رخسار توصیه شده است، ضمادکوبیدهٔ دانه‌های من باآب جهت‌کـوچك شدن غـدد سرطانی و ورمهای سخت مفید است. سرمهٔ دانه‌های من با عسل جهت زخم چشم و پاك کردن چرك آن سودمند است. مربـای‌آن باعسل جهت از بین بردن خلط لزج سینه و ریه جهت تحلیل ورم سخت بنا گوش و ورم پستان و ورم بیضه می‌توانید ازضماد من استفاده کنید. دانه‌های من ضد سم است ومقدار خوراك آن به‌عنوان پادزهر پنج تا هشت گرم و در سایـر مواردسه تا پنج گرم‌است.

مالیدن لعاب من به گیسو شورهٔ‌سررا از بین میبرد.

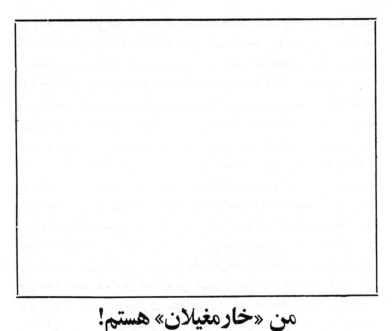

من «خارمغیلان» هستم!

در بیابان گر به شوق کعبه خواهی زد قدم
طعنه‌ها گرمی زنـد خارمغیلان غم مخور

من برخلاف آنچـه بین عـوام معروف است، خـارشتر نیستم، بلکه درختچه‌ای هستم پر از خار به ارتفاع دو تا هشت متر که در کنار دریای سرخ از سودان تا سنگال می‌رویم و از قدیم در ایران در بلوچستان و جزیرهٔ قشم به عمل آمده‌ام. اعراب به من امغیلان (ام غیلان) یعنی مادر غولان می‌گویند و فارسی زبانان مرا مغیلان خطاب می‌کنند، و در بلوچستان به من خور می‌گویند. من دارای انواع مختلف بوده و در خانوادهٔ اقاقیا قرار دارم، کلمهٔ اقاقیا معرب آکاسیا می‌باشد و چنانچه گل اقاقیا در معرفی خود گفت، این گل را از امریکا آورده‌اند و نمونه‌های وحشی آن نیز دارای خار بوده که در اثر پرورش از

۲۲۷

بین رفته است. ولی قبل ازآنکه امریکاکشف شود، لغت اقاقیا وآکاسیا به این خانواده گفته می‌شد. ازتمام گونه‌های مختلف ماصمغی به‌دست می‌آیدکه به‌آن صمغ‌عربی می‌گویند وبهترین صمغ‌عربی ازمغیلان معمولی گرفته‌می‌شود. میوهٔ من نیامی بوده و در هرغلاف سه تاپنج دانـهٔ خاکستری وجود دارد، نوشیدن عرق گل من جهت رفع خفقان و دلهره وتقویت اعصاب نافع است. خوردن برگ درخت من جهت بندآمدن اسهال و مالیدن آن جهت تقویت اعضا و عضلات بی‌حس سودمند است، و چنانچه برگ نورستهٔ درخت مرا یك‌شب درآب‌خیسانده وصبح‌صاف نموده بپاشامند، جهت زخم مجاری‌ادرار وجلوگیری از سوزش‌آن مفیداست. خوردن گردکوبیدهٔ گلبرك ـ پوست‌صمغ من که به‌مقدار مساوی باهم مخلوط کرده باشند، ازاحتلام جلوگیری‌می‌کند و برای این‌کار بایستی چندروز پی‌درپی، هر روز یك گرم ازاین مخلوط را صبح‌ناشتا خورد. این دستوربرای قطع ترشحات رحم نیز مفید است.خوردن برگ نورستهٔ من باکمی زیره و یك عدد گل‌انار ناشکفته نیز جهت امراض فوق مفید است. ضماد برگ تازهٔ من جهت‌التیام زخم و فـروکش‌کردن ورم سود فراوان دارد. داروسازان سنتی ایران‌درگذشته غلاف میوهٔ مراشکافته و دانهٔ‌آن‌را برداشته وآن‌غلاف را از طرف داخل به‌پارچه‌ای می‌مالیدند تا آن پارچه به‌صورت مشمع درمی‌آمد وباآن پستان‌بند درست می‌کرند. ایـن سینه‌بند برای بانوانی‌که پستان‌آنهاآویخته بود. نتیجهٔ عالی داشت. پوست ساقه وشاخه‌های من‌جهت قطع خون جراحات نافع می‌باشد، و برای این‌کار سابقاً ازآن روغن درست می‌کردند که معروف به‌روغن «شیخ‌صنعان» بـود. دستور ساختن این روغن در قـرابادین داده شده است. پوست، برگ و میوهٔ درخت من دارای مقدار زیادی جوهر مازو بوده وبه‌همین جهت دردباغی‌از آن استفاده می‌کنند، ومالیدن پوست درخت من به‌دندان ومسواك کردن با آن جهت محکم‌کردن لثه‌ها نتیجهٔ خوب دارد، ازگونه‌های دیگر مغیلان‌نیز می‌توان برای گرفتن صمغ و تداوی استفاده کرد، مهمترین آنها عبارتند از اقاقیای عربی‌که درنواحی مختلف بلوچستان وجزایر خلیج‌فارس روییده وبه زبان محلی به‌آن، پیور وکیکر می‌گویند. دربلوچستان گونه‌های دیگری‌نیز ازمغیلان دیده می‌شودکه اسامی محلی‌آنها عبارت است از چگـر، پـالوس، پلوزا، وفولب.

صمغ عربی

درشاخه‌های انواع مغیلان و اقاقیا دراثرگزش حشرات، یابرخوردبا

هم شکافهایی ایجادمی‌شودکه به‌تدریج ازآنها صمغ عربی تراوش می‌گردد. ولی برای به‌دست‌آوردن محصول بیشتر بایستی در اواخر آبان‌ماه‌پس ازیک بارندگی باتیغهای مخصوص قسمتی ازپوست را بدون‌آنکه‌آسیبی به‌مغز آن برسد برداشت تاکم‌کم صمغ تراوش کرده، وپس ازیک‌ماه آن‌را جمع نمایند. بهترین نوع صمغ عربی به‌رنگ سفیدیاکمی زرد است وصمغهای قرمزخریدار زیادی ندارند. صمغ عربی دارای‌آب، مواد قندی، کمی تانن وچهاردیاستاز است. صمغ عربی نرم‌کننده بوده وسینه رانرم می‌کند و ورم رافرومی‌نشاند و در درمان التهاب‌گلو ومعده اثرنیکو دارد. در صنعت داروسازی از صمغ عربی برای معلق نگاه‌داشتن داروهای غیرمحلول درآب استفاده می‌کنند.

درصنعت‌برای تهیهٔ‌آهار وچسب‌وساختن‌مرکب‌ازآن استفاده‌می‌گردد، و برای این‌کار هرگزنباید آن‌راباکتیرا مخلوط‌کرد. صمغ عربی مغری‌است، یعنی پرزهای معده‌را روغن مالیده ونرم نگاه می‌دارد ومقوی معده وروده‌ها می‌باشد. جهت‌دردسینه،سرفه، زخم‌ریه ورفع‌خشونت‌وقصبةالریه وبازکردن صورت تجویز می‌شود.

مداومت درخوردن‌آن روزی‌یك مثقال‌باکره مانع‌خونریزی ریه‌است. ضمادآن مخلوط باسفیدهٔ تخم‌مرغ جهت سوختگی نافع است. داروسازن‌سنتی ایران جهت معالجهٔ تراخم توصیه‌کرده‌اندکه صمغ عربی‌رادرگلاب‌حل‌کرده وآن‌را درچشم بچکانند.

درکارخانه‌های داروسازی، از آن جهت ساختن پاستیلهای ضدسرفه استفاده می‌کنند، و در قنادیها جهت ساختن مرغوبترین پاستیل آن‌را به‌کار می‌برند.

اسم من «مارچوبه» است!

علاج بی‌اشتهایی هستم. یرقان را شفا می‌دهم و اشخاص عصبانی اگرازمن استفاده‌کنند، نتیجه‌صددر صد می‌گیرند. به‌مبتلایان نقرس و رماتیسم توصیه می‌کنم که‌ازمن پرهیزکنند اما به‌آنهاکه گرفتار تپش قلب هستند مصرف مرا تجویزکنند...

گیرم که مارچوبه کند تن به‌شکل مار
کوزهر بهر دشمن وکومهره بهردوست

فارسی من مارچوبه است، به‌من مارگیاه هم می‌گویند. عربی من «خشب‌الحیه» است،ولی بیشتر هلیون بروزن افیون گویند، ودرکتب‌قدیم جمس‌کشک،کشک‌الماز،اسفرك، اسفراج،هرموع، جنجل، سفرج، اسپراغس، اسفراغس، یرامیع، صفوف، و صمدهم خطاب‌کرده‌اند، ونیزازگونه‌ای ازمن به‌نام ضغیوس نام‌برده‌اندکه‌تصور می‌رود همین مارچوبهٔ خوراکی باشد.من درآذربایجان، خوی، تبریز، نواحی‌البرز، قصرقجر، جلفای اصفهان،اراك،

کرمانشاه، بهارلو اطراف شیراز بطورخودرو به‌عمل می‌آیم واخیراً نیزنوع خوراکی‌مرا درایران کاشته‌اند. من ازسبزیهایی هستم که دوست ودشمن زیاد دارم. عده‌ای مرا یك‌سبزی بسیار مفید و دسته‌ای مضرمی‌دانند، ولی‌حقیقت امـرآن است کـه من به‌علت داشتن پتاسیم و ویتامینهای «آ» و«ب» برای مبتلایان به‌تپش قلب و برای تقویت دردوران نقاهت، برای‌رفع بی‌اشتهایی، یرقان، احتقاق‌کبد مفید بوده، وپیشاب را زیاد می کنم، ولی اشخاصی کـه مجرای ادرارشان زخم است. وآنهایی‌که دچار اختلالات کلیه ومثانه بوده‌و مبتلایان به‌پرستات، اشخاص عصبانی، مبتلایان به‌روماتیسم ونقرس باید از من پرهیز نمایند.

سبزی من که به‌نام مارچوبه فروخته می‌شود، خاصیت غذایی زیادی ندارد، ولی زودهضم‌بوده واشتهارا زیادمی کند. آن‌را خوب بشویید وپوست آن‌را دربیاورید ولی دور نریزید، بعدآن‌را دو دقیقه درآب جوش بگذاریدو بعد به‌آن چاشنی زده میل نمایید، و بعدپوست مرا درآب جوشاندهٔ من بپزید تاآش خوبی به‌دست‌آید.

برای زیاد شدن ادرار پنجاه‌گرم ریشهٔ مرا دریك لیتر آب پنج دقیقه بجوشانید، و روزی پنج فنجان ناشتا بنوشید، این‌جوشانده را چنانچه گفتیم باید کسانی‌که مجاری ادرارشان زخم است ننوشند. سرهای مارچوبه را در هاون بکوبید و بعدشیرهٔآن راکشیده، بـا دوبرابر شکر بجوشانید تا شربت غلیظی به‌دست‌آید و روزی‌سه‌قاشق سوپ‌خوری ازآن‌را به‌مبتلایان به‌امراض قلبی، بسته‌شدن مجرای طحال و کبد، یرقان بدهید تابهبود یابند. برای‌اینکه این شربت مفیدترشود، بهتراست درموقع‌تهیه‌آن‌را روی یك‌آب‌جوش (حمام ماری) بگذارید تاحرارت مستقیم به‌آن نرسد.

شویدی

اسم من شویدی است، به‌من انرجس، فینو، شبتی، شودی، یرچلی و قوش قوغازهم می گویند. من‌هم ازخانوادهٔ مارچوبه بوده، ومانندآن دارای بیخی‌متورم غده‌ای‌می‌باشم، ولی‌ریشهٔ من فاقد پیازاست. من دارای شاخه‌ها و برگهای دراز بوده، و دارای گونه‌های زیادی هستم‌که همگی زینتی بوده درگلدان پشت پنجره وتارمی‌آنها را می گذارند. شویدی پیچ شاخه‌هایش به پنج مترمی‌رسد. شویدی سرخسی‌هم گونه‌ای ازمن است‌که شاخه‌هایش تا دو مترقد می کشند وبالاخره نوعی معطردارم‌که به شویدی معطرمعروف بوده‌و دارای گلهایی خوشبواست. ماهمگی چنانکه گفتیم‌ازخانوادهٔ مارچوبه بوده‌و

خواص آن را کم و بیش داریم.

کوله خس

دربیشتر نقاط ایران به‌زبان محلی به‌من کوله‌خس می گویند، درآستارا نام من‌هاس‌می‌باشد. درطوالش‌پل‌وکول، دررودسرچوشت وچشت، درگیلان، کولار وکول کیش، دررامیان به‌نام سیرسیریك واوتو نامیده می‌شوم، من‌هم از خانوادهٔ مارچوبه بوده، قسمت مورد استفادهٔ من ساق زیرزمینی و ریشهٔ من است که دارای املاح پتاسیم و کلسیم می‌باشد. پیشاب‌آور، معرق واشتها آور بوده و در داروسازی جدید درفرمول شربت پنج ریشه وارد شده‌ام.

ضغیوس

درکتابهای داروسازی سنتی‌ایران‌ازنوعی مارچوبه به‌نام ضغیوس نام برده‌اندکه گویا همین مارچوبهٔ خوراکی باشد، طبق نوشتهٔ کتب قدیمی‌آنچه ازآن روی زمین ظاهر می‌شود، سبزاست وآنچه درزیر زمین می‌باشد، سفید و شیرین وخوراکی است. برگ‌آن شهوت را ازبین می‌برد وساقهٔ زیرزمینی آن محرك باه وصفرابر ومأکول است، و برای نیکویی‌کشك و ماست آن را داخل‌آنها می‌کنند.

گل موگت

گلهای من که درماه‌های فروردین و اردیبهشت می‌رویند، زیبا، سفید وخوشه‌ای بوده و مانند زنگولـه‌آویخته می‌شوند و در اثرپرورش به‌رنگ گلی‌نیزدرآمده‌اند. من هم از خانوادهٔ مارچوبه بوده و قسمت مورد استفادهٔ من برگ وگلهای من است‌کـه باید آنها را در اردیبهشت ماه چیدو به دقت خشك‌کرد وبعد درمحلی‌مناسب نگاهداری نمود. برگ‌گیاه من پس ازخشك شدن، سبزمایل به قهوه‌ای‌است وطعم‌آن تلخ میباشد. گلهای من‌پس‌ازخشك شدن مایل به زرد می‌شوند. بوی آنهاکم می‌شود ولی تلخی باقی می‌ماند. گل من دارای عطرمطبوع به مقدار زیاد است. گل و برگ من از دوستان قلب بوده مقوی آن می‌باشند. وانقباضات آن را منظم می‌کنند، ازمحسنات آنها این است‌که مسمومیت ایجاد نمی‌کنند فقط مقدار زیاد آنها تولید قی و اسهال می‌نماید. مقدار خوراك برگ وگل خشك شدهٔ مـن دو تا ده‌گرم در روز است، عصارهٔ آبی من تا سه‌گرم در روز تجویز می‌شود.

من «داروش» هستم!

فارسی من داروش است، به من دارواش، کشمش گاو ومویزك عسلی هم می گویند، عربی من دبق است. من یك گیاه طفیلی هستم که بیشتر روی درخت سیب، گلابی وچند گیاه جنگلی زندگی می کنم، و درغالب جنگلهاو کوهستانهای ایران مخصوصاً اطراف البرز، لواسان، درهٔ سفید رود، جنگل رستم‌آباد، بین منجیل‌ورشت، امامزده ابراهیم وشمال لوشان می‌روییم. گیاه من همیشه‌سبزاست‌وماننده‌کره‌ای مدور روی‌درختان‌جنگلی‌می‌نشیند. برگهای من گوشتدار وبیضی شکل‌است‌که دراثرفشردن مایعی سبزرنگ ازآن خارج می‌شود. گلهای من‌نر وماده هستند میوهٔ من‌گوشتدار، سفید به اندازه‌ی یك نخود است و دارای لعابی چسبنده می‌باشد که باآن چسب درست می کنند. من بااینکه طفیلی هستم، معذالك برای درخت میزبان خود نه‌تنها ضرری

ندارم، بلکه درتغذیه به او کمك می کنم وهمیشه‌او را شاداب نگاه می‌دارم، برای ایـن کـار شیرهٔ خام گیاه رامکیده و آن‌را پرورده به درخت میزبان بر می گردانم تا باآن بهترتغذیه کند. قسمت مورد استفادهٔ من برگها، ساقه، و میوهٔ من است. برگ من دارای املاح پتاسیم، کلسیم، منیزیم و چند مـادهٔ دارویی است. میوهٔ من معده را تحریك می کند. مواد دارویی من برحسب نوع گیاه میزبان فرق می کند، ولی عموماً در رفع‌خونریزیهای داخلی مؤثر می باشند.

جوشاندهٔ بیست تاسی گرم، برگ من‌دریك لیترآب به‌مقدار یك فنجان قبل‌ازغذا تجویز می‌شود تاخونریزیهای داخلی‌وخونریزیهایی‌که در فواصل عادت ماهانهٔ زنان پیدامی‌شود برطرف‌کند، مصرف زیادترآن خطرناك‌است. چنانچه میوهٔ درخت مرا درآب‌گرم خیسانده وپوست آن را ازشهد آن جدا کرده، صاف‌کنید، وآن را بامغز گردو یا مغزدانهٔ بید انجیر سرشته بخورید، جهت سودا، بلغم و بازشدن گـرفتگیهای داخلی، عرق‌النساء، بواسیر نافع است، مالیدن شیرهٔ آن روی دملها، باعث سرباز کردن آنهاست، چنانچه بر مفاصل مالیده شود، آنها را نرم می کند، شیرهٔ میوهٔ من‌بازرنیخ جهت نـرم شدن مفاصل و باکندر جهت زخمهای پلید و بدخیم و بازرنیخ و زفت جهت جدا شدن ناخن و باآهك وآب انگور وعسل جهت رویاندن ناخن و با حنا جهت‌امراض‌جلدی، وباروغن جهت درازکردن موبسیار مفیداست. جوشاندهٔ میوهٔ من باکمی آب آهـك جهت تحلیل ورمهای طحال مؤثر است. مقـدار خوراك میوهٔ من یك مثقال و زیادتـر از آن باعث دل پیچه و ثقل است، و چون دانهٔ مرا باعسل و دوشاب و سپستان بپزند و مانند نخ باریك‌کرده، و برروی درختان‌بیندازند پرندگانی‌که روی‌آن بنشینند چسبیده، صیدمی‌شوند و چون دانهٔ مرا باقرمز دانه مخلوط‌کنند رنگ آن زیادتر می‌شود و درسایر رنگها نیزمؤثراست.

اسم من «زعفران» است!

مقوی معده و مسکن سرفه هستم. برنشیت مزمن را درمان می‌کنم. من سرشار از املاح معدنی هستم. از پیشروی کرم خوردگی دندان جلوگیری می‌کنم. اگر غمگین هستید، از من استفاده برید، زیرا به شما نشاط و شادمانی می‌دهم. خوردن من زایمان را آسان می‌کند... و هزاران خاصیت دیگر که کمتر کسی از آن خبر دارد!

فارسی من «لرکیماس» بود ولی این روزها همه مرا به نام زعفران می‌شناسند، عربی من زعفران، حساد و صفران است.

قسمت مورد استفادهٔ من در رنگ کردن خوراکیها تارهای گل من است که در اصطلاح گیاه شناسی به آن کلاله گویند و غالباً این کلاله‌ها با خامه همراه است، همراه بودن این تارها با خامه هر چند تقلب محسوب نمیشود، ولی از قیمت آن می‌کاهد. من دارای بوی قوی و عطر مطبوع و طعمی تلخ و کمی تند می‌باشم، تکثیر گیاه من به‌وسیلهٔ پیازها در اواسط تیرماه صورت می‌گیرد.

۲۳۵

ن مخصوصاً خراسان وقائنات می‌روییم، بعضی ازحشرات
انواع چلپاسه از گیاه من فرار می‌کنند، من دارای مواد
ی، صمغی، یك مادهٔ رنگی، یك اسانس و عطر مخصوص
ل داوریی هستم. من علاوه برمصرف در تغذیه، دارای
.

من مقوی معده ومسکن سرفه مخصوصاً دربرنشیت مزمن هستم، اثر من درباز کردن عادت‌ماهانهٔ زنان که‌ازطرف پزشکان‌جدید عنوان‌شده مشکوك است، پزشکان سنتی ایران‌آن را قبول ندارند. درموقع‌کشت من باید توجه کامل شود تا پیاز من مورد حملهٔ قارچهای طفیلی قرار نگیرد، چه در این صورت پیاز من می‌پوسد ومحصولی به دست نمی‌آید. دمکرده وجوشاندهٔ من مسکن‌درد دندان‌است وکسانی‌که دندانشان‌کرم خورده‌است‌اگرآنرامضمضه کنند دردآن ساکت شده و ازپیش رفتن پوسیدگی دندان جلوگیری می‌شود.

من نشاط‌آور و شادکننده می‌باشم. عطرمن ضد عفونی‌کننده بوده و کمی محرك‌اعصاب است واثراتی شبیه‌گاز ازت داشته و خنده‌آوراست،ولی اینکه می گویند هرکس یك‌مثقال زعفران بخورد مبتلا به مرض قهقهه شده و دراثرخندهٔ زیاد می‌میرد چندان صحیح نیست، زیرا این مقدار زعفران کشنده نیست، ولی اشخاص ضعیف راممکن است دچارخنده نماید. من‌مقوی حواس پنجگانه، بادشکن، ضدعفونی، پیشاب‌آور، قابض، محرك باه ومقوی روح حیوانی و مقوی جگر و دستگاه تنفس، زه‌کش‌کلیه و مثانه و بازکنندهٔ رنگ رخساره می‌باشم. خوردن من زایمان را آسان می کند. خوردن من‌با عسل جهت ریختن سنگریزه و با ادویه مناسب جهت درد رحم و نشستگاه تجویزمی‌شود. بوییدن گل‌من‌جهت سرسام (مننژیت)نافع بوده، وکمی‌خواب آور است. سرمهٔ من جهت جلای چشم و آبریزش تراخم، قرحهٔ چشم مفید است. چکاندن آب جوشاندهٔ من در دماغ جهت سردردشدید و بی‌خوابی نافع است، ضماد من روی چشم جهت جلوگیری از رطوبات وآبریزش چشم وتسکین قرمزی آن سودمند می‌باشد. مالیدن من با فرفیون جهت نقرس و و درد مفاصل و پاشیدن گردکوبیدهٔ من روی زخم از خونریزی جلوگیری می‌نماید، وحمول‌آن درد رحم را تسکین می‌دهد. مقدار خوراك من سه‌تا پنج گرم است.گذاشتن یك‌تار گل من درمجرای ادرار بازکنندهٔ پیشاب است.

روغن زعفران

یکی ازداروهای‌قدیمی روغن‌زعفران‌است، وبرای تهیهٔ‌آن پنجاه مثقال زعفران را درسه‌لیترونیم‌روغن‌کنجد وبازیتون پنج روز خیس می‌کردند و هر روزبه هم می‌زدند وبعدآن‌راصاف می‌کردند، به‌صاف شدهٔ‌آن روغن زعفران و به ته نشین‌آن درطب قدیم «قرقومعما» لقب داده بودند. روغن زعفران نرم‌کنندهٔ‌اعصاب وسختی‌رحم وخواب‌آور و بادشکن‌است. مالیدن این‌روغن دراطراف سوراخ بینی وچکاندن‌آن دربینی‌درمعالجهٔ‌ذات‌الجنب (سینه‌پهلو) تجویزمی‌شود، مالیدن آن ضد عفونی‌کنندهٔ جلدی و درمان زخمهای جلدی بوده‌وباعث سربازکردن دمل‌وکورك می‌شود وجهت‌زخمهای‌رحم وزخمهای بدخیم وچرکین توصیه شده است، حمول این روغن باموم و مغز استخوان جهت زخم نافع است.

«قرقومعما» نیزدارای‌کلیهٔ خواص‌روغن‌زعفران‌است، مقوی اعصاب، نرم‌کنندهٔ زخمهای خشك، پیشاب‌آوربوده ضدعفونی‌کنندهٔ‌جلدی و پاك‌کنندهٔ آثارضربه و زخم‌است، چشم راتقویت می‌کندوتیرگی‌آن رابرطرف می‌سازد.

برگ‌گیاه من جهت التیام جراحات تازه مفید بوده، و ضدعفونی‌کننده است.

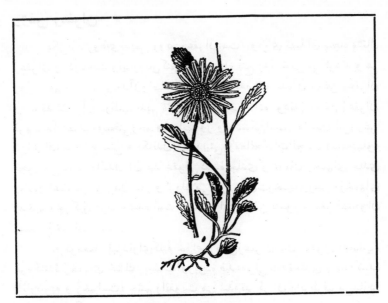

من «مینا» هستم !

فارسی من گل مینا و عربی من زهرالربیع و زهـراللؤلؤ می‌باشد، به حالت وحشی در دامنهٔ کوه‌ها و دشتهای ایران مخصوصاً اطراف بروجرد و کرمانشاه مـی‌رویم، گلهای مـن از دو نوع گلبرگ تشکیل می‌شود. یکی گلبرگهای لـولـه‌ای به‌رنگ زرد کـه همچون طبقی، نهنج گل را تشکیل می‌دهند و درمیان گل قرار دارد و دیگـر گلبرگهای زبانه‌ای به رنگ سفید است که در اطراف نهنج قرارگرفته است. گل مـن مانـنـد گل آفتاب‌گردان حرکت گردش خورشید را از شرق تا غرب تعقیب می‌کند و هنگام شب و نامساعد بودن هوا کمی جمع می‌شود. زنبور عسل فقط به خوردن گرده‌های گل من علاقمند بوده، وشیرهٔ گل مرا نمی‌مکد. قسمت مورد استفادهٔ من گل وساقه‌های گیاه من است. درقسمتهای مختلف گیاه من ترکیبات صابونی، چند

نوع ترشی، مواد صمغی، مواد مومی، مواد روغنی و یك مادهٔ رنگی‌همراه بالعاب وکمی عطر است. برگهای تـازهٔ گیاه مزا می‌توانید در سالاد بریزید. این برگهامخاط روده راکمی‌تحریك‌کرده، ویبوستهای سخت رادرمان‌می‌کند.

قسمتهای مختلف گیاه من خون را تصفیه می‌کند و التهابات را ازبین می‌برد، کمی‌ملین نیزمی‌باشد. مقوی، آرام بخش وکمی پیشاب‌آور می‌باشد. دمکردهٔبیست‌وپنج‌تاسی‌گرم‌درهزارگیاه‌من‌جهت درمان‌سرفهٔ‌خونی، بیماریهای ریوی، دردمفاصل، نقرس، درمان بیماریهای‌کبدی وکلیوی و پیدایش خون ادرار و ورم‌روده تجویزکرده‌اند. ضمادبرگهای‌له شدهٔ‌گیاه من‌برروی‌زخمها و التهاباب سطحی پوست بدن توصیه شده‌اند.

مینای باغی

گیاه من به یك تا دومتر می‌رسد. داروسازان سنتی ایران مـرا نوعی بابونه دانسته وجزو «اقحوان»ها می‌آورند، تمام خواص‌بابونه بطورخفیف در من جمع است. دمکردهٔ ساقه‌های من جهت درمان نزلـه مفید می‌باشد، اسانس من خونریزی را بند می‌آورد وبرای خون دماغ مفید است.

دمکردهٔ‌گلهای من ضد تشنج وضد یرقان بوده، وبرای تنگ نفس مفید است. حشرات ازگیاه من فـرار می‌کنند و چنانچه‌گیاه مرا درمحلی بریزند، حشرات را فرارمی‌دهد. عده‌ای نسبت به گیاه من حساسیت داشته ودرپوست آنها ایجاد خارش وکهیر می‌شود.

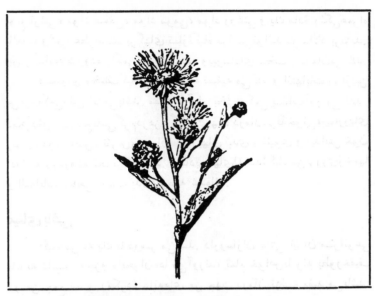

اسم من «زنجبیل» است!

از من برای ضعف اعصاب استفاده برید. حافظه را تقویت می‌کنم. درمان‌کنندهٔ یرقان بوده، سم‌غذایی را ازبین می‌برم. اگر مرا با آبگوشت مصرف‌کنید، درد مفاصل رادرمان می‌کنم. اگر از ضعف معده ناراحتید، ازمن استفاده‌کنید!

اسم من زنجبیل است، به‌من زنجفیل، جربیل، زنزبیل‌هم می‌گویند. قسمت مورد استفادهٔ من بیخ من است‌که پس ازپژمرده شدن گیاه من، آن‌را از زمین درمی‌آورند و در تشتکی چوبی ریخته به‌هم اصطکاک می‌دهند تا پوست روی‌آن گرفته‌شود وبعدمغزچوبی‌آن‌راخشك می‌کنند. من نیروبخش، مقوی معده، بادشکن‌وضدرقت وفساد خون هستم. اگرپودر مرا روی‌پوست بدن مالش دهند، آن‌را تحریك و قرمز می‌نمایم. اعراب مرا مقوی باه می‌دانند. گیاه من درایران‌دیده نشده است، ولی‌درچند کتاب قدیمی‌نوشته‌اند که در مازندران به‌عمل می‌آیم. من مقوی حافظه و بازکنندهٔ‌کبد وقاطع‌بلغم

هستم، و رطوبات غلیظی که در روی جدار روده ومعده چسبیده باشد، ازبین می‌برم. مراجهت‌فلج وضعف اعصاب تجویزکرده‌اند. من درمان یرقان‌بوده، ادرار را زیادمی‌کنم ودرمان اسهالی هستم‌که دراثر مسمومیت غذایی تولید شده باشد. من تشنگی را برطرف‌می‌کنم وبانبات وکندر مرا جهت‌جلوگیری از زیان ونفخ میوه‌های نارس تجویزکرده‌اند و بازردهٔ تخم‌مرغ نیم‌برشته شهوت را زیاد می‌کنم، مخصوصاً اگر همراه باپسته خورده شوم، سابقاً برای زیادشدن شهوت خوردن من همراه با خولنجان وپسته ازاسرار بود. نگاه داشتن من در دهان ومکیدن‌آن جهت رفع عطش بی‌تأثیر نیست، ضماد من جهت‌گری (داءالثعلب) و فروبردن ورم سودمند می‌باشد. چون مرا کوبیده روی آبگوشت‌پاشیده بخورند، دردمفاصل را تسکین می‌دهم.مالیدن خشك من وآب تازهٔ من‌هم برای معالجهٔ رماتیسم نافع است. درایران مرا به‌نان قندی زده، جهت امراض رطوبی می‌خورند. زنجبیل پرورده و قرص زنجبیل‌هم برای امراض فوق بکار می‌رود. برای تهیهٔ زنجبیل پرورده،تازهٔ مرا ورق‌ورق‌کرده، درآب نمك وآبلیمو می‌اندازند و برای تهیهٔ قرص،گرد مرا با نمك و کمی آبلیمو خمیر کرده‌به‌صورت‌قرص‌درمی‌آورند. مقدارخوراك من ۰٫۲۵ تا يك‌گرم است و بیشتر با دارچین دمکرده می‌نوشند. تنتورالکلی يك‌پنجم‌من دردارو‌خانه‌هاساخته‌می‌شود. من غذای غدد فوق‌کلیه‌بوده ترشح کورتون را زیادمی‌کنم‌وبیشترخواص‌من‌به‌این‌علت‌است.

زنجبیل شامی

من با اینکه ازخانوادهٔ زنجبیل نیستم و در ایران در اطراف تهران، سواحل دریای مازندران، اسپیلی، راه پیورزن به‌عمارلو و در اطراف اراك درنواحی سیلاخور و حیدریه بطور خودرو به‌عمل می‌آیم معذلك درایران مرا زنجبیل شامی می‌نامند و اعراب به‌من «راسن» گویند. قسمت مورد استفادهٔ من ریشهٔ من است که همراه بایك ساقهٔ زیرزمینی‌کوتاه وگوشتدار بوده و بوی‌آن شبیه بنفشه است وازاین نظرشبیه‌ریشهٔ زنبق است. ریشهٔ‌من مقوی، پیشاب‌آور، ضدمیکرب وضدعفونی‌کنندهٔ قوی است وبه‌همین جهت مسکن تحریکات میکربی حنجره و درمان گلودرد، برنشیت، گریپ، نزله، سیاه‌سرفه وناراحتیهای ریوی است.

من ازرشد میکرب سل‌جلوگیری می‌کنم واشتهای بیماران ومسلولین را زیاد می‌نمایم. مقوی‌معده، روده‌وکبد هستم وریشهٔ من استفراغ راتسکین می‌دهد. اثرمن در روی رحم ومجاری تناسلی وادرار قطعی است، مخصوصاً

ترشحات زنانه را برطرف می‌کنم. در موارد قطع عادت ماهانه و یائسگی پیشرس مرا تجویز کرده‌اند. من عادت ماهانهٔ دختران را منظم می‌کنم و چون ادرار رازیاد می‌کنم دربیماریهای کلیه و آب‌آوردن انساج و چاقی ران وباسن و بیماری یرقان تجویز می‌شوم.

ضماد ریشهٔ من درعوارض پوستی مانند سودا و ورم پوستی و دانه‌های جلدی و خنازیر درمان خوبی است و برای معالجهٔ نقرس هم توصیه شده‌ام. ریشهٔ من ضدکرم بوده و آن را به‌این منظور به‌مقدار یك تا پنج گرم به‌طور جوشانده، به‌اطفال می‌دهند. برای معالجهٔ مالیخولیا، وحشت، خوف و اندوه ازجوشاندهٔ من استفاده کنید، کسانی که در رختخواب ادرار می‌کنند، بهتر است ازجوشاندهٔ ریشهٔ من بنوشند تادستگاه دفع ادرارآنها تقویت شود. برای بازشدن عادت ماهانهٔ زنان نیز جوشاندهٔ من مفید است. مربای من با عسل جهت سرفه، سختی‌تنفس و پاك کردن سینه سودمند است. برای بازشدن رگل از بخور ریشهٔ من استفاده می‌کنند، جوشاندهٔ برگ من نیز همانند ریشهٔ من است. ضماد بیخ من جهت ترك کشالهٔ ران وتحلیل ورمها سود دارد. مقدار خوراك من سه گرم است.

زنجبیل سگ

من‌هم با اینکه از خانوادهٔ زنجبیل نیستم چون ریشهٔ من دربو و طعم به‌آن شباهت دارد، مرا «زنجبیل سگ» و به‌عربی «زنجبیل‌الکلب» نامند چون سگ همینکه مرا بخورد مسموم می‌شود. برگهای من تند مانند فلفل است و چنانچه درتاریخ نوشته‌اند، اقوام وحشی قبل ازتاریخ قبل ازدسترسی به‌فلفل از من استفاده می‌کردند و صاحب «اختیارات بدیعی» مرا فلفل آبی نامیده است. قسمت مورد استفادهٔ من برگ ساقه و ریشهٔ من است. من در نواحی شمال ایران، بندرگز و نواحی جنوبی می‌رویم. مهمترین فایدهٔ من آن است که خون را بند می‌آورم و دانشمندان بامصرف ۳۰ تا ۴۰ قطره از عصارهٔ من ـ سه‌مرتبه درروز ـ خونریزیهای‌معدی، بواسیر وخون رحم‌را بند آورده‌اند و به‌علاوه من اثر قاطع وسریع درجلوگیری ازخونریزیهای فیبرم وعوارض یائسگی دارم. من پیشاب‌آوربوده‌و برای درمان آب‌آوردن انساج، یرقان، رماتیسم و نقرس ازمن استفاده می‌کنند.

ضماد برگهای تازهٔ من اثری مانند مشمع خردل دارد و می‌توان آن‌را برای معالجهٔ دردهای عصبی رماتیسم و دردکمر به‌کار برد. من را برای معالجهٔ برفك، آنژین، زخم بینی تجویز می‌کنند، برای تسکین درد دندان

پنبه را به شیرهٔ من آغشته و آن را در حفرهٔ دندان کرم خورده بگذارید تا درد آن ساکت شود. دمکردهٔ ۵ تا ۱۵ گرم گیاه من در یک لیتر آب را می توان برای بند آوردن خونریزیهای داخلی به کار برد. ضماد برگهای تازهٔ من برای پاک کردن کک مک و خالها و لکه‌های سیاه پوست اثری قوی دارد. ضماد برگ من محلل اورام است. من دارای ویتامین K هستم.

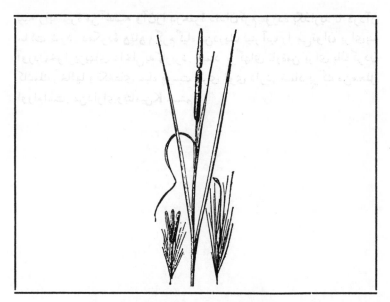

من «لوئی» هستم!

فارسی من «پیزر» است، به‌من لوئی، روخ، لخ، رخ، حفاء، بوط هم می‌گویند. در کتب داروسازی سنتی از من به‌نام «یردی» یاد شده است. جوانان امروز ممکن است مرا نشناسند ولی سالمندانی که چهل سال پیش‌را به‌خاطر دارند، می‌دانند که‌قبل ازپیدایش سیمان، حوضها و آب‌انبارها را با ساروج می‌ساختند و آن ترکیبی ازخاك رس، خاکستر، آهك و مقداری از پنبهٔ من بود. عربی‌من همان یردی است ولی‌کتاب دایرةالمعارف داروسازی فرانسه، عربی مرا «شمع‌الماء» و«خفار» نوشته‌است. در زبان فرانسه به‌من ماست وماس آبی گویند. من بیش‌از ده‌گونه دارم‌که در باتلاقها می‌رویند. من دارای یك ساقهٔ‌زیرزمینی و برگهای دراز شبیه برگ خرما می‌باشم. میوهٔ من‌که ازگلهای ماده به‌عمل می‌آید، به‌صورت استوانه‌ای‌فتیله مانند به‌طول

یک وجب است که در آن دانه‌های زیادی در بین رشته‌هایی مانند پنبه وجود دارد. در بعضی از کشورها میوهٔ نارس مرا مانند مارچوبه پخته و می‌خورند. ساقهٔ زیرزمینی من دارای نشاسته بوده و در بعضی از کشورها به مصرف تغذیهٔ انسان و حیوان می‌رسد. از پنبهٔ من در صنعت کاغذسازی استفاده می‌شود. جویدن ساقهٔ زیرزمینی من برای از بین بردن بوی سیر، پیاز، و شراب اثر اعجازآوری دارد، و همچنین دندان را سفید می‌کند و مانع خونریزی لثه‌ها می‌شود.

ضماد ریشهٔ زیرزمینی من ورمهای گرم و خونـی را معالجه می‌کند و پاشیدن گرد کوبیدهٔ آن روی جراحات، مانع خونریزی بوده و دهانهٔ زخم را التیام می‌دهد. بیشتر آن را جهت درمان زخمهای چرکی و خوره‌ای به کار می‌برند. جوشانده و پختهٔ آن برای جلوگیری از خونریزی معدی و ریوی هر دو نافع است.

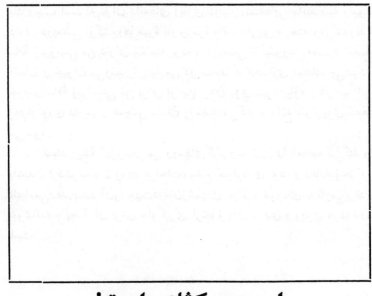

اسم من «کشک» است!

فارسی‌من کشک‌است به‌من پینو وپینوگ هم می گویند. ترکی من قروت بوده وعربی من اقط بروزن کبد می‌باشد. برای تهیهٔ من وبرادرم قره‌قروت دوغ‌ترش شده را درمشک‌می‌ریزند تاتمام چربی‌آن که کره می‌باشد جدا گردد. بعد باقیماندهٔ دوغ را می‌جوشانند تاغلیظ شود، سپس‌آن را روی پارچه‌صاف می‌کنند تاآب‌آن گرفته شود وباقیمانده راکه‌روی پارچه‌مانده‌است، به‌صورت گلوله یا بیضی یا استوانه در آورده، می گذارند تا خشک گردد و نام آن را کشک می گذارند.

آب چکیده‌ازپارچه راباکمی‌شیر مخلوط‌کرده وبعدمی‌جوشانندتاجسمی سرخ‌رنگ‌وترش‌مزه که قراقروت‌نام‌داردبه‌دست‌آید. نام‌این‌محصول قراقروت، قره‌قروت‌وترف سیاه‌است. درایران‌بامن آش کشک، کشکاب ویک نوع اشکنه

به‌نام «کله‌جوش» درست می‌کنند و به‌کشك و بادمجان و حلیم بادمجان هم کشك می‌زنند. برانی بادمجان را هم با کشك درست می‌کنند. ارامنهٔ ایران به‌جای ماست و خیار، کشك و خیار می‌خورند و عده‌ای به‌جای ماست در آبدوغ خیار، کشك می‌زنند. من مواد سفیده‌ای و اگر بهتر بخواهید بگویم مواد سازندهٔ شیر و ماست می‌باشم. فاقد مواد قندی بوده و بهترین غذا برای رژیم لاغری هستم. اشخاص چاق که می‌خواهند لاغر شوند، دوایی بهتر از من ندارند. زیرا اگر مرا قبل از غذا بخورند، اشتهای آنها را کم می‌کنم و باداشتن مواد سفیده‌ای نیروبخش بوده و به علت نداشتن مواد قندی کسی را چاق نمی‌کنم. من خنك‌کننده بوده و قابض و صفرا برهستم و فشار خون را کم می‌کنم. بودادهٔ من جهت جلوگیری از اسهال مزمن نافع است و به همین جهت بود که عده‌ای از روستاییان ایرانی درسفر حج غذای خود را به‌کشکاب منحصر می‌کردند تا مبتلا به‌اسهال نشوند. ضماد من و مالیدن کشکاب بر سر از ریزش مو و طاسی جلوگیری می‌کند و حتی عده‌ای از پزشکان قدیم آن را جهت داءالثعلب (گری) مفید می‌دانستند. یکی دیگر از منافع قابل توجه من آن است که من پادزهر خوبی هستم و روی همین اصل بود که پزشکان سنتی ایران پس از تجویز داروهای ضدکرم به‌بیمار دستور می‌دادند که جای غذا، کشکاب مخلوط با شیر بخورند تا هم به‌افتادن کرم کمك کند و هم از عوارض سمی دارو بکاهد.

قره‌قروت به‌علت داشتن اسیدلاکتیك (جوهر ماست) بهتر از کشك، صفرا را از بین می‌برد و عطش و فشارخون را تسکین می‌دهد و برعکس کشك اشتها را زیاد می‌کند و چنانچه آن را در آب حل کرده و به سر بمالند، از ریزش مو جلوگیری می‌کند و بیشتر صابونها و شامپوهایی که جهت جلوگیری از ریزش مو می‌سازند، دارای کمی اسیدلاکتیك می‌باشد.

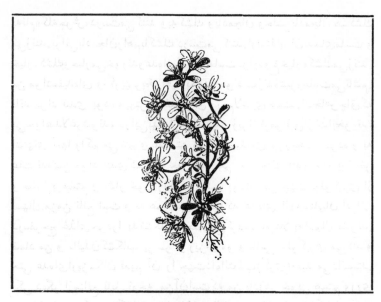

من «خرفه» هستم!

فارسی من «پرپهن» و خرفه است، اعراب به من «فرفخ» می گویند. دشمنان من به‌من«بقلةالحمقا» لقب داده‌اند، زیرا من درمسیلها و رودخانه‌ها وجاهای نمناك بطورخودرو می‌رویم ودربرابردوستان مرا به«بقلةالمبارکه»، «بقلةالزاهرا»، «بقلةاللینه»ملقب کرده‌اند. درکتب مختلفهٔقدیم ازمن به‌نامهای فرفهن، قرفین، بوخله، خفرج، رجله‌وفرفخ‌یاد کرده‌اند. برگ من دارای‌آب حیاتی زیاد است، ۹۲ تا ۹۵ درصد، و بعلاوه دارای مقداری ویتامین (ث) مواد صمغی، موادلعابی، مواد معدنی وچربی هستم. برگ من پیشاب‌آور، تب‌بر وتصفیه‌کنندهٔ خون‌است، تشنگی را به‌خوبی تسکین می‌دهد، خوردن پخته وخام آن التهابهای داخلی را از بین می‌برد و برای سوزش لوله‌های مری و دهانهٔ معده‌که در اثر ترش‌کردن غذا باشد، اثری اعجاب آور دارد.

سرفه‌های مزمن را که همراه با اخلاط خونی باشد، معالجه می‌کند. برای رفع بی‌خوابی و خونریزی درفواصل دوران عادت ماهانهٔ زنان، تجویز شده‌است. جوشاندهٔ مخلوط من با گل گاوزبان یا کاهو برای رفع تشنگی و تسکین اعصاب نافع است. برگ خام مرا مانند سبزی خوردن بخورید و آن را درسالاد بریزید. ازشیرهٔ تازه‌من به‌مقدار ۶۰ تا ۱۲۰ گرم مخلوط درشیر، برای کرم معده و کرم کدو استفاده کنید. جوشاندهٔ دانه‌های من نیز درشیر یا آب، همین خاصیت را دارد. ازبرگ من و دانهٔ من به قناری بدهید تا سرحال آمده و باصدای دلنواز خود شما را شاد نماید. ضماد برگ له شدهٔ من، همچنین شیرهٔ برگهای من برای سوختگی و میخچه مفیداست، جویدن من خونریزی لثه‌را ازبین می‌برد.

آب مقطر برگ من به مقدار ۶۰ تا ۱۲۰ گرم برای درمان خونریزی بی موقع زنان سودمند می‌باشد، مالیدن برگ له‌شدهٔ من، جهت معالجهٔ سردردهای یك طرفه (میگرن) تجویزشده‌است. من غذا را گوارا می‌کنم، اشتها را زیاد می‌نمایم. برگ و ساق من مسکن التهاب صفرا و گرمی کبد است. تبهای صفراوی را معالجه می‌کند و از خونریزی معده و ریه جلوگیری می‌نماید. حرارت ادار ومثانه را از بین می‌برد و حیض را بند می‌آورد. اثر من درتسکین حرارت بادسرخ قطعی است. به اشخاص سودایی مزاج که بدنی لاغر دارند وهمچنین به مبتلایان به مرض غمباد (گواتر) توصیه کنید تا می‌توانند ازبرگ وبذرگیاه من استفاده کنند. این خواص در نوع کوچك من که منحصراً درایران می‌روید به مراتب بیشتراز نوع بزرگ من است که دراروپا به‌عمل آمده و به‌آن به زبان فرنگی «پورپیه پوتاژه» گویند.

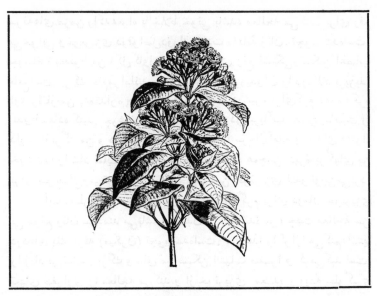

من «میخك» هستم!

مرا باگل میخك اشتباه نکنید... زیرا هیچ قرابتی با
او ندارم. مقوی عقل وحافظه هستم. درمان کنندهٔ
تنگ نفس بوده، خفقان وسرفه را ازبین می‌برم. مقوی
معده هستم. ضد بوی بد دهان بوده، دندان‌درد را
نیز تسکین می‌دهم.

من یکی از ادویه‌های غذایی و دارویی بوده و غنچهٔ درخت بزرگی
می‌باشم که زادگاه اولیهٔ من جزایر «ملوك» در اقیانوسیه است و اکنون در
زنگبار ماداگاسکار وجزایر آنتیل مرا می‌کارند و چون پس ازخشك شدن یك
قیه و بدندای شبیه به میخ دارم، به‌این جهت درفارسی به من میخك می‌گویند،
ولی بهتر است مرا میخك دارویی صدا کنید. اعراب به من «قرنفل ابیض» و
درکتب قدیم به اسامی، غرینواس، لونك و مفرنف آمده‌ام و با گل گلدانی
میخك که این روزها درگل فروشیها زیاد پیدا می‌شود هیچگونه نسبت و
شباهتی ندارم، فقط بوی گل آنها کمی شبیه بوی من است. این گل زینتی که

۲۵۰

به‌رنگهای‌سفید، صورتی،قرمز،زرد، بنفش‌ونارنجی‌دیده‌می‌شود، نامش‌میخك گلدانی است وبیش از هفتاد نوع آن دیده شده‌است، با گل‌قرنفل که شعرای فارسی زبان دراشعار خود ازآن‌تعریف‌کرده، فرق‌زیاددارد. زیراقرنفل نام گل‌دیگری‌است که‌خوشه‌ای‌بوده وقدآن‌کوتاهتر از گل‌میخك می باشد، به‌آن حسن‌یوسف، قرنفل‌باغی‌وقرنفل‌شاعرهم‌می گویندویك‌نوع‌وحشی‌وخودروهم داردوفرنجمشیك‌نوع بستانی‌آن‌است. باری‌این‌توضیحات‌فقط‌برای‌آن‌داده‌شدکه میخك‌دارویی باگل‌میخك‌گلدانی‌وهردوی‌آنها راباگل‌قرنفل‌اشتباه نفرمایید.

من‌پادزهرخوبی‌هستم، مخصوصاًوقتی مرابه غذامی‌زنند ازمسمومیت آن می‌کاهم. من مقوی عقل‌وحافظه ومسکن‌اعصاب می‌باشم، هوش را زیاد می‌کنم وبرای رفع‌سردرد مفید هستم. برای درمان فلج‌وسکتهٔ ناقص تجویز شده و می گویند ازسکتهٔ مغزی جلو گیری می کنم. ضماد من به تنهایی و با ادویه مناسب، جهت تقویت لثه و تسکین درد دندان و رفع بدبویی دهان سودمند می‌باشد. سرمه‌آن جهت برطرف‌کردن‌لکه سرخ‌که درچشم پدیدآید وتاریکی چشم مفید است وخوردن‌آن نیز به همین منظور تجویز می‌شود. همچنین برای درمان تنگ نفس، خفقان، سرفه‌های خلط‌دار و دلهره مفید بوده، شجاعت را زیاد می کنم. من مقوی معده و امعاء وکبد بوده، اشتها به غذا وشهوت را زیاد می کنم، قی وسکسکه را بند می‌آورم وبادشکن معده هستم وبرای استسقای گوشتی و قطره قطره آمدن ادرار سودمند می‌باشم. خوردن وحمول ۱٫۵ گرم پس‌ازپاکی‌طهر(بندآمدن‌خون‌رگل) رحم‌را تقویت کرده، آن را جهت‌آبستنی‌آماده می‌سازد ویکی ازطرق جلوگیری ازآبستنی و تنظیم خانواده به‌توصیهٔ داروسازان سنتی ایران این است‌که از روز پنجم تا بیست و چهارم عادت ماهانه، مرتباً روزی یك عدد میخك را بلع نمایند واین دستورشباهت زیادی به خوردن قرص که‌اکنون معمول شده است‌دارد. مقدار خوراك من تا چهارگرم می‌باشد.

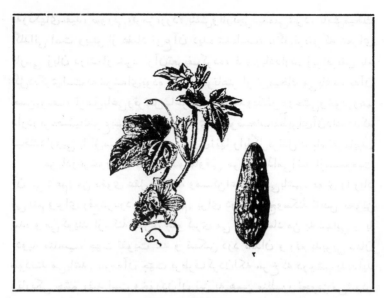

اسم من «کدو» است!

برای مبارزه باچاقی از من استفاده کنید. بامرض قند وچربی خون دشمنم. تب بر بوده و از دوستان صمیمی کبد هستم. بـرای سردرد، سرسام و بی خـوابی مرا تجویز کنید.

سری که عشق ندارد کدوی بی بار است.

فارسی من کدو و عربی من «قرع» می باشد. انواع و اقسام کوچك و بزرگ دارم که مهمترین آنها کدوی مسمایی و کدوحلوایی است که در تغذیه و مداوا به کار می رود.

با کدوی قلیانی سابقاً کوزهٔ قلیان درست می کردند و یک نوع کوچك هم که شباهت زیادی به پرتقال دارد به عنوان زینتی کاشته می شود. قسمت مورد استفادهٔ من گوشت و تخمهٔ من می باشد. من ضد یبوست، ملین، ادرار آور بوده، ورمهای گرم را فرو می نشانم. در اختلالات کلیه ومثانه تجویز شده وضد چاقی می باشم. در بیماری قند، زیادی چربی خون و دفع صفرا و بلغم، اثرات معجزه

آسا دارم. برای معالجهٔ مرض قند وچربی خون کافی است آب نوع مسمایی مرا گرفته روی آن کمی آبلیمو ریخته و روزی یك لیوان بزرگ میل نمایید. گوشت من قدرت غذایی زیادی ندارد و به همین جهت به کسانی که می‌خواهند لاغر شوند توصیه کنید که تا می‌توانند ازمسمای من استفاده نمایند و به‌عنوان ترشی به‌آن آبغوره اضافه کنند. نوع حلوایی من با اینکه شیرین است برای مبتلایان به مرض قند ضرر ندارد وکسی را فوق‌العاده چاق نمی‌کند، فقط اشخاص لاغر را کمی فربه می‌سازد. گوشت من خواه مسمایی خواه حلوایی خنك بوده و برای رفع‌التهاب و تشنگی اثری نیکو دارد. اگر یك کدوی حلوایی رااز وسط دونیم کرده وقسمت تحتانی آن رامثل کلاه روی سراشخاص تب دار و مبتلایان به سردرد و دوار بگذارید، سبب تسکین درد وفروکش التهاب خواهد شد. من برای درمان یرقان مزمن مفید می‌باشم و گوشت من تب بربوده و ازدوستان کبد محسوب می‌شود.

گوشت من زود هضم است وچنانچه با گوشت و حبوبات پخته شود، به هضم آنها نیز کمك خواهدکرد و در زودپخته شدن آنها هم تأثیر فراوان دارد.

استشمام و چکاندن آب من چنانچه خام‌فشرده شود، دربینی و گوش جهت رفع سردرد، سرسام، هذیان و بی‌خوابی نافع‌است. ضماد کوبیدهٔ گوشت من درجلوسر جهت درمان سردرد و ورمها مفید می‌باشد. غرغره ومضمضهٔ آب فشردهٔ خام‌من، مخلوط باکمی آبلیموجهت درد گلوودندان مفید می‌باشد وچکاندن آن درگوش جهت تسکین درد آن سودمند می‌باشد.

مضمضه باآب‌جوشاندهٔ‌پوست‌من‌جهت‌تسکین درد دندان بی‌اثر نیست. اگر کدوی تازه بسته راکه هنوزگل آن نیفتاده است گرفته و آن را درخمیر کرده، جلوآتش گرم نمایید وبعدآب آن راگرفته ودرچشم بچکانید، چشم‌درد را درمان‌می‌نمایداین عمل بایدباتجویزپزشك باشد. پختهٔ‌من باتمرهندی‌وشکر نیز جهت‌تسکین حرارت‌سرودماغ‌وانواع‌وسواس‌وجنون ورفع‌التهاب معده‌وجگر ازغذاهای‌خوب‌می‌باشد. خوردن قلیهٔ‌من باماش‌وآردجو جهت نرم کردن سینه ودرمان‌سرفه‌ثمرهٔ‌فراوان‌دارد. دربین عشایر ایران مخصوصاً‌ایلات قشقایی‌و بختیاری‌خوردن‌آب‌فشردهٔ‌خام‌من‌جهت تبرید ومعالجهٔ‌تبهای‌کهنه ورفع گرمی زیادمعمول‌است‌واکثر بیماران‌وتب‌داران‌راباآن‌معالجه‌می‌کنند. شیخ‌الرئیس، ابوعلی سینامرا جهت رفع‌بی‌خوابی ومعالجهٔ اکثرامراض‌گرم مفید دانسته و فقط درموردذات‌الجنب نوشته‌است‌که‌کدوبااین‌که نافع‌است، به‌علت‌آنکه ادرار را زیادمی‌کندنباید تجویزشود. خوردن پوست خشك‌من‌جهت بواسیر

و خونریزی معدی وسینه مفید می‌باشد وپاشیدن کوبیدهٔ آن درمحل بریدگی وزخم ازآمدن خون جلوگیری می‌کند. انواع من جهت اشخاص گرم مزاج سودایی و صفراوی و خونی جوانان و ساکنان مناطق گرمسیر منافع بیشمار دارد. چون سرکدو را بریده و درآن زنگ آهن ریخته و مجدداً سرآن را با همان تکه ببندند وچهل روز بگذارند وبعد آب آن را گرفته وبا حنا مخلوط کنند، خضاب خوبی جهت مشکی کردن مو می‌باشد.

تخمه کدو

تخمهٔ من بهترین درمان کرم کدو می‌باشد و این خاصیت درپردهٔ نازک سبزرنگی است که مغزآن را پوشانده‌است. دربین داروهای ضدکرم تنها تخم کدوست که به‌هیچ‌وجه سمیت نداشته وعوارضی به دنبال ندارد. مقدار خوراک آن ۲۵ تا ۵۰ گرم است و بهتر است مغزدانه‌ها را کوبیده و با عسل مخلوط کرده میل نمایند و بعد از چهار تا پنج ساعت، یك مسهل قوی مثل روغن کرچك بخورند تا تمام کرمها بیرون بیایند. تخمهٔ من اشخاص لاغر را چاق می‌کند وبرای رفع خشونت سینه وخونریزی ریوی و سرفه و تبهای شدید وزخم معده ومثانه و سوزش ادرار نافع می‌باشد. روغن تخمهٔ من جهت رفع خشکی دماغ وبی خوابی وسل واسهال و پیچش صفراوی معده دارویی بی نظیراست. مالیدن مخلوطی از روغن تخمهٔ کدو، با خون سیاوشان، جهت زخمهای سروبدن اطفال، زخمهای گوشهٔ لب وبناگوش اثر فوری دارد.

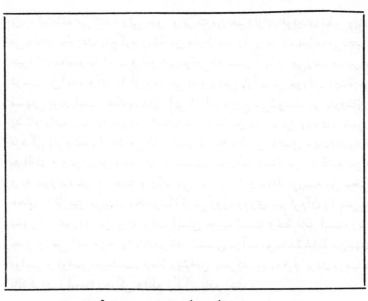

من «مار دارو» هستم!

من زخمهای خوره‌ای و جذامی را التیام می‌دهم، ولی درمان قطعی جذام نیستم، من پادزهر نیش افعی هستم.

اسم من «ماردارو» است، درشیراز به من نخوشی گویند. چون برگهای من درزمستان خشك نمی‌شود درگیلان و مازندران مرا «الاملك» می‌خوانند. من دارای انواع واقسام هستم. به‌انواع من هزارگوشان وهـزارکشان هم می‌گویند. درکتب طبی قدیم ازمن به نام «فاشرا» یادکرده‌اند. و عده‌ای‌هم به من تاك‌صحرایی گفته‌اند. عربی من کرمةالبیضااست ومیوهٔ من به‌انگورمار معروف است (عنب‌الحیه).

گیاه من شبیه درخت انگوربوده و دارای خار است.

من دراکثرنقاط ایران، مخصوصاً جبال البرز، آذربایجان و فارس به فراوانی می‌رویم و انواع من در اروپای مرکزی و افریقا فراوان است و بیشتراز ریشهٔ من که دریك گیاه ممکن است وزن آن به بیش از دوکیلوگرم

برسد استفاده می کنند، ولی میوه و برگ من هم دارای فوایدی نظیر ریشه می‌باشند. خوردن پنج گرم ریشهٔ من مارگزیده را از مرگ نجات می‌دهد و حیوانات مخصوصاً اسب و گاو هم موقعی که مـار آنها را می‌زند، به سراغ درخت من‌آمده وآن را ازریشه می کنند وکمی ازآن می‌خورند. ریشهٔ من مسهلی قوی است، هنگام‌کندن، آبی از آن خارج می‌شودکه در داروسازی به نام «آب بریون» معروف است. جوشاندهٔ من در روغن زیتون، خـون مردگی زیرچشم را پاك می‌کند. لیسیدن مخلوط من باعسل جهت‌دیفتری‌و سرفهٔ‌کهنه ودردپهلو وباد آن مفیداست. چون‌آب ریشهٔ مرا باگندم بپزند و به خورند، شیر را غلیظ و زیاد می‌کنم. برگ و ساقهٔ نورسته من سختی طحال را از بین می‌برد. مخصوصاً اگرسی روز، روزی نیم گرم‌آن را باسرکه بخورند. خوردن من برای زنان آبستن خوب نیست وخطرناك است، زیرا جنین را می کشد ورحم‌را پاك‌می‌کند. نشستن درآب‌جوشاندهٔ غلیظ من‌جهت بواسیر و نواصیرمفیداست. ضماد ریشهٔ‌من باسرکه جهت فرو بردن ورمها و پاك‌کردن زخمهای چرکی وقطع زگیل نافع است.

ضمنا ریشهٔ من جهت پاك‌کردن ودرمان زخمهای چرکی و بدخیم و زخمهای جذامی وخوره‌ای نافع است و نیز برای محکم شدن استخوانهای شکسته وعضلات دررفته، سودمند می‌باشد وهمچنین‌آن را جهت پاك‌کردن کك‌مك وسیاهی‌جای زخم تجویزمی‌نمایند. زیاده روی درخوردن من برای طحال زیان دارد و ذهن راکند می‌کند وعقل را زایل می‌نماید. وبعضی از انواع خارجی من سمی‌هستند.